그 신부를 믿지 마세요

·IV·

IV
그 신부를
믿지 마세요
윤온 장편소설
D&C BOOKS

목 차

17. 나약한 마음

17. 나약한 마음

미미하게 인상을 찡그린 엘로라는 눈을 떴다.

뒤통수를 세게 얻어맞은 것처럼 머리가 아팠다. 그뿐만이 아니었다. 분명 눈을 떴는데 아무것도 보이지 않았다. 완벽히 차단된 시야에 남아 있던 잠기운이 달아났다.

주위가 어두워서 아무것도 보이지 않는 게 아니었다. 안대 같은 것이 씌워져 있었다. 그것을 벗기 위해 움직였지만 몸은 꼼짝도 하지 않았다.

엘로라는 팔과 다리가 속박된 것을 깨닫자마자 섣불리 움직이려 들지 않았다. 이곳이 어디인지, 무슨 일이 벌어지고 있는지 모르는 상황에서 무작정 행동한다는 건 매우 위험했다.

전혀 농담 같지 않은 상황이었다. 단박에 위험을 감지한 엘로라는 어둠처럼 차가운 기운이 슬금슬금 올라오는 것을 느꼈다. 딱딱한 바닥에 내동댕이쳐진 상태였다.

뻣뻣하게 굳은 채로 있던 엘로라의 머릿속에 둑이 터지듯, 기억이 선명하게 쏟아졌다. 눈을 감기 전 있었던 모든 일들이.

일순 온몸에 소름이 돋았다.

정황상 계획적인 납치라고밖에 할 말이 없었다.

어떤 경우에도 납치는 결코 긍정적인 의미가 될 수 없었다.

되도록 침착하게 행동하고 싶었지만 앞으로 어떤 짓을 당할지 모를 상황에서 냉정을 유지하기란 쉽지 않았다.

손끝이 차가워졌다. 공황 상태가 되어 아무것도 하지 못했다. 말 그대로 얼어붙은 엘로라의 귓가에 웅얼거리는 소리가 들렸다.

모리카였다.

그녀는 아직 깨어나지 못했는지 잠결에 뒤척이고 있었다.

만약 손을 뻗을 수만 있다면 바로 닿을 위치라는 걸 직감할 수 있었다. 이제껏 눈치채지 못한 게 이상하다고 여겨질 정도로 가까웠다.

엘로라는 숨을 가다듬었다. 문득 자신이 숨을 멈추고 있었다는 걸 깨달았기 때문이었다.

천천히 숨을 들이쉬었다가 내쉬었다. 몸뿐만 아니라 머릿속까지 경직돼 있었는데 모리카가 곁에 있다는 사실을 인지하자마자 찬물을 끼얹은 듯이 냉정을 찾을 수 있었다.

침착하자. 정신만 똑바로 차리면 어떤 일이라도 해결할 수 있었다.

힘을 주어 두 눈을 꾹 감은 엘로라는 스스로를 다독였다. 혼자가 아닌 지금, 넋 놓고 있다가는 모리카까지 돌이킬 수 없는 길을 걷게 된다.

한결 차분해진 상태로 귀를 쫑긋 세웠다. 사지가 묶이고, 시야가 가려졌기 때문에 청각과 후각에 의지해야 했다.

처음에는 풀벌레 우는 소리가 들렸다. 그 사이로 사람 소리를 잡아낸 엘로라는 그것이 남자들의 목소리라는 것까지 알아냈다.

한 사람이 아니었다. 아직 단정 지을 수 없지만 두 사람 정도 되는 것 같았다. 목소리는 무언가 가로막혀 있는 것처럼 희미하게 들렸다.

혹여나 누군가가 기척을 죽인 채 숨어서 지켜보고 있을지도 몰라서 끝까지 자는 척 연기한 엘로라는 먼지 냄새를 맡았다.

외부에서 들어오는 신선한 바람은 전혀 느껴지지 않았다. 실내인 듯한데 제대로 청소를 하지 않은 지 제법 오래됐다는 생각이 들었다.

한정된 감각으로 최대한 많은 정보를 알아내기 위해 노력했다. 구체적으로 알 수 있는 게 없으니 작은 단서라도 잡아내서 많은 걸 알아내야 했다. 그래야 이 절망적인 상황에서 희망을 찾을 수 있었다.

상대의 목적이 무엇인지, 왜 이런 짓을 벌였는지는 그들의 입을 통해 듣기 전까지 확신할 수 없었다. 그러나 짐작은 갔다.

사람까지 매수하며 여성 두 명을 납치했다. 종종 신문을 통해 접할 수 있는 이야기였다. 절대 좋은 결말을 본 적 없는 이야기기도 했다.

온전히 살아서 돌아가려면 정신을 바짝 차려야 했다.

다소 긴장된 상태로 촉각을 곤두세운 엘로라가 하나씩 정보를 수집하고 있는데 남자들이 근처에 다가오는지 걸음 소리가 크게 울렸다. 그들의 목소리 또한 가까워졌다. 여전히 기절한 척한 엘로라는 그 소리를 유심히 들었다.

"일어나!"

바로 코앞까지 다가왔다고 인식한 순간, 천둥 같은 호령이 떨어졌다. 그대로 고개가 돌아간 엘로라는 뺨이 화끈거리는 걸 느꼈다. 남자가 그녀의 뺨을 내려친 것이었다.

너무나 당황스러워 소리를 내는 것조차 잊은 채로 있는데 거칠게 안대가 벗겨지고, 희미한 빛이 쏟아졌다.

"잠깐. 분명 초록색 머리에 초록 눈동자라고 했는데?"

"초록이나 파랑이나 비슷하지. 얼굴이 똑같은데 뭘 따지려 들어."

"괜히 실수해서 일을 그르치면 안 되니까 하는 말이지! 그러게 누가 헷갈리게 두 명을 납치하래? 옆에 있는 여자가 누가 봐도 녹안이잖아!"

"저 둘이 꼭 붙어 있는데 어떻게 한 명만 골라서 데려올 수 있어? 그리고 너도 동의한 사항이잖아. 계집애처럼 징징대지 마."

오랫동안 어둠에 적응돼 있었던 눈은 곧바로 사물을 인식하지 못했다. 초점이 흔들려 몇 번이나 눈을 깜빡인 엘로라는 상대의 얼굴을 정확히 볼 수 있었다.

남자 두 명이었다. 그들 중 하나는 납치당하기 전 집요하게 미행했던 남자였다.

"너, 크리센즈 쪽 상단의 모리카 맞지? 아니라고 잡아뗄 생각 하지 마. 네가 그 모리카라는 증거가 넘쳐 나니까."

남자들은 정확히 엘로라를 보며 '모리카'라고 하고 있었다. 모리카로 변장한 채라서 엘로라를 모리카로 착각한 듯했다.

사나운 얼굴로 자신을 내려다보는 남자의 말이 끝나자마자 엘로라는 힐끗 진짜 모리카를 보았다. 그녀는 아직 상황 파악이 끝나지 않았기 때문인지 어안이 벙벙한 표정이었다. 그렇다고 하여 이 남자들과 아는 사이 같지는 않았다.

"용건이 무엇이죠?"

엘로라는 어쩌면 지금 자신이 모리카로 변장하고 있어서 다행이라는 생각이 들었다. 현재 모리카보다 이성적으로 판단할 수 있으니까.

남자에게 뺨을 맞아서 방금 깨어난 모리카보다 일찍 정신을 차려서 한 차례 상황을 정리한 엘로라는 냉정하게 판단할 수 있었다.

엘로라는 외국인 특유의 느낌이 남아 있는 모리카의 발음을 최대한 따라 하며 적의가 담긴 시선으로 남자들을 올려다보았다.

"용건이 무엇이죠? 허! 남의 장사 그렇게 망쳐 놓고 뻔뻔하게 나오네."

"네 탓에 하루아침에 빚을 떠안게 됐다고! 빌어먹을. 여자가 집에서 얌전히 집안일만 하면 됐지 괜히 남자들 하는 사업에 끼어들어서 피해 입는 사람이 생겨나는 거잖아!"

돌아오는 것은 조롱이었다. 남자는 어설픈 엘로라의 볼흐라스어를 과장되게 따라 했다. 숨 쉬듯이 자연스러운 비하는 덤이었다. 딱히 색다른 표현은 아니었다.

당사자가 아니다 보니 그들이 무슨 일을 당했는지 정확히 알지 못해도 모리카가 하는 사업과 관련이 있음을 충분히 인식할 수 있었다. 사업 실패로 모리카에게 보복하기 위해 이런 일을 벌인 것이었다.

"그렇다고 사람을 납치하는 일이 정당화되지 않아요."

"걱정 마. 우리가 원하는 걸 순순히 들어준다면 상처 없이 곱게 돌려보내 줄 테니까."

"당신들이 원하는 거요?"

얘기가 통할 거라고 생각했는지 남자가 씨익 웃었다.

"아주 간단한 일이야. 여기에 서명하고 금고의 비밀번호를 알려 주는 거야. 그러면 곧장 원래 있었던 곳으로 돌려

보내 주지.”

“우리 친구가 금고 근처에서 대기하고 있어. 바로 확인이 가능하지. 허튼수작 부릴 생각 말라고.”

그러면서 종이 뭉치를 꺼내 엘로라의 눈앞에 펄럭였다. 지나치게 모리카를 의식하면 의심을 살까 싶어서 엘로라는 계약서만 쳐다봤다. 그런데 계약서를 들고 있는 남자는 계약서의 내용을 제대로 확인하지 못하게 하기 위함인지 눈앞에서 정신없이 펄럭댔다.

안 그래도 주위가 환한 것도 아니라서 글자가 제대로 눈에 들어올 리 만무했다. 그럼에도 종이만을 응시하던 엘로라가 단호하게 대답했다.

“안 해요.”

“이봐, 우리가 얌전히 굴어 주니까 상황 파악이 안 돼? 너한테 선택권 같은 게 있는 줄 알아?”

험악하게 인상을 찌푸린 남자가 주머니에서 무언가를 꺼냈다. 칼이었다. 언뜻 봐도 날카로운 그것이 희미하게 반짝였다.

“저한테 상해를 입힌다고 해도 그쪽에게 좋을 것 하나 없을 텐데요.”

“우리가 본보기를 보여 주게끔 만든 건 다른 누구도 아닌 너야. 그러게 고작 서명 몇 번 하면 끝날 일을 누가 거절하래?”

남자가 위협적으로 칼을 목에 갖다 댔다. 금방이라도 살

갖을 파고들 것만 같았다.

사람 한 명 죽이는 것쯤은 아무렇지 않다는 듯이 구는 남자의 행동에도 냉정을 잃지 않은 엘로라가 힐끗 모리카를 보았다. 대충 상황 파악이 끝난 그녀는 이제껏 본 적 없는, 매우 화난 표정을 짓고 있었다.

할 수만 있다면 뛰어들 듯한 얼굴을 한 그녀와 엘로라의 눈이 마주쳤다. 엘로라는 눈빛으로 그녀에게 얌전히 있으라는 무언의 신호를 보냈다.

내버려 둔다면 진짜 모리카는 자신이라고 외칠 것만 같았기 때문이었다.

"중요한 사실을 잊었나 본데, 여기는 그 같잖은 크리센즈가 아니야! 이곳 볼흐라스에서 너는 스쳐 지나가는 외국인 한 명일 뿐이지. 다친 채로 나가서 우리가 이런 짓을 했다고 외쳐 본들 그 누가 네 말을 들어줄 것 같아? 아마 다들 코웃음 칠걸. 만약 이곳을 나가지 못하게 된다면 볼흐라스에서 일어난 일이니 볼흐라스 법이 적용되는 건 당연하지. 사라진 외국인 여자를 찾는 데에 많은 시간을 들일 만큼 공권력은 그리 한가하지 않아. 물론 내국인 여자 또한 마찬가지고."

한 번 더 상기시켜 주지 않아도 알고 있었다.

표면적으로 엘로라와 모리카는 외국인 여성과 평민 여성일 뿐이었다. 볼흐라스에서 자신의 권리를 주장하기 가장 힘든 위치였다.

이는 모리카가 크리센즈에서 사회적인 지위를 갖고 있다 하더라도 마찬가지였다. 그녀의 지위는 크리센즈에서나 통하는 것이지 볼흐라스에서는 전혀 통하지 않았다.

볼흐라스에서 그녀는 외국인 여성일 뿐이었다. 실제로 볼흐라스와 크리센즈가 외교적으로 미묘한 관계에 있는 것과도 연관이 있었다.

게다가 신분을 속이고 외출했으니 히나가 이상한 낌새를 눈치챘어도 쉽게 구하러 오지 못할 것이었다. 히나는 엘로라가 지금 모리카로 변장 중인 걸 몰랐다.

모리카와 연관 있는 사람의 경우에는 남자들이 미리 손을 썼을 확률이 높았다. 그렇지 않고서는 당당하게 나올 리 없었다.

"그렇다 하더라도 당신들의 요구에 응하는 일은 없어요."

엘로라가 한 치의 흔들림 없는 눈빛으로 남자를 직시했다.

망설임은 없었다. 외부의 도움을 바라서는 안 된다는 걸 잘 알면서도 타협하지 않았다.

"칼을 들고만 있으니 장식 같지?"

이 정도 말했으면 알아서 겁을 먹고 고분고분 굴 줄 알았더니 도리어 당당하게 나오는 엘로라의 행동에 열이 오른 남자가 목소리를 내리깔며 칼을 잡은 손에 힘을 주었다.

그 순간 목이 따끔따끔했다. 깊게 찌른 것은 아니었지만 피를 볼 만큼 충분히 위협적이었다. 그러나 엘로라는 겁을 먹은 기색 없이 올곧은 눈빛으로 남자를 보았다.

"그래, 발목을 자르는 건 아직 이르지. 일단 맛보기를 보여 줄까? 그러면 그 당돌한 눈깔을 내리깔 생각이 들겠지?"

피가 살짝 묻은 칼을 치운 남자가 엘로라의 발목을 잡았다. 섬뜩한 감각이었다. 마치 벌레가 기어 다니는 듯했다.

반항하고 싶은 충동을 꾹 억누른 엘로라는 거칠게 제 발목을 잡는 남자를 바라볼 수밖에 없었다.

강한 압박이 발목에 가해졌다. 남자의 악력은 상상 그 이상의 것이었다. 온 신경이 발목에 집중되었다. 자칫하면 눈물이 나올 것 같아 엘로라는 눈 한 번 깜빡하지 않았다.

"독한 년. 찍소리도 안 내네."

마치 인형처럼 가만히 있는 엘로라를 남자가 질린 눈으로 쳐다봤다. 그들은 어지간히 독한 년이 아니라면서 욕지거리를 내뱉었다. 모욕적인 언사에도 불구하고 엘로라는 동요하지 않았다.

"퉷. 밤새 잘 생각해 보라고. 네가 계속 고집을 부리게 되면 어떻게 될지. 그래도 마침 길동무가 있으니 심심하지는 않겠군."

계속 말해 봤자 제자리걸음이라는 걸 깨닫고 바닥에 침을 내뱉은 남자가 나갔다. 그러는 동안에도 엘로라의 시선은 남자들에게 고정돼 있었다.

정말 아무 감정을 느끼지 못하는 사람처럼 무표정으로 가만히 있는 엘로라는 모리카가 보기에도 감탄을 넘어서 소름이 돋았다.

어쩔 수 없이 입을 꾹 다물고 있었던 모리카는 남자들이 완전히 떠났다고 판단이 들었을 때야 잔뜩 흥분해서 외쳤다.

"어째서 그들의 요구에 응하지 않았어요? 금고의 비밀번호는 저들이 가고 난 후에 제게 물어보면 됐잖아요!"

"지금 제 얼굴, 어때 보여요?"

대답 대신 뜬금없는 물음이 돌아왔다. 저와 똑 닮은 얼굴이 감정 없는 표정을 한 채 고저 없는 목소리로 물어 오자 본능적인 거부감이 들었다.

하지만 지금 의지할 수 있는 건 엘로라뿐이었다. 모리카는 이런 자신의 부정적인 감정을 겉으로 드러내지 않도록 노력하며 보고 느낀 그대로를 얘기했다.

"……침착하네요. 믿어지지 않을 정도로."

"아니요, 제 표정을 뜻한 게 아니에요. 제가 지금 모리카의 얼굴을 그대로 유지하고 있나요?"

모리카가 힘겹게 고개를 끄덕였다. 화장이라는 변신은 아직 풀리지 않아서 눈앞에 있는 이가 엘로라임에도 불구하고 엘로라처럼 느껴지지 않았다.

얼굴뿐만이 아니었다. 남자들과 대화할 때 심지어 목소리마저 모리카를 따라 했다. 지켜보던 모리카는 자신을 그대로 복제해 둔 줄 알았다. 이 때문에 놀라워하는 걸 겉으로 티 내지 않도록 부단히 노력했을 정도였다.

"그러면 됐어요."

엘로라는 빛이 희미하게 내려앉은 창백한 낯으로 살짝

입꼬리를 올렸다. 억지로 짓는 미소였다. 마음속 불안을 잠재우기 위한 미소이기도 했다.

제아무리 엘로라라 하더라도 피를 본 데다 언제 어떻게 될지 모르는 상황에서 완벽하게 침착함을 유지할 수 있을 리 없었다. 그녀를 버티게 해 주는 것은 오로지 혼자가 아니라는 사실뿐이었다.

그리고 그녀는 남자들과의 대화에서 이곳에서 벗어날 수 있다는 일말의 희망을 보았다. 아직 시간은 충분했다.

남자들은 무신경하게 '밤새'라고 표현했다. 아직 밤중이라는 뜻이었다.

엘로라와 모리카가 납치됐을 때는 저녁이 다 돼 가는 시간이었다. 조급함을 숨기지 않고 있던 남자들이 납치한 인질을 하루 꼬박 기절시켜 놓았을 리 없으니 그리 긴 시간이 지나지 않았다는 뜻이었다.

짧은 시간 동안 마차로 이동했다 하더라도 납치당한 장소에서 엄청 멀리 떨어진 곳은 아닐 것이었다. 더불어 그들이 나갔을 때 바깥의 신선한 공기가 들어왔다. 이곳만 나가면 바로 밖이었다.

속박을 풀고 남자들의 감시를 피할 수만 있다면 탈출은 어렵지 않았다.

남자들이 오기 전까지 머릿속에 두루뭉술하게 짜 놓았던 계획이 그들이 정보를 줌으로써 구체화되고 있었다.

"잘 모르는 제가 봐도 불공정한 내용이 가득한 계약서였어요. 모리카가 열심히 노력해서 이뤄 낸 결과물을 남인 제가 좌지우지할 수는 없죠."

엘로라는 모리카가 처음 한 질문에 대한 답을 뒤늦게 내놓았다. 어째서 그들의 요구에 응하지 않았냐는 물음이었다.

잠깐의 침묵 끝에 나온 말인 터라 엘로라가 무슨 얘기를 하는지 곧장 이해하지 못했던 모리카는 얼빠진 얼굴을 했다.

그도 그럴 것이 생사가 갈리는 선택이었다. 딱 봐도 남자들은 냉정하기보다 다혈질적인 성격이었고, 조금만 거슬리면 화를 냈다. 그런 사람들이 분을 못 이기고 사람 한 명 죽이지 않는다는 보장이 없었다.

상황을 지켜보던 모리카는 엘로라가 알겠다고 할 줄 알았다. 현재가 있어야 미래가 있었다. 저보다 덩치가 두 배 큰 남자가 위협적으로 구는데 거절할 수 있을 리 없었다.

그런데 차분한 것도 모자라 거절까지 했다. 모리카에게 불이익이 간다는 이유 하나만으로. 만난 지 두 번밖에 안 된 남을 위해 이렇게까지 할 수 있을까? 모리카라면 절대 하지 못할 선택이었다.

"다른 것도 아닌 사람의 목숨이 달렸어요! 제 목숨뿐만 아니라 당신 목숨까지. 그런데 어떻게 죽음을 두려워하지 않고 제 경력을 걱정할 수 있는 거죠? 죽으면 다 끝이잖아요!"

절로 언성이 높아졌다. 사실 그들이 원하는 걸 다 알려준다 하더라도 온전히 이곳을 나갈 수 있으리란 보장은 없지만 적어도 큰 피해는 입지 않을 것이었다.

어둠, 납치, 덩치 큰 남자들, 협박.

제정신을 유지할 수 없는 상황에서 사람이 할 수 있는 선택지란 그리 폭넓지 않았다.

제 속마음을 털어놓는 모리카를 가만히 보던 엘로라는 알 수 없는 표정을 하고 있었다. 무덤덤한 듯하면서도 모리카가 그런 반응을 보일 줄 알았다는 듯한, 묘한 얼굴이었다.

그 얼굴을 보고 있자니 자신이 너무 흥분했음을 깨달은 모리카는 헛숨을 들이켰다.

그녀는 엘로라처럼 침착할 수 없었다.

"모리카."

엘로라가 차분하게 모리카를 불렀다. 이름을 불렀을 뿐인데 모리카가 움찔했다. 자신의 얼굴을 한 타인이 감정 없는 눈빛으로 바라보는 것이 이질적이었다. 그리고 두려웠다.

그것은 처음 눈을 떴을 때 엘로라가 느꼈던 감정과 비슷했다. 그걸 눈치챈 엘로라는 천천히 말을 이었다.

"성공은 노력만으로 이룰 수 있는 게 아니에요. 그러니 일말의 가능성이 있는 한 쉽게 포기라는 단어를 입에 담으면 안 돼요."

부드럽게 울리는 엘로라의 목소리는 묘한 설득력을 담고 있었다. 모리카는 엘로라가 어떤 말을 하더라도 믿었을 거라고 생각했다.

"그리고 죽지 않아요."

"……."

"그렇게 되도록 제가 두지 않을 거예요."

결연한 다짐이었다. 자신을 협박하는 남자들 앞에 있었을 때처럼 엘로라는 조금도 머뭇거리거나 흔들리지 않았다.

"날 믿어요?"

한 치 앞도 모르는 상황에서 버팀목이 되어 줄 수 있는 사람이 있다는 건 단순히 '희망'이나 '빛'이라는 단어만으로 설명할 수 없었다. 순간 목이 메어 말이 나오지 않은 모리카는 그저 고개만 끄덕였다.

그런 모리카에게 엘로라는 부드럽게 미소 지었다. 이번에는 억지 미소가 아니었다.

"그렇다면 힘들더라도 하루만 더 버텨 주세요."

"……하루가 지나면 나갈 수 있어요?"

"네, 저들의 요구를 들어주지 않더라도 탈출할 수 있어요."

그들의 실수는 엘로라를 얕봤다는 것이었다.

그도 그럴 것이 상대는 구속당한 여자 둘이었다. 신체적으로도 정신적으로도 압박당하고 있는 두 사람이 할 수 있는 건 아무것도 없다고 생각하고 있음을 은연중에 행동으로 드러내고 있었다.

안대를 다시 씌우지 않은 것과 충분히 입막음을 할 수 있음에도 불구하고 자유롭게 대화할 수 있도록 내버려 둔 것이 이러한 사실을 증명하고 있었다.

엘로라는 주위를 둘러보았다. 등불 하나에 의존하고 있는 실내는 넓었지만, 창문은 보이지 않았다. 때문에 남자들이 드나들 때나 무신경하게 하는 말로 시간을 예측할 수밖에 없었다.

퀴퀴한 냄새가 진동하고 있었고, 엘로라와 모리카의 뒤편에는 거대한 상자가 잔뜩 쌓여 있었다. 아무리 봐도 창고 같았다. 깊숙한 곳은 빛이 들지 않아서 자세히 확인할 수 없지만 제법 규모가 큰 창고라는 건 확신할 수 있었다.

일반인이 소유하기에는 무리가 있는 크기였지만 그들이 상인이라는 점을 감안하면 그들 소유의 창고일 가능성이 높았다.

엘로라는 머릿속에서 볼흐라스의 지도를 펼쳤다. 수도를 중심으로 마차를 타고 다섯 시간 내외로 이동할 수 있는 지역. 거기다 상단이 물품을 보관할 수 있는 넓은 평야여야 했다. 창고가 밀집되어 있는 지역을 체크하다가 두 눈을 빛냈다.

"꼭 대답을 들었으면 하는 게 있어요. 그들과 아는 사이인가요?"

"전혀요."

"짚이는 일은요?"

"경쟁 상단은 모두 제게 적대감을 갖고 있죠. 특히 이번에 가장 먼저 팔찌 사업으로 한탕 해서 그들 입장에서는 더욱……."

"더욱?"

"아, 미안해요. 아예 상관없는 이야기가 갑자기 떠올라서. 아마 그들 입장에서는 제가 더욱 아니꼬웠을 거예요. 원래 잘나가면 질투와 시기는 덤으로 따라오는 법이잖아요."

엘로라가 워낙 덤덤하게 나오는 터라 그 분위기에 이끌린 모리카가 되도록 여유 있는 것처럼 농담 아닌 농담을 가벼운 어조로 말했다.

조금 전보다 한결 나아 보이는 모리카를 보며 다행이라 여긴 엘로라는 그녀가 자신에게 해서는 안 될 말을 해 버린 듯한 반응을 보인 것을 대수롭지 않게 여겼다. 지금은 충분히 경황이 없을 만한 상황이었다.

"금고를 노릴 만한 사람이 대략적으로 있지 않나요?"

"보유한 금고가 많은데 딱 저를 노리고 물었으니 그중에서 볼흐라스 장인의 기술이 적힌 문서가 들어 있는 금고를 말하는 걸 거예요. 최근 어렵사리 독점하게 되어 제가 책임지고 관리하고 있죠. 그걸 탐내는 사람이 두 손으로 꼽을 수 없을 정도로 워낙 많아서……."

일일이 떠올리기에도 많은지 모리카가 말끝을 흐리며 인상을 찌푸렸다. 깊게 고민하는 그녀를 지켜보던 엘로라는 단숨에 범위를 좁혀 주었다.

"경쟁 상단 중 최근 한두 달 사이에 폭삭 망한 볼흐라스 상단을 떠올려 보세요. 이전까지 제법 이름을 날렸지만 주요 거래처를 당신에게 모두 빼앗긴 탓에 재기 불능할 정도로 처참하게 망한 상단이요. 머릿속에 금고는 지우고 오로지 제가 말한 조건에 부합하는 상단만을 떠올려 보세요."

그 기간 동안 모리카가 볼흐라스에 체류하고 있었으니 비록 외국이라 하더라도 업계의 얘기가 그녀의 귀에 자연스레 흘러들어 왔으리라. 엘로라는 금방 대답이 나오리라는 확신을 가진 채 물었다.

금고를 노릴 만한 상단이 셀 수 없이 많다면 최근 한두 달 내에 망한 데다 모리카가 운영하는 상단에게 거래처를 빼앗긴 상단은 그리 많지 않았다. 모리카는 순식간에 범위를 좁힐 수 있었다.

"아."

"떠오른 게 있나요?"

"네, 하지만 어째서 금고와는 전혀 상관없는 인물로 범위를 좁힌 거죠? 그들은 금고의 비밀번호를 원했잖아요."

"금고는 주목적이 아니에요. 추측건대 계약서에 서명을 남기는 것이 이번 납치의 목적일 거예요. 제게 보여 준 서류에는 거래처에게 계약 파기를 통보하겠다는 내용이 담겨 있었어요. 이 일로 이득을 볼 사람은 경쟁 업체뿐이겠죠."

금고가 주목적이 아니라고 확신한 이유는 그 외에도 하나 더 있었다. 금고 비밀번호가 아닌 서명에 집착하고 조급해하는 그들의 행동이었다.

엘로라가 뜻대로 하지 않겠다고 단호하게 나오니 그들은

먼저 서명을 언급했다. 거기다 금고 안에 있는 게 무엇인지 알았으니 그들이 어디에 비중을 두는지 더욱 확신할 수 있었다.

짧은 시간 동안 얻을 수 있는 정보란 정보는 모두 취합하여 결론을 내린 엘로라를 바라보며 모리카는 다시 얼이 빠진 표정을 지었다. 제정신으로 있는 것도 대단한데 그들의 목적이 무엇인지 계속 생각하고, 자신의 전문 분야가 아니라서 생소한 단어가 한가득일 문서를 몇 초만 읽고 바로 내용을 파악했다는 것이 다소 경악스럽기도 했다.

왠지 사람 같지 않은 엘로라를 보고 있자면 머릿속에 떠오르는 인물이 한 명 있었다. 이 얘기를 그대로 했다가는 농담 취급도 받지 못할 것 같아서 입 밖으로 꺼내지 않은 모리카가 화제를 전환했다.

“발목은 괜찮아요?”

“네, 아무렇지 않아요.”

“빨갛게 부었어요.”

“이곳을 나가서 치료 받는다면 금방 나을 거예요. 그러니 신경 쓰지 말아요.”

엘로라는 정말 아무렇지 않게 느껴져서 말했지만 모리카의 입장에서는 마음이 더 아파 왔다. 따지고 보면 자신 때문에 엘로라가 험한 꼴을 당한 것인데, 결국 엘로라에게 기대고 있으니 태연하게 있을 수가 없었다.

“미안해요.”

"……."

"이런 일에 끌어들여서. 가끔 이런 일이 있다는 얘기는 들었지만 제가 당할 줄은 몰랐어요."

"사고는 닥치기 전까지 아무도 모르는 일이죠."

우울함이 사라지지 않는 모리카의 얼굴을 보고선 엘로라는 자신이 너무 무심하게 말했나 싶어서 덧붙였다.

"그리고 제가 좋아서 동행한걸요. 죄책감 가질 필요 없어요. 사과해야 할 사람은 따로 있잖아요."

사과해야 할 사람은 모리카가 아니었다. 그녀 또한 피해자임을 잊어서는 안 됐다. 마음에 짐을 지우게 하고 싶지 않아 최대한 따듯한 어조로 말하고는 벽에 몸을 기댔다.

최대한 버틸 때까지 버티려고 노력하고 있지만 벌써부터 심적으로 지쳤음을 느끼고 있던 차였다.

"힘들겠지만 그들이 올 때까지 일단 안정을 취하고 있어요. 몸도 아프면 더 부정적인 생각밖에 안 드는 데다 체력은 비축해 둘수록 좋으니까."

엘로라는 두 손이 뒤로 묶여 있어서 다행이라고 생각했다. 그렇지 않았다면 볼썽사납게 벌벌 떨고 있는 손을 모리카에게 들켰을 테니까.

유일하게 솔직한 신체 부위는 가려져 있어 스스로 느끼기에도 완벽하게 침착함을 유지하는 것처럼 보였다. 바라던 바였다.

납치한 사람을 오랫동안 방치해 둘 수 없는 노릇이니 아마 낮이 되면 그들이 다시 찾아올 것이었다. 그동안 푹 쉬지는 못하더라도 이성적으로 행동할 수 있는 체력은 만들어 놔야 했다. 언제까지 벌벌 떨고 있을 수만은 없었다.

눈을 내리깐 엘로라는 깊은 상념에 잠겼다. 여러 변수를 감안하여 탈출 계획을 머릿속으로 실행하는 중이었다.

빠르고 간결하면서도 피해를 최소한으로 줄이는 방법이어야 했다. 또한 작은 실수도 용납되지 않았다.

숨 쉬는 소리조차 천둥소리처럼 커다랗게 들릴 정도로 침묵이 내려앉았다. 남자들이 다시 찾아올 때까지 끝나지 않을 것 같은 침묵을 모리카가 깼다.

"어쩌면 그 남자가 올지도 몰라요. 이런 일에 눈치 빠른 데다 당신을 좋아하니까요."

모리카가 가리키는 '그 남자'는 라하트를 뜻했다.

남의 입을 통해 라하트가 자신을 좋아한다는 걸 듣게 되니 기분이 이상해졌다. 남이 쉽게 인정하는 사실을 계속 의심하고 부정했기 때문일까. 너무나 당연하다는 듯이 확신하는 것도 신기하게 느껴졌다.

"아니요."

라하트가 오는 걸 부정하는 것인지 라하트가 좋아한다는 걸 부정하는 것인지 모호한 답이었다. 여지를 주지 않는 단호한 부정이기도 했다.

"오지 않을 거예요. 만약 구하러 오고 있더라도 상관없어요. 결국 제 힘으로 해결해야 하는 일이니까."

우연과 타인을 너무 믿어서는 안 됐다. 벼랑 끝에 내몰리면 타인의 도움을 바라게 되고는 하지만 인생은 동화가 아니다.

악당에게 붙잡힌 공주님을 구하기 위한 용사님은 현실에서 존재하지 않았다. 믿어야 하는 건 오로지 자신뿐. 스스로를 믿고 위기를 헤쳐 나가야 했다.

"어째서 그가 당신을 사랑하는지 알 것 같아요."

"저를 사랑하게 되었나요?"

여유가 넘치는 척, 엘로라가 농을 던졌다.

전혀 웃을 수 없는 상황이지만 모리카 또한 엘로라의 장단에 맞춰 주었다. 만약 이 자리에 있는 사람이 엘로라가 아닌 다른 이었다면 전혀 할 수 없는 행동이었다.

"물론이죠. 지금 이 순간, 제 마음에 거짓은 없다고 확신할 수 있어요."

엘로라는 차마 강한 척하는 것뿐이라고 말할 수 없었다. 진실을 입 밖으로 꺼내면 그대로 무너지고 말 것이라는 걸 알고 있으니까.

모리카는 감탄하고 있었으나 파도 앞에 홀로 서 있는 모래성처럼 언제라도 스러질 강인함이었다.

엘로라는 주먹을 꽉 쥐었다.

두 손이 여전히 떨리고 있었다.

새벽이 되자 새가 지저귀는 소리가 울렸다. 창고는 방음이 전혀 되지 않아서 새 소리가 잘 들렸다. 때문에 밤새 한숨도 자지 않은 엘로라는 벽에 귀를 바싹 붙이고 소리를 들었다.

어떤 소리든 좋았다. 이곳이 어디인지 구체적인 단서가 되어 준다면.

남자들은 내부를 밝혀 주던 등불이 꺼지고 나서야 다시 찾아왔다. 아직 오후가 되지 않은 시간이었다.

가만히 있으니 시간 감각이 무뎌지고 있었지만 새벽부터 시간을 가늠한 엘로라는 그렇게 짐작했다.

잠을 자지 못한 건 그들 또한 마찬가지인지 얼굴색이 썩 좋지 않았다. 불을 밝힌 남자들은 엘로라의 얼굴에 종이 뭉치를 들이대며 어서 서명을 하길 재촉했다. 그렇지 않는다면 이번에는 반대쪽 발목을 부러뜨리겠다는 협박을 하면서.

하지만 이번에도 엘로라는 요지부동이었다. 눈앞에 칼을 갖다 대도, 욕설을 하며 위협적으로 굴어도 눈 한 번 깜빡하지 않으니 지치는 건 남자들이었다.

"배고파."

"뭐? 지금 이 상황에서 배고프다는 말이 나와?!"

"종일 굶겼으니 배가 고픈 건 당연한 일이죠. 굶겨 죽일 생각은 없잖아요."

"당장 죽을 수도 있다는 걸 아직도 인식하지 못한 건가? 다리 하나로는 부족했던 모양이지?"

"필사 의심을 받을 테니 자진해서 쓰게 만들려고 하는 사람치고는 말이 험하네요. 적어도 배는 채워야 펜을 잡을 힘이 난다는 건 상식 아닌가?"

절대적으로 불리한 상황임에도 불구하고 도리어 당당하게 나오는 엘로라의 행보에 남자들은 넋이 나갔다.

그들의 계획에는 잔뜩 겁에 질려 울거나 징징대는 여자가 있었지, 마치 감정이라는 건 전혀 느끼지 못하는 듯이 겁대가리 상실한 여자가 있지 않았다.

첫 대면으로 대충 짐작은 하고 있었지만 허세를 부리는 거라고 생각했다. 하룻밤 어두운 곳에 가둬 놓으면 당연히 겁을 먹고 원하는 반응이 나올 줄 알았는데 그것도 아니었다.

"이년이!"

얼굴이 붉으락푸르락 달아오른 남자 한 명이 손찌검하기 위해 손을 들었다. 그러나 이번에도 엘로라는 눈 한 번 깜빡하지 않았다.

"협박은 통하지 않아. 날 밀어붙인다 하더라도 쓸데없는 피만 손에 묻힐 뿐이지. 설마 나의 죽음으로 모든 일이 해결될 것이라고 자만하고 있는 건가?"

반말을 썼지만 지적하는 사람은 없었다. 남자들은 화가

머리끝까지 나서 엘로라가 반말을 하는지, 존댓말을 하고 있는지 인식하지 못했다.

무려 발목을 부러뜨렸는데도 여전히 당당한 푸른 눈동자는 이루 말할 수 없는 위압감을 느끼게 했다. 그건 억지로 쥐어짜 낸다고 해서 할 수 있는 것이 아니었다.

남자는 결국 엘로라의 뺨을 치기 위해 들었던 손을 내렸다. 아무것도 하지 못했다. 할 수 없었다. 스스로 인정하고 싶지 않지만 남자는 지금 겁을 먹고 있었다.

"너, 너는 이 망할 여자가 원망스럽지 않아?"

남자가 목표를 바꾸었다. 진짜 모리카와의 갈등을 유발하도록 부추겼다. 속내가 훤히 보이는 행동이었다. 더불어 엘로라의 계산하에 있는 발언이기도 했다.

이럴 줄 알고 미리 언질을 해 두었기 때문에 진짜 모리카는 아무 말도 하지 않았다. 조가비처럼 입을 꾹 다물고 있는 진짜 모리카의 행동에 남자들은 제 분노를 이기지 못했다.

"씨발!"

사람을 치는 대신 창고에 있던 상자를 발로 찼다. 혹여나 엘로라를 무자비하게 때리는 건 아닐까 싶어 움찔했던 모리카는 속으로 안도의 한숨을 쉬었다.

"먹을 걸 가지고 오면 긍정적으로 검토해 보죠. 물론 2인분으로."

성을 내는 남자들과 다르게 엘로라는 태평하기만 했다. 남자의 발길질이 잦아들었을 때쯤 차분하게 울리는 엘로라의 목소리에 남자들은 인상을 찡그렸다.

엘로라가 미묘하게 우위를 독점하고 있는 듯하여 썩 내키지 않았다. 목줄을 쥐고 있음에도 불구하고 질질 끌려가고 있는 기분이었다.

"어쩔 거야?"

"갔다 와!"

"뭐?"

"어차피 앞으로 굶을 텐데 최후의 만찬이라도 대접해 줘야지. 귀한 손님 아니겠어? 그리고 방금 좋은 생각이 났어. 나는 감시하고 있을 테니 어서 갔다 와."

간악하게 눈을 빛내는 남자의 말에 발길질을 했던 남자가 귀찮다고 투덜거리다가 결국 창고를 나섰다.

남자가 나간 후에 엘로라에게는 전혀 위협이 되지 않은 협박이 다시 시작되었다. 꿋꿋이 그것을 버티고 나니 나갔던 남자가 돌아오는 소리가 들렸다.

말이 우는 소리, 묵직하면서도 빠른 발걸음 소리.

근처에 왔음을 눈치챘지만 아무것도 모르는 척 신경 쓰지 않고 있던 엘로라는 덜컹, 하고 문이 열리는 소리와 함께 빵 냄새를 맡을 수 있었다. 신선한 공기와 함께 훅 끼치는 빵 냄새는 강렬했다.

빵을 들고 온 남자는 나갈 때와 마찬가지로 툴툴거렸다. 그러면서도 순순히 엘로라와 모리카에게 빵을 건네주려고 하는데 다른 남자가 그것을 중간에 가로챘다.

"자, 먹어."

엘로라는 쓰레기처럼 바닥에 던져진 빵과 사악하게 웃는 남자를 번갈아 봤다. 어쩐지 순순히 요구를 들어주는가 싶더니 꿍꿍이가 있었다.

손발이 묶여 있는 상태에서 저걸 먹을 수 있는 방법은 단 하나였다.

엎드리는 것.

짐승처럼 바짝 엎드린 채 입으로 먹어야 했다.

인간의 존엄성을 철저히 짓밟아 서열을 정확히 직시하게 하려는 의도였다. 폭력과 폭언으로는 엘로라를 어찌할 수 없다는 걸 깨달은 남자의 비겁한 수였다.

"왜 안 먹고 있지?"

바닥에 널브러진 빵은 먼지가 잔뜩 묻어 있었다. 거기다 짐승만도 못한 꼴로 저자들에게 고개를 숙여야 먹을 수 있는데 자존심에 금이 가지 않을 리 없었다.

마음속에서 무언가 부서지는 듯한 기분을 느꼈지만 겉으로 티를 내지 않은 엘로라는 상체를 앞으로 숙였다.

곧은 자세였다. 팔과 다리는 묶여 있을지언정 비굴하지 않았다.

덤덤하게 빵에 입을 대는 그녀를 본 남자들은 생각했던 반응과 다른지 살짝 당황해하다가 욕설을 쏟아부었다. 미친년이라고 하면서 밖에 나갈 때는 엘로라가 한 입 먹은 빵을 짓밟고 가기까지 했다.

그 후로 그들은 저녁에 한 번 더 찾아왔다. 낮과 같은 무의미한 분노 표출일 뿐이었다.

제 분을 이기지 못하고 씩씩대는 남자에게 엘로라는 이번에도 먹을 걸 가져오라는, 똑같은 요구를 반복했다. 남자들은 그런 엘로라를 질린 표정으로 보며 돼지 새끼라고 욕을 했다.

먹을 걸 가지고 오면 또 짐승보다 못한 취급을 할 게 뻔한데 아무렇지 않게 요구하는 것이 이상하게 느껴졌기 때문이었다. 기억력이라는 게 있는지 심히 의심스러울 정도였다.

먹을 것에 눈이 멀었다고 생각한 남자들은 결국 나가서 빵을 사 오고 또다시 그것을 바닥에 던졌다. 낮에 있었던 일의 되풀이였다.

엘로라가 먼지 묻은 빵에 입을 대는 것을 본 남자들은 짜증 어린 표정으로 이제부터는 음식 따위 주지 않을 거라고 외치며 나갔다.

할 수 있는 협박은 다 했으니 사지가 묶인 채로 짐승처럼 빵을 먹는 여자를 구경할 필요는 없을뿐더러 그렇게 비위가 좋은 편도 아니었다.

그들이 나가고, 창고 안은 침묵이 내려앉았다. 한참을 침묵하던 엘로라는 남자들이 멀리 떨어졌다고 판단했을 때야 입을 열었다.

"손가락 움직일 수 있겠어요?"

"네."

팔과 다리가 묶여 있었기 때문에 엘로라가 모리카의 등 뒤로 조금씩 기어갔다. 불편한 자세로 오랫동안 묶여 있었던 탓에 움직일 때마다 온몸에서 비명을 질러 댔지만 머뭇거릴 시간이 없었다.

"몸을 뒤로 기울여 보세요. 제 오른쪽 허벅지에 호신용 단도가 있어요."

"그런 걸 들고 다녀요?"

"네, 언제 어떤 일이 벌어질지 모르잖아요. 이번 일만 하더라도 그렇죠."

"……그럴 줄 몰랐어요."

"어제도 말했지만 모리카가 죄책감을 가질 필요는 없어요."

엘로라가 빠르게 다독였다. 그녀가 죄책감으로 힘들어하지 않길 바라는 마음이었다. 하지만 실제 속뜻은 달랐다.

"그런 말이 아니에요. 제가 일하면서 만난 외국인은 거의 남성뿐이라서 호신 용품을 들고 다닐 정도로 큰 위험이 생길 줄 상상도 해 본 적 없어요."

굉장히 조심스럽게 말했다. 단어 선택에 있어 엘로라가 상처를 받을까 봐 걱정하는 기색이 느껴졌다.

"제가 걱정이 많아서 남들보다 과민한 편인 거예요. 가끔 여성을 타깃으로 한 연쇄 살인이나 납치, 감금 같은 일이 벌어지긴 해도 이곳은 치안 좋은 볼흐라스잖아요. 나만 단정하게 입고, 밤늦게까지 돌아다니지 않으면 되는데 굳이 이런 것까지 들고 있을 필요가 없다고 생각하는 사람이 대부분이죠."

"그런 이유로 살인을 정당화해서는 안 돼요."

그렇게 말하는 모리카의 목소리는 어느 때보다 냉정했다.

"과연 살해당한 사람이 조심하지 않은 걸까요? 아니, 조심해서 행동하지 않았다는 것이 죽음의 정당한 이유가 되는 건가요?"

"……아니요."

모리카의 말이 맞았다. 그 어떤 이유로도 살인은 정당화할 수 없었다. 하지만 단 한 번도 본인의 입이 아닌 타인의 입으로 그 말을 들어 본 적은 없었기 때문인지 엘로라는 망치로 뒤통수를 가격당한 듯한 충격을 받았다.

"과민하지 않아요. 엘로라가 말했잖아요. 나쁜 건 가해자라고."

그렇게 말한 모리카가 상체를 뒤로 기울여 엘로라의 다리를 더듬었다. 두 사람 다 소지품은 빼앗겼지만 다행히 기절하고 있는 동안 험한 짓은 당하지 않았는지 허벅지에 숨겨 둔 단도는 멀쩡했다.

"조금 더 위쪽이에요."

타인이 허벅지를 만진다는 것에 수치를 느낄 필요도 없었다.

엘로라는 눈이었고 모리카는 손이었다.

두 사람은 사적인 감정 없이 오로지 목표를 향해 나아갔다. 그리고 엘로라의 정확하고 간단한 지시하에 허벅지에 숨어 있었던 단도가 모리카의 손에 잡혔다.

"잘했어요. 먼저 손부터 풀어야 하니까 검을 제게 주세요."

힘겹게 몸을 일으킨 엘로라는 모리카와 등을 딱 붙어서 검을 넘겨받았다. 그리고 모리카의 두 팔을 구속하고 있는 끈을 잘라 냈다. 자칫 잘못하여 모리카를 다치게 할까 봐 조심해야 했다.

긴 시간 끝에 자유를 찾은 모리카의 팔목에는 빨간 선이 그어져 있었다. 제 색을 되찾으려면 시간이 꽤 걸릴 것 같았다.

엘로라에게 검을 넘겨받은 모리카는 제 발목에 묶인 끈을 풀기보다 먼저 엘로라를 풀어 주려고 했다. 검이 자신에게로 향하고 있음을 눈치챈 엘로라는 빠르게 고개를 저었다.

"저는 필요 없어요."

"예?"

"함께 가지 않을 거예요. 이곳을 나가는 건 당신뿐이에요."

"엘로라!"

단호했다. 망설임이라고는 전혀 느껴지지 않는 엘로라의 발언에 당황한 모리카가 그 이름을 외쳤다. 그럼에도 언제나 그렇듯 엘로라는 흔들림이 없었다.

"별자리를 볼 줄 알죠?"

"볼 줄은 알지만 지금 그게 문제가 아니잖아요! 당신을 홀로 두고 어떻게 혼자 도망칠 수 있겠어요!"

"나가자마자 곧바로 화장을 지우고 가발을 벗어요. 그러면 추적을 피할 수 있을 거예요. 그 후에는 무조건 동쪽으로 향해요. 멀지 않은 곳에 마을이 있을 건데 그곳에서 장신구를 팔아 말을 사서 쭉 달리면 수도까지 그리 오래 걸리지 않아요."

엘로라는 입술을 꽉 깨물었다.

그 이름을 부르는 데에 약간의 망설임이 있었다.

"그리고 라하트 전하를 찾아가세요."

결심을 해야 했던 것과 다르게 그 이름을 부르는 건 그다지 어렵지 않았다.

"꼭 그여야만 해요."

다른 누구도 아닌 그여야만 했다.

그만큼 적격인 사람이 없었다. 아르미트 가문은 모리카를 모르는 데다 납치당했다는 사실을 알게 되면 안 그래도 서먹한 에곤과의 사이가 더욱 벌어질지도 모른다는 두려움이 있었다.

그렇다고 치안대에 이 사실을 알리게 되면 일이 너무 커졌다. 엘로라는 되도록 조용하면서도 확실하게 일을 처리하고 싶었다. 그러려면 라하트밖에 없었다.

"하루."

"……."

"하루가 지나면 저는 이곳에 없을 거예요."

버틸 수 있는 시간은 지금부터 단 하루뿐이었다. 모리카에게 너무 무거운 짐을 지게 하는 것 같아 미안했지만 발목에 금이 갔는지 힘이 들어가지 않았다. 속박을 푼다 하더라도 상황은 별반 다르지 않을 것 같았다. 함께 간다면 짐만 될 뿐이었다.

눈앞에서 엘로라가 해코지당하는 걸 본 모리카는 어째서 이곳에 남는지 이유를 말해 주지 않아도 곧바로 눈치챈 것인지 빨갛게 부은 엘로라의 발목을 힐끔 보았다.

"할 수 있겠냐고 묻지 않을게요. 해야만 해요."

모리카가 고개를 끄덕였다. 그런 그녀의 얼굴에는 슬픔이 가득했다.

"혹시 모르니 검은 들고 가요."

"미안해요, 엘로라. 나 때문에."

"서로에게 사과는 하지 말도록 해요. 우리의 잘못이 아니잖아요."

엘로라의 웃는 얼굴을 가만히 보던 모리카가 결심을 한 듯 표정을 갈무리하고 자유로워진 손으로 발목에 묶인 끈을 끊어 냈다.

곧바로 다리에 힘이 들어가지 않는지 살짝 비틀거리며 자리에서 일어난 그녀가 문 쪽으로 걸어갔다. 하지만 미련이 남는지 계속 뒤를 돌아봤다. 그런 그녀에게 괜찮다는 의미로 엘로라는 미소를 잃지 않았다.

"금방 다녀올게요."

굳게 닫혀 있던 문이 열렸다.

사지가 묶인 그들이 도망치지 못할 것이라고 생각한 남자들은 문을 따로 잠그지 않았다. 이 또한 남자들이 나갈 때 엘로라가 확인한 사항이었다.

혹 남자들의 동료들이 더 있을까 봐 주위를 살핀 모리카는 조심스럽게 한 걸음 앞으로 나아갔다. 그러고는 다시 뒤를 돌아봤다.

그녀의 얼굴에는 엘로라에 대한 걱정이 한가득이었다. 미소를 지우지 않은 채 그녀를 보고 있으니 결연한 의지로 고개를 끄덕인 모리카가 문을 닫았다.

은밀하게 스며들던 달빛이 사라졌다.

홀로 남은 엘로라는 발목을 내려다봤다. 발에 아예 감각이 없었다. 역시 무리해서 모리카를 따라 도망치지 않은 건 잘한 일이었다.

괜찮은 것처럼 보이도록 노력했지만 발목뿐만 아니라 전체적으로 몸 상태가 좋지 않았다. 억지로 빵을 먹은 탓에 속이 매슥거려서 토할 것 같았다.

그들에게 허리를 굽히는 것도 구걸하듯이 음식을 먹는 것도 하고 싶지 않았다. 하지만 지금 위치에서 마을까지의 거리를 잴 필요가 있었기 때문에 엘로라는 두 번이나 자존심을 버렸다.

목숨값치고는 싸게 쳤다. 만약 그러지 않았더라면 근처 마을까지 얼마나 걸릴지 확신을 가지지 못했을 거였다. 촌각을 다투는 상황에서 그걸 아느냐 모르느냐는 매우 중요했다.

이제 모리카가 시간에 맞춰 돌아올 수 있느냐, 없느냐에 달렸다.

엘로라는 눈을 감았다.

모리카도 없으니 더는 강할 척할 필요가 없었다.

어둠 속에 숨은 채, 그간 곤두세워져 있었던 긴장을 풀었다. 그러자 양손의 떨림을 적나라하게 느낄 수 있었다.

남은 건 기다림뿐이었다.

긴장을 푼다고 해도 이런 상황에서 제대로 휴식을 취할 수 있을 리 없었다.

선잠으로 밤을 새운 엘로라는 안으로 들어오는 묵직한 발걸음을 느낄 수 있었다. 그들이 들어왔다는 사실도, 그들이 모리카가 사라졌다는 사실을 눈치챈 것도 알고 있었지만 마치 깊은 잠에 빠진 것처럼 눈을 감은 채 꼼짝도 하지 않았다.

잠자고 있는 척하는 연기가 제대로 먹힌 건지 당황하던 남자들은 눈을 감고 있는 엘로라의 뺨을 때려서 깨웠다.

강렬한 통증이 닥쳤다. 방금 잠에서 깬 듯이 얼떨떨한 표정을 지은 엘로라가 두 눈을 떴다.

깨어 있었음에도 불구하고 뺨을 맞아서 깨는 것처럼 보여야 한다는 사실이 굉장히 치욕스러웠지만 엘로라의 겉모습만큼은 아무렇지 않아 보였다.

"같이 있던 년 어디 갔어!"

남자가 버럭 소리를 질렀다. 엘로라는 그제야 모리카가 사라졌다는 사실을 안 사람처럼 행동했다. 아무것도 모른다는 듯이 혼란스러워하고 있으니 제대로 엘로라의 연기에 넘어간 남자들은 엘로라를 어찌해 봤자 아무것도 나오지 않는다고 판단했는지 저들끼리 쑥덕거렸다.

그렇다 하더라도 원래 목소리가 커서 엘로라에게 대화 내용이 들렸다.

"어떻게 해! 여자가 도망쳤어!"

"침착해. 어떻게 빠져나갔는지는 몰라도 그 몸으로는 그리 멀리 가지 못하고 아마 근처에서 헤매고 있을 거야."

"신, 신고했으면 어쩌지?"

"그럴 리 없어! 만약 그렇다 하더라도 근처 치안대를 미리 매수해 놨으니 괜찮아."

"맞아, 그랬지!"

"바보 같은 놈! 그러니 쫄지 말고 어서 찾으러 나가!"

범법 행위를 굉장히 당당하게 저지르더니 역시 믿는 구석이 있었다.

치안대는 애초부터 도움을 청할 생각도 하지 않았지만

만약 엘로라가 귀족이 아닌 아무런 연고 없는 외국인이었더라면 정말 아찔한 일이 벌어질 뻔했다.

믿었던 정의의 지팡이가 범죄자와 연관이 있다니. 빠져나왔던 독 안에 제 발로 다시 기어들어 가는 꼴이었다.

남자들의 치밀함에 섬뜩함을 느낀 엘로라는 아닌 척 그들을 계속 주시했다. 모리카를 찾기 위해 바깥으로 나가려는 남자를 다른 남자가 붙잡고 무어라 속삭였다.

문 근처에서 대화를 나누었기에 엘로라에게는 그 내용이 들리지 않았다. 게다가 조금 전과 다르게 목소리를 낮췄다. 엘로라를 의식한 행동이었다.

저들끼리 무슨 비밀 이야기를 나누는 듯했다. 엿듣기에 실패한 엘로라는 바깥으로 나가려는 남자가 고개를 끄덕이는 걸 보았다. 두 사람이 무언으로 눈빛을 주고받고는, 다른 남자는 다시 엘로라 앞으로 왔다.

"이봐. 그 여자가 어떻게 도망쳤는지, 어디로 갔는지 정말 몰라?"

"몰라요."

"계속 같이 있었잖아. 그런데도 몰라?"

"저는 잤어요. 몰라요."

애당초 진실을 얘기할 생각도 없는 엘로라가 잡아뗐다. 남자가 무슨 말을 하든 모른다는 대답으로 일관할 생각이었다.

남자는 모른다는 엘로라의 말을 전혀 믿는 기색이 아니

었지만 앵무새처럼 같은 말만 반복하는 엘로라에게 진실을 받아 낼 방법은 없었다. 속마음을 꿰뚫어 보는 초능력이라도 있지 않는 이상, 무덤까지 안고 갈 이야기였다.

"그런데 이상하단 말이야. 분명 단단한 끈으로 묶어 뒀는데. 이로 물어뜯기라도 했나? 그런 것치고는 제법 깔끔하게 잘라 놨는걸."

엘로라의 근처에 버려져 있는 끈을 발로 툭툭 치면서 남자가 중얼거렸다. 끈을 자르는 데 쓰인 검은 모리카가 들고 갔으니 남자가 제아무리 머리를 굴려 봐야 답이 나올 리 없었다.

큰일을 계획하려면 조심성은 필수였다. 하지만 그는 엘로라가 여자라는 이유로 얕잡아 보는 실수를 저질렀다. 엘로라는 현명함과는 거리가 먼 남자가 진실을 알아낼 리 없다고 생각했다.

"팔다리에 묶인 끈을 충분히 자를 수 있었으면서 한 놈은 도망치고 다른 한 놈은 또 남아 있네."

남자가 엘로라의 주변을 원을 그리듯이 빙 돌았다. 마치 모리카가 어떻게 도망쳤는지 짐작해 보는 듯했다.

몇 바퀴를 돌아도 남자가 제자리걸음일 것을 아는 엘로라는 올곧게 정면만 보았다. 여전히 불안함을 찾을 수 없는 태도였다.

"너……."

그가 엘로라를 아래위로 훑어봤다.

불쾌한 시선이 뱀처럼 온몸을 옥죄었다.

"배신당했구나?"

남자는 그렇게 말하면서 히죽 웃었다. 모리카가 홀로 나간 이유를 저 혼자 살기 위해 도망친 것이라 생각하는 모양이었다. 본인이 발목을 다치게 한 것은 아예 떠올리지도 못하는 것 같았다.

"그래, 그렇지. 아무렇지 않은 척하더니 결국 니들끼리 싸워서 너는 배신까지 당했구나! 자고 일어나니 홀로 남겨져 있다니. 나 같으면 그년을 저주하고도 모자랐을 거야."

허리를 숙인 남자가 엘로라의 귓가에 속삭였다. 더운 숨이 훅 덮쳤다. 그것이 꼭 개미 수백, 아니 수천 마리가 기어 다니는 느낌이었다.

"어차피 그년은 잡히게 돼 있어. 네가 만약 우리에게 협조해 준다면 우리도 너에게 협조하도록 하지. 어때? 좋은 거래 아닌가?"

"필요 없어요."

"정말 필요 없을까? 잘 생각해 봐. 복수하고 싶지 않아?"

복수라는 단어를 입에 담을 만큼 악행을 저지른 것은 모리카가 아닌 그들이었다. 범죄자의 제의만큼 부질없는 것이 또 있을까.

자신의 분노를 모리카에게 옮겨서 제멋대로 조종하려는 의도가 투명하게 보여 엘로라는 속으로 그를 비웃었다.

참으로 얄고 저열한 인간들이었다.

굳이 대답할 필요성도 느끼지 못해서 조가비처럼 입을 굳게 다물었다. 대답해 주기 위해 쓰는 에너지조차 아까웠다.

무시로 일관하니 남자는 엘로라가 얼마나 억울할지 이해한다는 괴상한 소리를 늘어놓았다. 만약 귀 또한 입술처럼 닫을 수 있었더라면 그렇게 했을 것이었다.

되도록 일찍 모리카가 탈출에 성공하여 라하트와 만났으면 좋겠지만 실패할 가능성도 염두에 둬야 했다. 여기서 실패는 모리카가 잡히는 경우가 아니었다. 그들이 늦게 도착한 경우였다.

하루라고는 했지만 정확히 24시간 동안 버틸 수 있는지 확신할 수 없었다. 최대한으로 버틸 수 있는 시간이 24시간이 아닐까 싶었다.

12시간에서 24시간.

당장은 오해하고 있어서 엘로라에게 복수심을 유도하고 있지만 언제 또 기분이 상해서 버럭 소리 지를지는 알 수 없는 일이었다.

자신과 손을 잡으면 도망친 모리카에게 복수할 수 있다고 꾸준히 주장하던 남자는 예상대로 얼마 가지 않아 화를 내기 시작했다. 점점 언성이 높아지는 것은 처음 납치되었을 때도 보았던 모습이라 새삼스러울 것도 없었다.

차라리 언성만 높이면 다행이라고 생각하며 묵묵히 버티던 엘로라는 창고 밖에서 사람이 달려오고 있는 기척을 느꼈다. 그리고 얼마 지나지 않아 벌컥 문이 열리고, 모리카를 찾으러 갔던 남자가 들어왔다. 그의 얼굴은 벌겋게 달아올라 있었다.

"내가 찾았어!"

창고에 목소리가 쩌렁쩌렁 울리도록 외친 남자의 음성은 살짝 떨리고 있었다.

"그년 어쨌어?"

"근처에서 헤매고 있는 걸 잡아서 다른 창고에 집어넣고 왔어."

"잘했어. 자, 이제 너는 어쩔 거지?"

남자가 비열하게 입꼬리를 올리며 엘로라를 내려다보았다. 남자의 눈동자가 탐욕스럽게 번들거렸다.

가만히 그 눈동자를 바라보던 엘로라는 충분히 당혹스러워할 법한 소식임에도 불구하고 바람도 불지 않는 호수처럼 잔잔한 태도를 유지했다.

남자는 시종일관 덤덤한 엘로라의 태도가 마음에 들지 않는 것 같았다. 다른 반응을 보일 때가 되었는데도 그러지 않으니 회유하던 것을 멈추고 언성을 높였다.

엘로라가 생각했던 것보다는 남자가 제법 오래 화를 참았다. 더 빨리 화를 낼 줄 알았는데 인질이 한 명 도망쳐서 어지간히 당황스러웠던 듯했다.

"분명 그 여자를 살리고 싶거나 죽이고 싶겠지. 나는 기회를 계속 줬는데 그걸 거절한 건 너야. 이제 더는 협상하지 않겠어. 당장 서명해. 그렇지 않으면 너도, 그 여자도

다 죽이고 돌아갈 거야. 여자가 금방 잡힌 것은 너도 보았지? 도망칠 수 있으리란 희망은 일찍이 버려."

모리카가 잡혔다고 한다.

이렇게나 빨리.

엘로라는 방금 들어온 남자의 얼굴을 슬쩍 보았다.

제 발로 뛰면서 돌아다니기라도 했는지 벌겋게 달아오른 얼굴은 쉽사리 식지 않았다. 거칠게 숨을 내쉬는 남자는 다소 불안하게 눈동자를 굴렸다. 그러다 엘로라와 딱 눈이 마주치자 황급히 시선을 다른 곳으로 피했다.

이래서 애매하게 죄책감을 안고 있는 사람은 악행을 저질러서는 안 됐다. 다른 한 명과 너무나 대조되지 않는가.

시간을 가늠하던 엘로라는 이제 슬슬 움직여도 상관없을 것 같아서 고저 없는 목소리로 말했다. 그것은 그들이 그토록 듣고 싶어 했던 말이었다.

"비밀번호를 알려드릴게요."

두 사람의 얼굴에 화색이 돌았다. 자신들의 협박과 계략이 잘 먹혔다고 생각하고 있을 그 머릿속이 훤히 들여다보였지만 언제나 그렇듯 엘로라는 모르는 척 잡아뗐다.

이 모든 것이 엘로라의 계획하에 있음을 모르는 남자 둘의 머릿속은 꽃밭이었다.

"좋아. 어서 말해."

"대신 서명은 그녀가 살아 있는 걸 확인하고 나서 알려주도록 하죠."

"네가 지금 가릴 수 있는 처지 같아?"

"이 조건이 아니라면 저는 아무것도 하지 않을 거예요. 제 목에 칼을 들이댄다 하더라도 꼼짝하지 않을 자신이 있으니 알아서 선택하시죠."

서로의 시선이 교차되었다. 비굴하게 머리를 숙이면서 바닥에 떨어진 음식을 먹던 엘로라는 없었다.

고요한 푸른 눈동자와 마주한 지 얼마 되지 않아 먼저 고개를 돌린 남자가 욕지거리를 중얼거렸다. 엘로라의 기백에 눌려서 먼저 고개를 돌린 주제에 욕을 하고 있는 남자의 꼴은 볼품없었다.

"그래, 좋아. 네가 이겼어. 대신 반대로 해."

마치 아직도 자신이 주도권을 가지고 있는 것처럼 행동하는 남자가 같잖았다. 이미 주도권은 이쪽으로 넘어온 지 오래라는 사실을 눈치채지 못한 건 남자 둘뿐이었다.

모리카가 바깥으로 나간 순간부터 엘로라의 인생을 건 도박이 시작되었다. 그들은 그저 엘로라가 짠 판의 변수일 뿐이었다.

"서명부터 먼저 받아 가도록 하지."

엘로라는 고개를 끄덕였다.

동시에 추측에 대한 확신을 얻어 냈다. 역시 목적은 금고가 아닌 계약서에 서명하는 것이었다. 그렇지 않다면 계약서부터 저리 다급하게 받아 내려 하지 않을 테니까.

그리고 도망친 모리카를 잡았다는 건 거짓이었다.

엘로라가 모리카인 척하듯이 그들 또한 거짓 카드를 꺼내 보인 것이었다. 밤에 도망친 모리카가 이토록 빨리 잡혔을 리가 없는 데다 모리카를 잡으러 갔던 남자의 불안한 행동이 엘로라의 추측에 확신을 주는 근거가 되었다.

그들 입장에서는 본 목적이 아닌 어쩌다 보니 인질이 된 여자를 오랫동안 찾으러 다닐 수 없을 것이었다. 그렇다고 내버려 두기에는 아무리 근처 치안대를 매수했다고 하더라도 위협이 될 수 있었다. 현장에서 잡히면 빼도 박도 하지 못하니까.

그러니 재빨리 머리를 굴린 남자가 작당을 부린 것이었다. 모리카를 찾으러 나갈 때 저들끼리 속닥거린 내용은 아마 그것이었을 거다.

그러니 다음은 없었다.

그걸 엘로라도 남자들도 알고 있었다.

자신이 들고 있는 패를 많이 보여 주는 쪽이 질 수밖에 없는 눈치 게임이었다. 그리고 처음부터 방심하고 있던 남자들에게는 압도적으로 불리한 싸움이었다.

남자들은 없는 모리카를 데려올 수 없고, 엘로라는 애초에 모리카가 아니니 제대로 된 서명을 할 수 없었다.

만약 모리카가 정말 잡혔고 목숨이 위험한 상황이었더라면 조금 다르게 나왔을 수도 있었지만 서로 거짓말만 늘어놓는 이곳에서 엘로라가 제 패를 보여 줄 일은 없었다.

오로지 시간 끌기가 목적인 엘로라는 편한 마음으로 계약서에 서명했다. 진짜가 아닌 되는대로 막 갈긴 엉터리였다.

계약서를 처리하기 위해서는 수도로 가야 했다.

엘로라의 예상이 맞다면 연락책이 있을 경우에도 제아무리 빨라 봤자 여기서 반나절이 걸릴 테고 조금 늦는다면 한나절 정도 걸릴 것이었다.

거기다 왕복으로 오가야 하니 결국 엉터리 계약서를 건네준다 하더라도 진실을 알게 된 그들이 엘로라에게 해코지하는 건 제법 시간이 흐른 후였다.

엘로라의 목적은 오로지 시간 끌기였다.

그 시간 안에 모리카가 무사히 라하트에게 도움을 요청하기만을 바랄 뿐이었다.

이번에는 도망간 모리카를 잡으러 간 남자가 자리를 지키고 다른 남자는 계약서를 들고 나갔다.

손발이 묶인 채 불편한 자세로 앉게 된 엘로라는 지그시 두 눈을 감고 하염없이 시간이 가기만을 기다렸다. 다음번에 이 근처로 다가오는 기척을 느끼게 된다면 그것은 자신을 구하러 오기 위한 사람이길 바라며.

엘로라의 예상대로 시간은 계속 흘렀지만 남자는 금세 돌아오지 않았다. 엘로라의 곁을 지키던 남자는 다른 남자와 다르게 말이 많지 않았다.

처음에는 두 눈 부릅뜨고 엘로라가 무엇을 하나 감시하다가 아무것도 하지 않자 지루해졌는지 꾸벅꾸벅 졸았다. 참으로 팔자 좋은 사람이었다.

긴 시간 끝에 누군가 다가오는 걸 느낄 수 있었다.

규칙적으로 울리는 말발굽 소리로 보아 한 사람이었다.

한 사람. 순간 머릿속에 스쳐 지나가는 사람의 얼굴이 있었지만 이내 지워 버렸다. 그 사람일 리 없다는 것을, 자신이 너무 희망에 기대고 있다는 사실을 자각하고 있었기 때문이었다.

체념한 엘로라가 살며시 감고 있던 눈을 떴다. 그리고 문이 열렸다. 빛과 함께 한 남자가 걸어 들어왔다.

"내가 분명 제대로 행동하라고 했지?"

잠깐 떠올렸던 태양처럼 찬란한 금발도, 짙은 보랏빛 눈동자도 아니었다. 그 무엇도 아닌 남자가 성큼 다가오더니 그대로 엘로라의 뺨을 내리쳤다. 마치 고열을 앓는 것처럼 한쪽 뺨이 달아올랐다. 한순간에 벌어진 일이라 아프다는 생각도 들지 않았다.

"네 눈엔 이게 장난처럼 보여?"

"대체 무슨 일이야? 계약서는 넘겨줬잖아."

"거짓이야. 이년이 거짓으로 갈겨썼어."

분노로 얼룩진 남자의 눈동자가 엘로라를 내려다봤다.

금방이라도 자신을 찢어 죽일 것처럼 구는 남자의 얼굴을 보면서도 엘로라는 표정 하나 변하지 않았다. 그저 나름대로 시간 계산을 잘한다고 자부했는데 너무 이르게 움직인 것 같아서 안타깝다고 생각했을 뿐이었다.

작은 초 단위로 목숨이 갈리는 도박이었다.

가장 오래 시간을 끌 수 있는 부분에서 실패했으니 이제 얼마 남지 않은 시간으로 승부를 봐야 했다.

눈앞에 선, 화가 난 남자보다는 모리카가 제대로 수도에 도착하지 못한 것은 아닐지 걱정부터 들었다.

"네가 뇌가 없어서 기억하지 못하나 본데 내가 말했지. 이 칼은 장식이 아니라고."

바닥에 널브러진 엘로라가 가만히 있는 동안 칼을 꺼내 든 남자가 분을 이기지 못하고 엘로라의 머리채를 잡아당겼다. 그 순간 아차 한 엘로라는 아무런 저항도 하지 못하고 녹색 가발이 벗겨지는 것을 느낄 수밖에 없었다.

만약 팔이라도 자유로웠다면 가발이 벗겨지지 않도록 잡았겠지만 작은 움직임마저도 허락되지 않는 상태였다.

"뭐, 뭐야!"

"그 외국인 년이 아니었잖아."

들켰다.

모리카가 아니라는 사실을.

한계였다. 이렇게 되면 더는 시간을 끌기가 어려워졌다.

"누군데 시발, 그년 행세를 하고 있었던 거야!"

"그러게 내가 이상하다고 했잖아! 분명 걔는 눈동자가 녹색이라고……."

"좀 닥쳐 봐! 아니, 잠시. 녹색? 너 녹색이라고 했지. 옆에 있던 년이 녹색 눈이지 않았어? 그렇다면 사실 도망간 년이 외국인 계집인 거 아니야?"

그간 붙잡고 있던 여자가 그들이 원하던 모리카가 아니라는 사실을 알게 되자마자 머리가 빠르게 굴러가는 듯했다.

가발만 벗겨지지 않았더라면 계속 모리카라고 속일 수 있었을 텐데 이제는 그럴 수 없으니 엘로라에게는 불행 중 불행인 일이었다.

그들에게 모리카는 이용 가치가 있으니 조금이라도 더 살려 둘 만한 사람이었다. 하지만 엘로라는 아니었다. 그들에게 필요한 정보가 없는, 뜬금없는 외부인일 뿐이었다.

“씨발, 다시 잡으러 나가!”

“하, 하지만…….”

“하지만이고 뭐고 다 끝나게 생겼는데 손가락 빨고 구경만 하고 있을래?”

강압적인 명령이 떨어지자 남자는 어쩔 줄 몰라 했다. 그러든 말든 다른 남자는 엘로라의 은발을 한 움큼 잡아서 강하게 잡아당겼다. 갑작스럽게 두피가 당겨지는 고통은 악 소리가 날 만큼 아팠지만 엘로라는 입술을 앙다물고 소리가 새어 나가지 않도록 버텼다.

“이것도 가발인 건 아니겠지.”

머리카락이 뽑혀 나가는 건 아닐까 싶을 정도로 남자는 몇 번이나 머리채를 강하게 잡아당겼다. 배려라고는 찾아볼 수 없는 손길이었다.

입술을 꾹 깨물고 버티고 있으니 남자가 머리채를 놓아줬다. 계속 잡아당겨도 벗겨지지 않으니 은색 머리칼이 가발이 아닌 걸 드디어 믿은 것이었다.

"설마 그 아르미트는……."

볼흐라스에서 은발은 희귀한 머리 색이었다. 그러니 아르미트를 떠올리는 건 자연스러운 일이었다.

엘로라는 남자가 자신의 정체를 알 리 없겠지만 가문이 언급되니 속으로 뜨끔할 수밖에 없었다.

"아니야, 그 아르미트에 남은 은발 계집애는 못생긴 년밖에 없댔어."

엘로라는 못생겼다는 소문을 세뇌처럼 퍼뜨려서 다행이라고 생각했다. 은발을 보고도 눈앞에 있는 여자가 한때 아르미트가의 영애이자 현재는 황자와 결혼한 엘로라라는 걸 상상도 하지 못하고 있으니 민낯을 보더라도 결과는 마찬가지일 것이었다.

지금 여기서 귀족이라는 사실을 밝혀 봤자 좋을 것은 하나도 없었다. 실이 되면 되었지 득이 될 것이 없었다.

만약 자신을 아르미트가의 엘로라라고 주장해도 믿을지는 미지수이지만, 납치한 여자가 귀족이라는 사실을 알게 된다면 편법으로 가볍게 넘어갈 범죄 수준이 아니게 되기 때문에 증거를 빠르게 인멸하려 들 것이었다.

슬픈 얘기지만 외국인 여성과 내국인 평민 여성이 범죄의 대상이 되었을 때 반응은 미적지근한 편이었다. 조금이라도 더 시간을 끌고 싶다면 입 다물고 있는 것이 나았다.

남자는 이제까지와는 다른 느낌으로 엘로라를 머리끝부

터 발끝까지 훑어보았다. 아예 다른 사람을 붙잡고 있었으니 어떻게 처리해야 할지 고민하는 기색이었다.

긴 침묵 끝에 그가 입을 열었다.

"이렇게 된 거 그냥 저년을 넘겨 버리자. 머리카락 색도 희귀하고 화장 번져서 지금은 좀 별로지만 처음 봤을 때는 얼굴도 제법 괜찮았으니 비싼 값에 팔 수 있을 거야."

살해 아니면 팔아 치우기.

둘 중에 남자는 후자를 택했다.

"나를 헛걸음하게 한 대가는 치러야지. 응?"

엘로라의 머리채를 제 쪽으로 잡아당겨 바짝 얼굴을 가까이 붙인 남자가 속삭였다.

보고 있기만 해도 역겨운 얼굴이었다. 더운 숨이 살갗에 닿을 때마다 토기가 올라왔다. 남자를 밀쳐 내고 싶어서 손가락을 움찔거리던 엘로라는 말로 대답하는 대신 그 얼굴에 침을 뱉었다.

"이 계집애가!"

처음에는 상황을 제대로 인식하지 못하고 돌처럼 굳어 있던 남자가 뒤늦게 제게 무슨 일이 벌어졌는지 깨달았는지 점점 얼굴이 벌겋게 달아올랐다.

화가 잔뜩 나서 뺨에 묻은 침을 닦아 내야 한다는 생각도 하지 못한 건지 그대로 손을 들었다.

또다시 맞는다.

이미 몇 번이나 맞았기 때문에 고통은 익숙했다.

남자의 위협적인 행동에도 두려움은 없었다. 폭력으로 시간을 끌 수 있다면 그것도 다행이라고 여기던 차였다. 엘로라는 누군가 창고 근처로 다가오는 것을 느꼈다.

기척을 느끼자마자 문이 벌컥 열리고 빛이 새어 들어왔다.

"뭐, 뭐야?!"

당황한 남자가 엘로라를 때리려던 것을 멈추고 뒤를 돌아봤다.

역광 속에서 가장 먼저 엘로라의 눈에 들어온 것은 절대 잊을 수 없는 찬란한 금발이었다.

착각할 수 없었다.

착각할 리 없었다.

빛을 짊어진 금빛 머리칼이 번뜩였다.

굳게 닫혀 있던 엘로라의 입술이 살짝 벌어졌다. 마치 시간이 멈춘 것 같았다.

평소에는 잘 볼 수 없는 진지한 표정을 한 남자는 짙은 보랏빛 눈동자로 이쪽을 바라보고 있었다. 장난스러운 미소는 찾을 수 없었다. 가끔 보여 주던 낯선 얼굴이었다.

라하트임에도 라하트처럼 느껴지지 않았다.

엘로라는 낯설게만 느껴지는 남자를 멍하니 바라보았다. 그리고 짙게 가라앉은 자안과 눈이 마주치자마자 시간이 흐르기 시작했다.

라하트를 필두로 검은 제복을 입은 사람이 서 있었다. 엄청난 위압감에 절대 자신의 편은 아님을 본능적으로 느낀 남자는 뒤늦게 정신을 차리고 억지로 엘로라를 일으켰다.

"가까이 오지 마! 거기서 한 발자국이라도 더 다가오면 이 여자를 죽일 거야."

목덜미에 날붙이가 닿았다. 갑작스러운 침입자로 인해 남자가 힘 조절을 하지 못한 것인지 칼은 살갗을 파고들었다.

따끔따끔한 느낌이 들었다. 하지만 찍소리도 내지 않은 엘로라의 시선은 올곧게 라하트를 향하고 있었다.

라하트 또한 엘로라를 바라봤다. 시선은 짧게 교차되었지만 체감상 긴 시간이었다. 살짝 눈길을 아래로 떨군 라하트는 피가 나는 엘로라의 목을 보았다. 어둠 속에서도 창백하게 빛나는 칼은 도드라졌다.

"다가오지 말라니까! 내 말 안 들려?"

엘로라를 붙잡은 남자가 가까이 오지 말라고 마구 악을 썼지만 라하트는 감정 하나 없는 얼굴로 엘로라에게 다가갔다.

라하트는 언뜻 보았을 때 평온하다 싶을 정도로 감정이 절제되어 있었다. 그것이 남자들의 공포를 더욱 자극했다.

"으아아악!"

"전하!"

다른 남자 한 명이 칼을 쥔 채로 라하트에게 달려들었다. 이를 보자마자 검은 제복을 입은 사람 한 명이 라하트를 불렀지만 어찌 도와줄 수 있는 거리는 아니었다.

라하트가 요란스럽게 달려드는 남자를 보았다. 그리고

칼부터 들이대는 그의 팔목을 잡아 꺾어 제압했다. 깔끔한 솜씨였다.

은연중에 라하트가 약할 것이라고 생각했던 엘로라로서는 놀라운 움직임이었다. 빠르고, 군더더기가 없었다. 그것이 마치 한때 엘로라에게 기분 좋은 패배를 가져다줬던 남자를 보는 듯했다.

팔목이 꺾여서 울음소리를 낸 남자가 바닥에 주저앉았다. 그에게 더는 시선을 주지 않은 라하트가 다시 엘로라에게 다가갔다.

“오지 마! 오지 말라고!”

극도의 두려움에 사로잡힌 남자는 독 안에 든 쥐 신세였다. 창고는 컸지만 뒤편에는 짐이 그득그득 쌓여 있었고 앞에는 라하트와 검은 제복을 입은 사람들이 자리를 지키고 있어서 어찌 헤쳐 나갈 수도 없었다.

그리고 결정적으로 남자의 이성을 구석으로 몰아넣은 것은 라하트의 행동이었다. 차라리 화를 내었다면 인간적인 감정이었기 때문에 이렇게까지 두렵지 않았을 것이었다. 무표정으로 느릿한 듯하면서도 빠르게 거리를 좁히는 라하트는 남자가 공포를 느끼게 하는 주범이었다.

공포에 질린 얼굴로 남자가 라하트를 향해 칼을 휘둘렀다. 제 딴에는 위협적으로 칼을 휘두르는 것이었으나 이성을 놓은 상태였기 때문에 일부러 맞아 주기도 힘들었다. 게다가 인질로 엘로라를 붙잡고 있는 상태라서 재빠른 움직임이 불가했다.

몇 번을 허공에 헛짓하다가 더는 안 되겠다고 생각했는지 뒷걸음질을 치던 남자는 라하트가 아닌 얌전히 있는 엘로라로 목표를 바꾸었다.

인질을 죽이면 안 되지만 '도망칠 수 없다.'라는 생각이 깊숙이 박힌 채로 머릿속이 뒤죽박죽이 된 남자가 제대로 된 판단이 가능할 리 없었다.

"나, 나는 분명 오지 말라고 했어! 농담이 아니란 말이야!"

칼을 고쳐 잡은 남자가 떨리는 목소리로 외치고는 자신의 말이 허언이 아님을 인증하기 위해 엘로라의 목을 찌르려고 했다.

손발이 묶여 있는 엘로라로서는 최대한 발버둥 치려고 노력하는 것이 다였다. 다리라도 자유로웠더라면 남자의 발을 밟고 도망치기라도 했을 텐데 움찔거리는 것 외에는 할 수 있는 것이 없었다.

이대로 있다가는 죽는다.

다가오는 죽음의 그림자로 인해 이제까지 평정을 유지했던 엘로라마저도 섬뜩함을 느꼈다.

이와 비슷한 일을 겪은 적이 있었다. 그때는 운이 좋아서 살아남았지만 지금은 아니었다. 상대방은 숨김없이 적의를 드러내고 있었다. 실수로라도 살아남을 리 없었다.

날을 세운 검이 다가오는 것이 느릿하게 보였다.

눈을 감을 수도 없었다. 경직된 엘로라는 무기력하게 지켜볼 수밖에 없었다.

죽는다.

그 생각만이 머릿속을 지배하고 있었다.

두 눈을 크게 뜬 채로 서 있던 엘로라의 시야에 커다란 손이 스쳐 지나갔다. 기척도 느끼지 못할 정도로 빠르게 다가온 라하트가 아무런 망설임 없이 손을 내밀었다.

엘로라를 향했던 칼은 그녀의 목이 아닌 라하트의 왼손을 꿰뚫었다.

"놔."

핏줄이 도드라질 정도로 강한 힘으로 남자의 어깨를 잡은 라하트가 엘로라에게서 그를 떨어뜨리고 발로 복부를 쳐 냈다. '억' 소리를 낸 남자와 피가 잔뜩 묻은 칼이 그대로 바닥에 뒹굴었다.

순식간에 벌어진 일이었다.

곁에 있는 남자가 라하트라고 생각되지 않았다. 라하트의 품에 안긴 채 익숙한 체취를 맡고 있음에도 불구하고 꼭 낯선 이의 품에 안긴 것만 같은 착각이 들었다.

짙게 풍기는 피 냄새 때문일까.

분명 얼굴도, 체형도, 체취마저도 라하트가 맞는데 낯설게만 느껴졌다. 고개를 들어 라하트를 올려다보던 엘로라는 말을 걸기 위해 입술을 열었다가 지척에서 들리는 "이대로 잡힐 수 없어."라는 중얼거림에 도로 입을 닫았다.

"아아악!"

가장 먼저 쓰러져 있었던 남자가 칼을 든 채로 라하트의 등을 노렸다. 가만히 있다가는 영원히 범죄자로 낙인이 찍힌 채 살아가야 한다는 공포감 때문인지 눈빛에 악이 서려 있었다. 그가 할 수 있는 마지막 발버둥이었다.

한쪽 손은 칼에 찔려서 제대로 쓸 수 없고 다른 한 손은 엘로라를 붙잡고 있었기 때문에 이대로 있다가는 엘로라 또한 다칠 수 있다고 생각한 라하트가 그녀를 밀쳐 냈다. 그리고 곧장 남자의 칼을 피했지만 등을 노렸기에 반응이 빠르지 못했다.

칼이 라하트의 옆구리를 스쳐 지나갔다. 엉덩방아를 찧은 엘로라의 눈에 찢어진 옷 사이로 살갗이 아닌 피가 흥건히 묻은 붕대가 얼핏 보였다.

남자에게서 그리 깊은 상처를 입은 것도 아니건만 이전에 입은 상처가 이번에 다시 벌어진 것처럼 보였다. 고통이 전신을 장악한 것인지 이제까지 주저 없이 움직이던 라하트가 멈칫했다. 그 찰나를 놓치지 않은 남자가 다시 라하트에게 덤볐다.

두 사람 다 한쪽 손을 제대로 쓰지 못하는 상황이지만 라하트를 아는 사람이라면 라하트가 절대적으로 불리해 보였다.

그간 방향 감각도 상실하여 길을 헤매던 모습이나 잘 걷다가도 벽이나 바닥에 코를 박는 모습을 생각하면 그럴 수밖에 없었다. 손에 검을 쥐어 보기는커녕 제 손으로 피 한 방울 내 본 적 없을 것 같은 사람이었다.

그러나 오늘의 라하트는 달랐다.

기세 좋게 덤벼드는 남자의 팔을 한 손으로 잡아내고는 다른 한 팔도 아예 꺾어 버렸다. 처음 보여 주었던 빠른 몸놀림은 단순히 운에 의존한 것이 아니라는 걸 보여 주는 듯했다.

남자가 고통 어린 비명을 내질렀다. 하지만 누구도 그를 동정하지 않았다. 비명을 지르고 발버둥 치는 남자를 발로 걷어차서 다시 엎드리게 한 라하트가 확인 사살을 하듯이 그 발목마저 짓밟아 버렸다.

엘로라는 그런 라하트의 뒷모습을 보았다.

옆구리에 난 상처. 마치 오랫동안 검술을 익혀 온 것 같은 깔끔한 움직임. 기습에도 불구하고 침착하면서 냉정한 판단력.

라하트의 행동 하나하나가 익히 알고 있는 사람을 떠올리게 했다.

'설마' 하는 추측을 섣불리 확신하려 들지 않는 이유는 그럴 리 없다는 생각이 지배적이었기 때문이었다. 지금까지 지켜봐 왔던 라하트를 떠올린다면 부정할 수밖에 없었다.

멍하니 라하트를 올려다보고 있으니 몸을 돌린 그가 느릿하게 엘로라에게 걸어왔다. 그의 몸은 피범벅이었다. 상처가 많지는 않았지만 손이 꿰뚫렸을 때 피가 제법 많이 튀겼고, 옆구리 부분에서도 옷에 피가 묻어 계속 번지고 있었다.

하얀 손등을 타고 붉은 피가 흘러내렸다.

엘로라 앞에 선 라하트는 마치 아무런 감정도, 고통도 느끼지 못하는 사람처럼 무표정한 얼굴로 그녀를 내려다보았다. 그런 라하트가 여전히 낯설었다.

"전……."

다른 이와 마주한 듯한 기분을 참지 못한 엘로라가 라하트를 부르려 했으나 말을 잇지 못했다.

무릎을 꿇은 라하트가 엘로라를 꼭 끌어안았다.

"엘로라."

엘로라는 헛숨을 들이켰다.

항상 '나의 신부님'이라고 부르던 목소리가 자신의 이름을 처음으로 불렀기 때문이었다.

"엘로라."

엘로라가 곁에 있음을 확인이라도 하듯이 라하트가 그 이름을 재차 불렀다. 엘로라의 상체를 껴안은 팔에도 힘을 주었다. 그 때문인지는 몰라도 엘로라는 가슴이 살짝 답답해졌다.

원인이 외부에 있는 것 같지는 않았지만 정확히 찾을 수 없었기에 그렇게 지레짐작했다.

두 손과 발이 묶여 있었기 때문에 같이 끌어안는 것도 아닌 어정쩡한 자세로 가만히 있었다. 아무 말 하지 않고 있으니 라하트가 엘로라의 어깨에 얼굴을 파묻었다.

엘로라는 라하트가 입은 상처가 극심한 듯해 걱정이 되

었지만 죄여 오는 온기에 기대고 있는 이 순간을 잃고 싶지 않았기에 입을 다물고 얌전히 있었다.

홀로 이겨 내야 하는 밤을 보낸 며칠 탓인지 찰나의 순간이 소중하게 느껴졌다.

"괜찮아."

"……."

"다 끝났어. 이제 괜찮아."

괜찮아.

그것은 본인에게 하는 혼잣말 같았다.

어쩌면 엘로라에게 하는 말이자 라하트, 자신에게 하는 말일지도 몰랐다.

엘로라에게 있어서 라하트는 항상 의심스럽고 가벼운 데다 이상한 남자였다. 하지만 지금만큼은 그가 수상한 이가 아닌 그저 한 사람으로 보였다.

만약 두 손을 묶고 있는 끈이 풀려 있었더라면 라하트를 마주 안았으리라. 묶여 있는 탓에 그러지 못해서 안도감과 동시에 섭섭함을 느꼈다. 안도감은 제아무리 힘들더라도 라하트에게 여지를 줘서는 안 된다는 마지막 이성으로부터 나온 감정이었다.

두 사람은 가만히 온기를 나누었다.

그동안 검은 제복을 입은 사람들이 쓰러진 남자 둘을 포박했다. 두 남자 모두 다시는 반항하지 못하도록 꽁꽁 묶어 놨을 때쯤 아쉽다는 듯이 느릿하게 떨어진 라하트가 조심스럽게 엘로라의 팔다리를 구속하고 있는 끈을 끊어 주었다.

오랜 기다림 끝에 드디어 자유를 되찾게 되었다.

팔부터 시작하여 발목에 묶인 끈을 끊는 라하트를 가만히 내려다보던 엘로라는 문득 눈물이 차올랐다. 시야가 흐릿해졌다.

눈물이 난다는 사실을 인지하기도 전에 눈을 한 번 깜빡하니 가득 차올랐던 눈물이 뺨을 타고 흘러내렸다. 그동안 눈물은커녕 찍소리도 내지 않았는데 이상한 일이었다.

본인의 행동이지만 납득이 가지 않았기 때문에 엘로라는 스스로에게 물음을 던졌다.

슬픈가? 슬프지 않았다. 그렇다면 기쁜가? 가슴이 벅차오르는 기쁨은 없었다.

시간 안에 구해졌다는 사실은 기쁨을 느끼기에 충분했지만 눈물이 날 정도는 아니었다. 그렇다면 어째서 울고 있는 걸까.

마치 눈물샘이 고장 난 것 같았다. 스스로를 제어할 수 없었다.

오랫동안 묶여 있던 탓에 꼭 줄이 끊어진 마리오네트처럼 온몸에 힘이 들어가지 않아서 눈물을 닦아 낼 수도 없었다. 손가락 하나 까딱하는 것도 힘드니 그저 가만히 앉아서 울고 있을 뿐이었다.

끈을 다 끊어 내고 난 후에야 고개를 든 라하트는 소리 없이 우는 엘로라를 발견했다. 엘로라의 뺨을 타고 흐르는 눈물을 보고선 잠깐 두 눈을 크게 뜬 라하트는 몇 번을 머뭇거리다가 멀쩡한 손으로 눈물을 훔쳐 주었다.

"울어도 돼."

다정한 목소리였다.

눈물이 앞을 가려서 엘로라의 망막에 비친 라하트의 얼굴은 일그러져 보였다. 그래서 라하트가 어떤 표정을 하고 있는지 알 수 없었다. 하지만 목소리만큼은 안심하고 울어도 된다는 생각을 자연스레 들게 할 정도로 다정했다.

"오로지 너와 나만의 비밀로 지켜 줄 테니까."

그렇게 말하며 라하트가 주머니에서 손수건을 꺼냈다.

그날 이후로 손수건을 가지고 다니는 것일까. 엘로라는 자신의 눈물을 닦아 주는 손수건을 보고 있자니 기분이 이상해졌다. 본인도 왜 기분이 이상한지 이해하지 못했다. 이해하지 못하는 일투성이였다.

혹 라하트가 아직도 손수건을 가지고 있지 않을 거라 생각하고 있던 것일까? 그 후로 시간이 제법 지났는데 손수건 하나 사지 못하리라는 법은 없었다. 손수건이야 길 가다가도 흔히 살 수 있는 물건이니까.

그러니 이상할 것 없었다. 라하트의 주머니에서 자연스럽게 손수건이 나오는 일이. 오히려 손수건을 가지고 다니지 않았던 이전이 귀족스럽지 못한 거였다.

머릿속으로는 라하트가 손수건을 가지고 있는 이유가 납

득이 갔지만 계속 불쾌했다.

라하트에게 주려고 했던 손수건은 웬 얼굴도 모르는 남자가 가져가고 라하트의 품에는 이미 다른 손수건이 자리를 지키고 있었다. 그 상황 자체가 싫었다. 부정적인 감정이 엘로라의 속에서 꿈틀거렸다.

두 눈을 내리깐 엘로라는 손수건을 보았다. 엘로라의 미묘한 감정 변화를 눈치채지 못한 라하트는 마치 비싼 도자기 인형을 어루만지듯이 엘로라의 눈물을 닦아 주었다.

새것인 듯, 곱게 접혀 있는 손수건에는 자수가 새겨져 있었다. 그런데 어째서인지 일부분밖에 보이지 않았지만 새겨진 자수도, 색깔도 낯익었다.

그럴 리 없었다.

착각이었다. 아니, 착각이어야 했다.

당황한 엘로라는 가까스로 힘을 짜내서 손을 들었다. 그리고 손수건을 들고 있는 라하트의 팔목을 잡았다.

갑작스러운 엘로라의 행동에 당황한 건 라하트 또한 마찬가지였다. 움직임을 멈춘 라하트는 엘로라의 시선이 손수건에 멈춰 있는 것을 보았다.

"이건……."

엘로라는 라하트와 손수건을 번갈아 보았다.

충격으로 눈물이 멎은 것 같았다.

며칠 동안 밤을 새우면서 수를 놓고 무투 대회 중에는 오늘은 만날지도 모른다는 미약한 기대감을 안고 날마다 주머니에 넣어 놨던 손수건인데 잊을 수 있을 리 없었다.

부정해야 했지만 더는 부정할 수 없었다. 눈앞에 들이 내밀어진 선명한 증거로 인해 외면은 부질없는 짓이 되어버렸다.

라하트가 남자들을 제압하는 동안 계속 느꼈던 위화감의 정체나 황태자와 검은 투구 그리고 모리카의 관계는 검은 투구의 자리에 라하트를 넣게 되면 완벽하게 이어졌다.

안개 낀 듯 불투명했던 모든 것이 눈앞에 있는 손수건으로 인해 선명해졌다.

검은 투구.

그가 어째서 정체불명의 사내로 남아야 했는지 이제야 이해할 수 있었다.

뒤늦게 실수했다고 생각한 건지 입술을 굳게 닫은 라하트가 그대로 굳어 버렸다. 엘로라 또한 충격으로 아무 말도 하지 못하고 보랏빛 눈동자를 바라보기만 했다.

'검은 투구.'

두 사람은 동시에 무투 대회 우승자인 그를 떠올렸으나 둘 중 누구도 섣불리 그 이름을 입 밖으로 꺼내지 않았다.

라하트는 그간 숨겨 왔던 자신의 또 다른 정체를 밝히지도 못하고, 엘로라는 자신이 알아낸 진실을 차마 말하지 못하여 불편한 침묵 속에 잠겨 있는데 그때 검은 제복을 입은 사람이 다가왔다. 그는 사무적 어조로 경과를 보고했다.

"전하, 범인을 모두 포박했습니다. 치료를 위해 어서 이동하시죠. 정리는 저희들이 하겠습니다."

"그녀만 데리고 가."

"하지만 전하께서도 상처가……."

"난 괜찮으니까 그녀 먼저 데려다줘."

냉정히 말한 라하트가 엘로라의 손에 손수건을 쥐여 주고는 이내 고개를 떨궜다. 마치 죄인처럼.

"미안해."

왜 미안하다고 말하는 것인가.

라하트만 인생에 끼어들면 이해할 수 없는 일만 일어나게 되었다. 단 한 번도 스스로의 감정을 모른 적도 없었고 정체 모를 기분에 휩싸인 적도 없었다.

그런데 지금 이 순간, 엘로라는 자신의 감정도 모르겠는데 타인의 감정은 더 알 수 없어졌다.

라하트가 도착하기 전까지만 하더라도 타인의 생각은 유리창 너머를 보듯이 투명하게 보였다. 그런데 지금은 바다에 잠긴 것만 같았다. 빛 한 점 없는 심해를 헤매듯 완벽한 어둠이었다.

검은 제복을 입은 사람에게 부축을 받고 일어난 엘로라는 금색 머리통을 내려다보았다. 무게 추를 발목에 달아 놓은 것처럼 발이 움직이지 않았다.

검은 제복이 어서 이동하자는 듯이 살짝 힘을 주었지만 그 자리에 우뚝 서서 금빛 머리칼만을 시야에 담았다.

무엇을 해야 할지, 무슨 말을 해야 할지, 어떤 마음가짐으로 그를 봐야 할지 아직 확신이 서지 않았다. 불투명한 것뿐이었다. 그러나 머뭇거리고만 있기에는 엘로라에게 시간이 얼마 남지 않았다.

지금 이 순간, 순간에도 시간은 지나고 있으니.

그래서 마음 가는 대로 하기로 했다.

손이 떨렸다. 이번에는 두려움 때문이 아니었다.

어금니를 꽉 깨문 엘로라는 검은 제복의 허리춤에 있던 검을 빼냈다. 엘로라의 돌발 행동에 놀란 검은 제복이 제재하려 움직였지만 엘로라가 더 빨랐다. 검을 든 엘로라는 일말의 망설임 없이 원피스 끝자락을 찢었다.

소란이 벌어지자 라하트가 고개를 들었다. 그 앞에 털썩 주저앉은 엘로라는 피범벅이 된 라하트의 손을 잡았다. 그리고 찢어 낸 천을 붕대처럼 감아서 지혈해 주었다.

손에 천을 감는 데에는 그리 큰 힘이 들어가지 않았지만 묶을 때 손에 힘이 들어가지 않아 곤혹스러웠다.

벌벌 떨리는 손으로 천을 붙잡고 있던 엘로라는 살짝 고개를 숙였다. 이로 한쪽을 꽉 물고, 잡아당겼다. 몸이 성치 않아서 그런지 한눈에 봐도 어설픈 솜씨이긴 했지만 한때 원피스였던 천이 라하트의 왼쪽 손에 단단히 묶여 있었다.

"비긴 거예요. 그러니 제게 고개 숙이지 말아요."

떨리는 손을 숨기지 않은 채 엘로라가 말했다.

어떠한 진실이 밝혀졌다고 한들 라하트는 몸을 던져서 자신을 구해 준 사람이었다. 심지어 두 번이나.

자신의 의지를 몸소 보여 준 라하트를 두 눈 시퍼렇게 뜨고 지켜봤는데 어찌 주춤하고만 있을 수 있을까. 평소라면 알 수 없는 것이 한가득인 이 상황을 외면했겠지만 이번에는 피하지 않았다. 정면으로 부딪쳤다.

"그리고 이건 원래 전하의 것이었어요."

"……."

"이 이상 피를 묻히지 말고 소중히 간직하세요."

라하트의 멀쩡한 손에 손수건을 억지로 쥐여 주었다. 눈물을 닦아 줄 때 묻은 건지 축축한 손수건에는 붉음이 번져 있었다. 피를 닦으라고 선물한 건 아니었기에 붉어진 손수건은 보고 싶지 않았다. 그것이 라하트의 피라면 더더욱.

손수건을 건네준 엘로라는 손바닥을 바닥에 짚고 일어났다. 일어나려는 와중에 휘청거리는 엘로라를 검은 제복과 라하트가 잡아 주려고 손을 뻗었지만 알아서 균형을 잡고는 곧바로 라하트에게서 등을 돌렸다.

엘로라가 한 발자국 앞으로 나아갔다.

그 한 걸음 내딛는 데에도 온몸에서 비명을 질러 댔다.

힘겨운 첫걸음이었다.

꼭 남의 육체를 빌려 쓴 것 같았다.

입술을 꽉 깨문 엘로라는 절뚝대면서 천천히 걸어갔다. 발목에 금이 간 다리는 아예 움직일 수 없어 질질 끌고 다니는 모양새였다. 그 탓에 당장에라도 주저앉고 싶은 충동에 시달렸지만 꿋꿋이 걸었다. 이 한 걸음을 떼는 것이 느릴지언정 멈추고 싶지 않았다.

검은 제복이 부축하려 했으나 그것을 거절하고 혼자서 나아간 엘로라는 문턱을 넘었다. 그리고 숨을 크게 들이쉬었다. 신선한 공기가 폐부를 가득 채웠다.

어느덧 밤의 장막이 내리고 별이 쏟아지는 하늘을 올려다보았다.

드디어 바깥이었다.

검은 제복을 입은 사람들의 호위하에 마차를 타고 이동한 엘로라는 황궁이 아닌 한 저택에서 치료를 받았다.

의원은 머리부터 발끝까지 성한 곳이 없는 엘로라를 훑어보더니 말없이 치료를 시작했다. 그가 움직일 때마다 나는 소리 외에는 쥐 죽은 듯이 조용했다.

치료가 다 끝난 후에야 의원이 처음으로 입을 열었는데, 그는 엘로라의 발목을 보며 한동안 걷지 못할 것이라고 했다. 2주 정도는 외출은 자제하고 되도록 침대에서 생활하기를 권했다.

약을 처방하고 나서 다시 마차에 탄 엘로라는 여명이 밝아 올 때쯤에야 아모몬 궁으로 돌아올 수 있었다.

일주일도 되지 않은 외출이건만 십 년을 떠나온 고향을 다시 방문하는 기분이었다. 팔다리에는 붕대가 칭칭 감겨 있고, 뺨에는 거즈를 붙여서 누가 봐도 환자인 상태로 검은 제복의 부축을 받은 엘로라는 아모몬 궁의 울창한 숲을 걸어갔다.

새벽 어스름을 맞으며 아모몬 궁에 가까워진 엘로라의 시야에 우뚝 선 인형이 잡혔다. 처음에는 잘못 본 줄 알고 두 눈을 여러 번 깜빡였지만 모든 것은 그대로 있었다. 변하는 건 없었다.

"아가씨."

우뚝 서 있던 인형이 엘로라를 불렀다.

엘로라는 그에 응답했다.

"히나."

오랫동안 말하지 않았기 때문인지 잔뜩 가라앉은 목소리가 나왔다. 그 이름이 마치 주문이라도 되는 것처럼 히나의 하얀 뺨에 눈물 한 줄기가 타고 흘렀다.

그간의 걱정이 얼굴에 고스란히 드러난 그녀는 엘로라의 품으로 달려와 안겼다.

"아가씨. 아가씨 맞으시죠?"

"미안, 걱정했지?"

검은 제복에게 부축을 받고 있다가 히나를 안아 준 엘로라가 그녀의 머리를 다정하게 쓰다듬어 주었다. 안겨 온 히나의 몸은 얼음장처럼 차가웠다.

언제부터 서 있었는지는 모르겠으나 제법 긴 시간이었음을 추측할 수 있었다. 기약 없는 기다림이었을 텐데 끝까지 자리를 지켜 준 히나에게 미안함과 동시에 고마움을 느꼈다.

"여기서부터는 알아서 갈게요. 도와주셔서 감사합니다."

이제부터는 히나에게 부축을 받으면 되었기에 대기하고 있던 검은 제복을 돌려보내려 했다. 감사의 인사를 전하자 검은 제복이 정중히 고개를 끄덕였다.

이만 돌아가려는 그 뒷모습을 바라보던 엘로라는 문득 든 생각에 그들을 불러 세웠다.

"오늘 일은 함구하도록 명령받았나요?"

"예."

"그렇다 하더라도 폐하의 귀에는 들어가겠죠?"

"저희는 눈이 있지만 보지 못하고, 귀가 있지만 듣지 못하며 입이 있지만 경솔히 말하지 않습니다."

"……그렇군요."

한마디로 황제의 귀에는 이번 일이 들어가지 않는다는 뜻이었다. 굳이 황궁 소속의 의원이 아닌 외부에 있는 의원에게 데려갔을 때부터 그들이 황제의 명령을 받지 않는 개별적인 조직이라는 걸 어렴풋이 눈치채고 있었다.

하지만 그렇다고 하기에는 아예 황궁과 관계없는 조직은 아닌 듯하여 확신은 하지 못했는데 이로써 의문을 정리할 수 있었다.

문양이 새겨지지 않은 검은 제복을 입고 있는 것을 보아하니 황제가 아닌 황자가 직접 관리하는 황궁 소속의 비밀 기사단인 듯했다. 경황이 없어서 크게 신경 쓰지 않았지만 기억을 되새겨 보니 아몬을 찾으러 다닐 때도 이런 복장을 한 사람들이 도와준 것 같았다.

그들의 정체를 자세히 물어본다 한들 대답이 돌아올 리 없다는 것을 아는 엘로라는 그렇게 그들을 보내고 히나의 부축을 받으면서 궁에 들어갔다.

“도련님들이 계속 기다리고 있었는데 너무 늦은 시각이라서 제가 돌려보냈어요.”

“잘했어.”

“아마 내일 다시 찾아오실 거예요.”

“……예쁜 얼굴만 보이고 싶었는데.”

가족들도 이번에 일어난 일을 알게 된 모양이었다. 처참해진 본인의 얼굴을 알고 있는 엘로라는 혼잣말을 중얼거렸다.

다른 누구도 아닌 자신을 항상 지지해 주는 가족에게는 항상 예쁘고 행복한 모습만 보여 주고 싶다는 바람이 있었다. 그런데 지금 엘로라의 상태는 그 바람과 동떨어지는 것이었다.

이런 우울한 엘로라의 낯빛을 본 히나가 단호하고도 크게 외쳤다.

“예뻐요. 충분히.”

"히나는 정말 내게 무르다니까."

엘로라가 웃음을 터트렸다. 곁에 히나가 없었더라면 웃을 일도 없었을 것이다. 뺨을 여러 번 맞은 탓에 얼굴 근육을 움직이는 것 또한 힘들었지만 히나가 걱정하지 않도록 아무렇지 않은 척, 최대한 예쁘게 미소를 지어 보인 엘로라는 방에 들어가면서 물었다.

"가족 모두에게 소식이 전해진 거야? 다들 어디까지 알고 있어?"

"다들 전부 알고 계세요. 설명하자면 조금 길어요. 이야기가 길어질 텐데 일단 옷부터 갈아입고 누워 계실래요? 침대 맡에서 천천히 얘기해 드릴게요."

"아무래도 그래야겠지. 사실 지금 서 있는 것도 힘들어."

긴장이 풀린 탓인지 답지 않게 약한 말을 한 엘로라가 히나의 도움을 받아 넝마가 된 원피스에서 편한 잠옷으로 갈아입었다.

푹신한 침대에 누운 엘로라는 행복을 느꼈다. 따뜻하고 포근한 곳에서 마음 놓고 잘 수 있다는 사실 하나가 이토록 와닿은 적은 없었다.

"많이 피곤하실 텐데 일어나면 얘기해 드릴까요?"

"아니, 지금 얘기해 줘. 내가 모르는 이야기가 한두 개가 아닌 듯해서 이대로는 잠도 오지 않을 거야."

침대에 누우니 잠이 쏟아져서 두 눈을 느릿하게 깜빡이는 엘로라를 보고는 히나가 다정히 속삭였다. 하지만 당장

들어야 할 이야기인 것 같아서 눈에 힘을 준 엘로라가 고개를 저었다.

그녀의 단호한 의지가 느껴져 낮게 웃은 히나가 차분히 얘기를 시작했다.

"처음에는 밤이 늦어도 아가씨께서 돌아오지 않아 제가 이상하게 여겼어요. 그러다가 날이 밝아도 연락 하나 없으시길래 라하트 전하와 아는 사람을 만난다고 하셨던 것이 떠올라서 전하를 찾아갔어요."

평소라면 해가 떠 있을 때 라하트를 만나기란 하늘의 별 따기와 같았겠지만 다행히 라하트가 얌전하게 황궁에 있어 주어서 히나는 바로 그와 대면할 수 있었다.

그리고 자초지종을 설명하자 라하트도 이상하게 여겨 모리카의 상단에 연락을 넣었지만 돌아온 대답은 모리카가 휴가를 연장하였다는 것뿐이었다.

모리카의 성격상 휴가를 연장할 리 없는 데다 엘로라와 함께 아무 소식 없이 사라질 이가 아니었기에 두 사람의 행적을 쫓게 되었다.

모리카가 묵고 있는 숙소에서도, 시내에서도 그들을 찾을 수 없었다. 두 사람이 사라진 것이다.

비상 상황임을 인식한 라하트가 비밀리에 엘로라와 모리카를 찾으려고 했다. 그는 직접 두 발로 뛰어 수도를 샅샅이 뒤졌다.

히나 또한 라하트를 도와 움직였지만 유일한 소득은 인

적이 드문 골목에서 모리카로 추정되는 여성과 다른 여성이 사라졌다는 것뿐이었다. 그 후로 추적이 불가능해졌다.

그렇게 하루를 흘려보낸 히나는 두려워졌다.

라하트를 믿어도 되는 것일까?

그는 망나니라고 소문이 난 황자였다. 황실의 일원이지만 전혀 고귀한 혈통을 가진 사람 같지 않았다.

이대로 라하트를 믿은 채 시간만 보내다가 엘로라를 잃을 수도 있겠다는 두려움에 공황 상태가 된 히나는 아르미트 형제들에게도 엘로라가 사라졌음을 알렸다.

히나의 얘기를 들은 아르미트 형제들은 곧장 라하트에게 달려가서 그의 멱살을 잡았다. 엘로라가 사라졌는데 연기고 뭐고 다 필요 없었다.

너는 하루 동안 무엇을 했냐, 엘로라가 납치당하는 동안 술이나 또 처마시고 있었냐, 이번 일로 반역을 일으킨다 하더라도 너희는 할 말이 없다 등등. 엘로라가 직접 들었더라면 곧장 뒷목을 잡았을 만한 과격한 언사가 이어졌다.

계급이 누가 위고 아래인지 모를 정도로 아르미트 형제들의 언행은 굉장히 무례했지만 라하트는 입을 굳게 다물고 얌전히 있을 뿐이었다.

라하트가 아무 말도 하지 않으니 거기에 또 화가 나서 아르미트 형제들이 목소리를 높였다. 그렇게 분위기가 잔뜩 과열되고 있는데 모리카가 라하트를 찾아온 것이었다.

얼굴은 화장이 번져서 엉망이었고 머리칼은 산발이 되어

서 길 가다 만났더라면 정신이 이상한 사람 취급했을지도 모르는 꼴로 라하트를 방문한 모리카는 다급하게 엘로라가 아직도 붙잡혀 있고, 어디 쯤에 있는지 설명했다.

사정 설명을 다 끝마치자마자 그 자리에 있던 아르미트 형제들이 가장 먼저 뛰쳐나가려 했다. 하지만 그런 그들을 막은 것은 라하트였다.

아르미트 형제가 움직여 봤자 좋을 것 하나 없으니 가만히 있으라고 명령한 라하트가 사람을 이끌고 나갔다.

이때 히나는 정확히 라하트가 '명령'했다고 표현했다.

한 번도 명령하는 것을 본 적이 없는 남자가 마치 가면이라도 쓴 것처럼 냉정한 얼굴로 명령을 내렸다. 히나의 말로는 그때만큼은 진짜 황족인 것 같았다고 한다. 더 정확히 말하자면 냉정하며 기품 있고, 잔혹한 황제.

라하트가 황태자도 되지 못한 일개 황자지만 히나뿐만 아니라 아르미트 형제마저도 주춤할 정도의 기백이었다.

결국 자리에 남은 아르미트 형제들과 히나는 모리카에게 더 자세한 상황 설명을 들은 후에 더는 소란을 내지 않기 위해 비밀 통로를 통해 아모몬 궁에 가서 엘로라를 기다렸다고 한다.

그들의 일거수일투족이 조명을 받는 위치였으니 라하트를 방문한 후 곧바로 아모몬 궁으로 가게 된다면 뒷말이 돌 게 뻔했기에 내린 결정이었다. 그나마 형제들에게 마지막 이성은 남아 있었다는 증거였다.

그 뒤로 엘로라가 아는 그대로였다.

아르미트 형제들은 엘로라의 무사 귀환이 너무 늦어져서 다들 발을 동동 굴리다가 히나가 돌려보내서 어쩔 수 없다는 듯이 걸음을 떼었다.

모두를 돌려보내고 홀로 남은 히나는 시간이 흐르는 것을 참을 수 없어, 조금이라도 더 빨리 엘로라를 만나기 위해 바깥에서 기다리고 있었다.

저가 보고 들은 것을 그대로 얘기했기 때문에 다분히 히나 시점에서 진행된 얘기를 다 들은 엘로라는 자못 심각한 표정이 되었다.

사실 히나가 아르미트 형제들을 언급했을 때부터 절로 한숨이 나오던 차였다. 그들이 단순 비유가 아닌 진짜로 라하트의 멱살을 잡았다는 얘기를 들었을 때는 하얗게 질려서 그것이 진실인지 재차 물어보기도 했다.

오히려 라하트가 너무 이성적으로 대응을 해서 당황스러울 정도였다. 납치당한 동안의 상황은 엘로라가 상상했던 것과는 달라도 너무나 달랐다. 특히 아르미트 형제들이 나오는 부분은 엘로라가 상상한 적도 없는 종류의 것이었다.

그렇다고 하여 아르미트 가문에 소식을 알린 히나를 탓하는 건 아니었다. 모시던 아가씨가 납치되었고 유일하게 믿을 사람은 전혀 믿음직하지 못한 모습만 보여 주었던 사람인 데다 한시가 급한데 하루가 지나도 진전된 것이 없으니 어지간히 답답했을 것이었다. 만약 엘로라가 히나였어도 같은 선택을 했을 것이었다.

자신이 고생했던 만큼 히나 또한 마음고생을 많이 했다는 사실을 알게 된 엘로라는 히나의 손을 조용히 잡아 주었다.

어쩌면 다시 보지 못할지도 모른다는 공포감에 시달렸던 상대의 온기를 느낄 수 있다는 건 감격스러운 일이었다.

용기를 낸 히나는 마주 잡은 손에 살짝 힘을 주었다. 뒤늦게 제 손이 너무 차가운 건 아닌지 걱정도 들었으나 그렇다고 이 손을 놓기에는 또 사라지게 될까 봐 두려워 그러지 못했다.

커튼 사이로 빛이 쏟아져 내렸다.

마주 보며 누운 엘로라와 히나는 두 눈을 감았다.

평화였다.

"아가씨께서는 아직 주무시고 계세요."

"얼굴만 보고 가도록 하지."

"안 돼요."

"어째서!"

"새벽에 돌아오셔서 잠든 지 몇 시간 되지 않으셨어요. 제

아무리 도련님이라 하더라도 들여보낼 수 없어요. 만약 기척을 느끼고 아가씨가 깨시기라도 하면 어쩌려고 그러세요?"

히나와 에곤이 말다툼하는 소리를 들은 엘로라는 깨질 듯한 머리를 부여잡으며 일어났다.

멍하니 침대에 앉아 있다가 바깥에서 소란이 일어난 것 같아서 절뚝대면서 문을 열었다. 히나와 에곤 사이에 팽팽한 긴장감이 흐르고 있을 때였다.

"히나?"

"아가씨!"

"엘로라!"

엘로라가 문틈 사이로 얼굴을 내밀자 서로를 노려보던 두 사람이 동시에 고개를 홱 돌리면서 엘로라를 불렀다.

두 쌍의 눈동자가 자신을 바라보자 당황한 엘로라가 어색한 미소를 지어 보였다. 얼굴 근육을 움직이는 것이 부자연스럽게 느껴졌다. 거울은 보지 않았지만 스스로 느끼기에도 평소처럼 미소를 짓는 건 불가능한 듯싶었다.

"거동도 불편하신데 어째서 나오셨어요. 어서 들어가세요. 몇 시간 주무시지도 못해서 피곤하실 거 아니에요."

에곤과 승강이를 벌이던 것을 멈추고 달려온 히나가 물가에 내놓은 어린아이를 보듯이 엘로라를 보았다. 혹 자신이 없는 동안 다친 것은 아닐까 싶어 샅샅이 살피는 것이 느껴졌다.

고개를 저은 엘로라는 잠긴 목소리로 단호하게 말했다.

"괜찮아. 귀한 손님이 왔는데 누워 있을 수만은 없지."
그러면서 에곤에게로 시선을 옮겼다.
엘로라와 눈이 마주치자마자 에곤은 얼굴을 일그러뜨렸다. 엘로라가 싫었기 때문이 아니었다. 문밖으로 내밀어진 엘로라의 얼굴이 엉망이었기 때문이다. 잔뜩 붓고, 뺨에는 거즈를 붙이고 그 외에도 자잘한 생채기가 나 있는 얼굴에는 그간의 고생이 여실히 드러나 있었다.
애지중지 돌본 동생이 험한 꼴을 당했으니 이성을 유지할 수 있을 리 없었다. 에곤의 회색 눈동자에는 엘로라에게 벌어진 일을 막지 못한 자신에 대한 분노와 슬픔, 자기혐오로 얼룩져 있었다. 그것을 꿰뚫어 본 엘로라는 아무렇지 않은 듯이 말을 걸었다.
"보다시피 막 일어나서 꼴이 말이 아닌데 응접실에서 기다려 줄 수 있을까? 시간이 조금 걸릴 테니까 만약 바쁘다면 나중에 따로 약속을 잡는 편이 나을 거야."
"아니, 바쁘지 않다."
"그렇다면 히나, 응접실까지 안내를 부탁할게."
"하지만 아가씨……."
"짧은 거리는 혼자서 움직일 수 있어. 쓰러지지 않을 테니 걱정 마."
물러섬이 없는 엘로라의 말에 히나가 안절부절못했다.
원칙상 외부인인 에곤을 안내하는 것이 맞았지만 엘로라는 부축이 필요한 몸이었다. 상태가 얼마나 심각한지 두 눈으로 똑똑히 본 터라 두 사람 사이에서 어떻게 하지 못하고 망설이기만 했다.

그런 히나의 고민을 해결해 준 건 에곤이었다.

"응접실은 내가 알아서 찾아가도록 하지. 이전에 와 본 적이 있어서 길을 알고 있다. 그리고 엘로라. 나야말로 혼자 할 수 있으니 무리하지 말도록 해. 몸도 성치 않은데 괜찮다면서 멋대로 움직이다가 악화될 수 있어."

하고 싶은 말은 많은 듯했으나 그 모든 언어를 쏟아 내기보다 짧게 염려가 담긴 말을 덧붙인 에곤이 한숨을 내쉬고는 등을 돌렸다.

엘로라가 고집을 부리기 전에 먼저 자리를 피하겠다는 의지가 강하게 느껴졌다.

어쩔 수 없이 에곤을 보내고 히나의 부축을 받은 엘로라는 머리를 빗고 가벼운 차림으로 옷을 갈아입었다. 화장은 하지 않았다. 상처가 회복되기 전까지는 하지 못했다. 어차피 에곤을 제외한 다른 이들을 만나는 것도 아니었기에 되도록 편하고 가볍게 준비를 마친 엘로라가 히나의 부축을 받으면서 응접실로 갔다.

절뚝대면서 응접실에 들어오는 엘로라를 지켜보던 에곤은 결국 눈을 내리깔았다. 차마 동생의 아픈 모습을 눈에 담아 둘 수 없었다.

"내 꼴이 엄청나지? 낮부터 못 볼 꼴을 보여서 미안해."

"엘로라."

히나의 도움을 받아 어렵사리 자리에 앉은 엘로라가 가볍게 운을 띄우자 당황한 에곤이 고개를 들며 그녀를 불렀다. 그러다 입술을 꽉 깨물었다. 혼란스러워 보였다. 무슨 말을 해야 할지 주저하고 있었다.

납치당한 것도 모자라 성치 못한 모습으로 돌아온 동생을 보게 되면 누구라도 저런 반응을 보일 것이었다.

본인에 대한 자괴감과 무슨 말을 해야 상처를 건드리지 않을까 하는 조심스러움.

이렇듯 에곤이 갈피를 잡지 못하는 와중에 정작 당사자인 엘로라는 덤덤했다.

얼마 전까지만 해도 '에곤'의 이름만 들리면 발작 같은 반응을 보이던 엘로라였다. 어떤 식으로 에곤을 봐야 할지, 무슨 말을 해야 할지 걱정을 많이 했다.

대화를 나누다가 말실수를 하게 되어서 또 다툴지도 모른다는 불안감에 시달리고는 했는데 놀랍게도 지금 눈앞에 에곤이 있어도 아무렇지 않았다.

시간이 약이 되어 준 걸까. 그도 아니라면 너무 많은 일이 한꺼번에 일어나서 무뎌지게 된 것일까.

선뜻 아무 말도 하지 못하고 침묵을 유지하던 에곤을 바라보던 엘로라는 잠깐 뜸을 들이다가 먼저 말을 꺼냈다.

"오라버니."

에곤이 움찔했다. 눈에 띄는 동요였다.

그걸 보게 되니 미소를 짓고 싶었지만 아까 웃어서 오늘

치 미소를 다 지은 모양이었다. 얼굴이 아파서 차마 웃지 못한 엘로라가 말을 이었다.

"한동안 나는 나인 채로 살아야 할 거야."

"……."

"이런 얼굴로는 변신을 하지 못하니까."

이 상태로는 못난이 엘로라로서도 살 수 없었다.

공식적으로 엘로라는 외출한 적이 없으니 납치당한 두 여자는 외국인 한 명과 신분이 불분명한 내국인 한 명뿐이었다.

혼자서 멀쩡히 걸을 수 있고 얼굴에 있는 상처가 나을 때까지 이 세상에 엘로라는 존재하지 않게 되는 것이었다.

"마법사도 만능은 아닌가 봐."

에곤은 엘로라가 마법사 같다는 말을 한 적이 있었지만 엘로라는 이번 기회에 절절히 실감했다. 엘로라는 마법사가 아니었다.

마법사였다면 멋지게 탈출했을 것이었다.

어떤 상처와 두려움 없이.

그때도 그랬지만 탈출한 후에도 엘로라는 자신에게 조금 더 힘이 있었더라면 하는 생각을 많이 하게 되었다. 스스로를 몇 번이나 담금질하더라도 계속 그 이상을 원하게 되었다. 원하고, 원하고 또 원하고. 인간의 욕심은 끝이 없다는 말이 옳았다.

얼마나 자신에게 실망했는지 차라리 마법사로 태어났더

라면 시작부터 다르지 않았을까 하는 생각까지 하였다. 마법사였다면 존재를 지워 내면서까지 살지 않아도 되었을 것이다.

항상 타인을 놀라게 하는 마법을 부리는 마법사는 강하니까. 동화 속 그들은 의로웠고 인간이 해낼 수 없는 일을 쉬이 처리했다.

"엘로라."

엘로라의 얼굴에 그늘이 졌다. 과거의 일을 되돌아보면 볼수록 스스로를 채찍질하게 되었다.

그것을 가족인 에곤이 알아보지 못할 리 없었다. 엘로라를 부른 에곤이 떨리는 목소리로 말했다. 머릿속에 떠도는 수많은 단어를 냉정히 솎아 낸 뒤에 입 밖으로 꺼낼 예정이었으나 엘로라의 얼굴을 보고 있자니 그럴 여유가 없었다. 그래서 오로지 진심만이 담긴 말이 나왔다.

"네가 없는 동안 이 말을 꼭 하고 싶었다. 미안하다. 믿지 못해서."

두 사람 다 마지막 만남 때 했던 대화를 마음속에 담아두고 있었다. 안절부절못하고 전전긍긍하며 하루를 보냈던 건 엘로라뿐만이 아니었다.

"크리센즈인에게 자세한 얘기를 듣고 나니 마치 뒤통수를 망치로 얻어맞은 느낌이더구나. 너는 내가 생각했던 것보다 더 훌쩍 커서 저 멀리 서 있는데 과거에 연연하여 붙잡고 있는 건 나였으니. 널 믿고 지켜보는 것이 옳았던 것인데 이제껏 네 의사는 무시하고 자기합리화를 하면서까지 욕심을 부리고 있었다는 걸 깨달았다. 모두 나의……."

"거기까지만 말해도 충분히 알아들었어. 오라버니의 마음 알아."

횡설수설 말을 잇는 에곤의 말을 끊은 엘로라는 미소를 짓는 대신 다정한 눈빛으로 그를 바라봤다.

이대로 내버려 둔다면 에곤 또한 끝없는 자책을 게워 내고는 모든 걸 자신의 탓으로 돌릴 것이었다. 그건 엘로라가 겪었던 일 그대로였다.

"나도 오라버니에게 사과하고 싶었어. 그날 일은 서로에게 상처가 되었으니까. 지난 시간 동안 오라버니도 나와 같은 마음이었을 거야. 그렇지?"

에곤이 고개를 끄덕였다. 굳이 묻지 않더라도 서로 알고 있는 사실이었다.

"그러면 된 거야."

잔뜩 쌓였던 걱정이 눈 녹듯이 사라졌다.

엘로라가 두려워했던 만큼 에곤 또한 두려워하고 있었다. 서로 두려움에 눈이 멀어 가까이 다가가지 못해 감정을 쌓아 두고 있었던 것이었다. 그걸 알게 되니 과거의 자신이 용기를 내지 못했구나, 하는 생각이 드는 엘로라였다.

"내가 오래 있어 봐야 회복에는 도움이 되지 않을 테니 이만 일어나 보도록 하지. 그리고 오늘은 네 몸 상태가 좋지 않다는 소식을 전해 듣고 가족을 대표하여 나 홀로 왔는데 아마 다른 이들은 네가 회복될 때쯤 방문하도록…… 싫다고 반항하더라도 막아 보도록 하겠다."

엘로라에게 달려오려는 가족들과 그들을 막으려는 에곤이 머릿속에서 자연스럽게 그려졌다. 할 수 있었더라면 소리 내어 웃었을 엘로라는 자리에서 일어나 밖으로 나가려는 에곤을 붙잡았다.

"아, 잠시만 기다려 줘. 오라버니에게 줄 선물이 있어."

"선물?"

"사실 선물이라고 부르기에 민망해서 고민을 많이 했는데 이왕 만난 김에 화해의 의미 겸 주고 싶어."

엘로라는 주머니에 넣어 두었던 손수건을 꺼내어 에곤에게 건네주었다. 직접 수를 놓은 손수건이었다.

예전에 수를 다 놓았지만 엘로라가 머뭇거리는 사이에 무투 대회가 끝나도 주인이 될 사람의 품으로 가지 못했던 손수건 중 하나였다.

"내가 직접 수를 놓은 손수건이야. 무투 대회가 한창일 때 줬어야 했는데 그때는 내가 바빠서 주지 못했어. 오라버니 것뿐만 아니라 다른 가족들 것도 준비해 놨는데 그건 직접 만나면 줄 거라고 얘기해 줘. 내가 찾아가서 주고 싶은 마음은 굴뚝 같지만 하루 이틀 만에 나을 상처가 아니라서 오라버니의 입을 빌릴 수밖에 없네."

엘로라의 말이 이어지는 동안 가만히 손수건을 내려다보던 에곤이 문득 고개를 옆으로 돌렸다. 갑작스러운 그의 행동에 당황한 엘로라가 두 눈을 깜빡였다.

"오라버니?"

"아니, 아무렇지 않아. 신경 쓸 것 없다."

낮게 가라앉은 목소리로 속삭이듯이 말한 에곤이 손수건을 쥔 손에 힘을 주었다. 곱게 접혀져 있던 손수건이 구겨졌다.

"고맙다, 엘로라. 무덤까지 소중히 간직하도록 하지."

정말 무덤까지 손수건을 들고 갈 것 같아 몰래 식은땀을 흘린 엘로라는 긴 침묵 끝에 결심한 듯한 에곤의 얘기를 들을 수 있었다.

"새벽에 그 녀석이 아르미트 저택에 찾아왔었다."

"그 녀석?"

격식을 차리는 에곤이 '그 녀석'이라고 격하게 칭할 사람은 한 명밖에 없었다. 하지만 그가 아르미트 저택에 갈 이유는 없었기 때문에 의문을 가지고 되묻던 엘로라는 설마 하는 마음으로 '그 녀석'이라 불릴 만한 후보 1순위를 입에 담았다.

"……라하트 전하께서?"

안타깝게도 설마 하는 추측은 빗나가지 않았는지 에곤이 고개를 끄덕였다.

라하트가 아르미트 저택을 방문하다니. 그 사실을 직시하자마자 떠오르는 건 히나가 했던 얘기뿐이었다.

아르미트 형제가 라하트의 멱살을 잡았다는 것.

그 외에도 책잡힐 만한 일이 한두 가지가 아니었지만 애써 부정하고 싶은 마음이었다. 일순 심장이 멎는 듯한 기분으로 엘로라가 빠르게 물었다.

"어째서? 혹시 멱살을 잡은 것에 대해 문책을 당한 거야? 황실 모욕죄로 감옥에 넣기라도 하겠대? 아니면 벌금형?"

걱정이 가득 담긴 엘로라의 질문이 쏟아지자 묘한 표정을 지은 에곤이 이번에는 고개를 저었다. 그리고 한 번도 생각한 적 없는 대답을 내놓았다.

"아니, 무릎을 꿇더군."

"……뭐?"

"이번 일이 모두 본인의 잘못이라며 아버지와 형제들이 있는 자리에서 무릎을 꿇었다. 원한다면 우리가 원하는 만큼 벌을 받겠다고 하더군."

경악한 엘로라는 손바닥으로 얼굴을 덮었다.

뭐? 그 라하트가 무릎을 꿇었다고? 다른 누구도 아닌 아르미트 앞에서?

심지어 본인 잘못도 아닌데 모두 본인 잘못이라고 했다는 것이 너무나 충격적이었다.

"감정이 격해져서 그놈 탓을 했지만 그놈이 잘못한 것이 아니라는 것쯤은 나뿐만 아니라 다들 알고 있다. 그런데도 본인 탓이라고 하더군. 꼴에 황족 같은 얼굴을 하고서는."

"그래서 뭐라고 대답했어? 맨날 하는 말처럼 죽으라고 한 건 아니지?"

"그럴 리가. 그 정도 이성은 남아 있는 데다 만약에라도 그 녀석을 죽이려 든다면 증거 따위 남기지 않아. 우리가 뒷말이 나올 만큼 허튼짓을 할 사람으로 보이나?"

"아니, 오라버니. 그게 문제가 아니잖아."

이건 라하트가 대화의 주제가 되면 평소 하게 되는 아르미트가의 대화였다. 목소리는 여전히 진지했으나 다정했던 분위기는 어디로 팔아먹었는지 에곤이 사뭇 비장하게 말했다. 이러다가 진짜 일을 한 번 크게 벌일 것 같아서 걱정이 된 엘로라는 마른세수를 했다.

라하트에게 죽으라는 말은 하지 않았어도 왠지 그에 버금가는 행동을 요구했을까 봐 걱정이 이만저만이 아니었다.

에곤의 충격적인 발언으로 다 죽어 가던 엘로라를 살린 것은 마찬가지로 에곤이었다. 그는 안절부절못하는 엘로라를 보다가 솔직하게 털어놓았다.

"그대로 돌려보냈어. 아버지가 무어라 속닥거린 것 같은데 들리지 않아 그 내용은 알 수 없지만, 적어도 죽으라고 하지는 않았겠지."

다행이었다. 그대로 돌려보내서.

아버지가 라하트에게 무어라 속삭였다는 것이 마음에 걸리긴 했지만 상대는 아버지였다. 항상 조용히 지켜봐 주시는 분이니 '죽어라' 같은 과격한 말은 하지 않았을 것이었다. 이야기를 다 들은 엘로라는 안심했다.

"사실 형제들과 나는 이 얘기를 함구하려 했지만 아무래도 너와 관련돼 있으니 알아야 할 것 같더군."

"일찍 들어서 다행이야. 너무 놀라운 얘기라서 하마터면 심장을 토할 뻔했어."

농담이 섞인 엘로라의 말에 살포시 웃은 에곤이 그녀를 끌어안았다. 온몸이 아픈 엘로라를 고려하여 그리 강하지 않은 힘으로.

"그러면 정말 가 보도록 하지. 고맙다, 엘로라. 살아 있어 줘서."

귓바퀴를 울리는 에곤의 목소리에 엘로라는 잠깐 두 눈을 감았다가 떴다.

"두려웠을 텐데 잘 이겨 내 주어서 고맙다. 정말."

"내가 누구 동생인데 허무하게 죽을 수는 없지."

맞닿은 부분으로 에곤의 감정이 흘러들어 오는 듯했다. 에곤을 마주 안은 엘로라는 그에게 기대어서 분위기를 환기시키기 위해 농담 같은 대답을 했다. 곧이어 에곤이 낮게 웃는 소리가 머리 위에서 들렸다.

만약 웃을 수 있었더라면 활짝 웃는 얼굴을 보여 줬을 거라 생각하며 엘로라는 어설프게 에곤을 마주 안았다. 어린 아이들이 험하게 가지고 놀아서 깨진 인형처럼 삐걱대는 팔로.

에곤을 보내고 난 후 하늘을 올려다본 엘로라는 해가 중천에 있기에 가볍게 식사를 했다.

엘로라의 몸 상태를 고려하여 히나가 위에 부담이 가지 않을 만한 부드러운 음식을 준비했지만 몇 입 먹었을 뿐인데 구역질을 하더니 결국은 다 토해 냈다. 음식에 문제가 있다거나 속이 좋지 않은 것이 아니었다. 오로지 정신적인 문제였다.

납치당했을 때 억지로 먹었던 일이 뇌리에 깊숙이 박혀 있었다. 엘로라는 그 일을 별것 아닌 것 취급했지만 전혀 아무렇지 않은 일이 아니었다. 강한 척했을 때 엘로라가 느낀 감정의 무게와 평소의 엘로라가 느끼는 감정의 무게가 오롯이 같을 수 없었다.

하지만 문제는 엘로라가 그 사실을 받아들이지 못한다는 것이었다.

나약한 자신을 용납할 수 없었다.

스스로 납득이 가지 않아서 찬물로 입을 헹군 엘로라는 오기로 다시 스푼을 들었다. 먹을 수 있다. 그렇게 몇 번이나 머릿속으로 되뇌면서.

히나는 엘로라가 음식을 게워 내는 것을 보고 그릇을 치우려고 했다. 그런데 엘로라가 덜덜 떨리는 손으로 수프를 먹으려고 다시 시도하고 있으니 경악할 수밖에 없었다.

다 식어 가는 수프를 겨우 한 입 먹은 엘로라가 그것이 목을 넘어가기 전에 구역질을 했다. 타액과 함께 수프가 입술 사이로 흘러내렸다.

먹을 수 없었다.

먹으려 할 때마다 짐승처럼 몸을 바싹 엎드린 자신과 신발에 짓밟힌 빵 덩어리가 떠올랐다.

차려진 음식을 멍하니 내려다보던 엘로라는 손등으로 대충 입가를 훔치고는 다시 스푼을 들었다.

안 된다면 계속 반복하면 되는 일이었다.

될 때까지 계속.

당황하여 꿈쩍도 하지 못하고 엘로라를 바라보기만 하던 히나가 뒤늦게 정신을 차리고 울먹이면서 그런 엘로라를 말렸다.

다른 이였더라면 뿌리치고 계속 시도했겠지만 히나의 얼굴을 보니 차마 강행할 수 없어서 어쩔 수 없이 물 한 잔을 마신 엘로라가 식사를 마치고 다시 침대에 누웠다.

빨리 회복하려면 안정이 중요하다는데 느리게 흘러가는 시간을 지워 내기 위해 잠을 자고 싶어도 잠이 오지 않았다. 정신이 멀쩡하여 뒤척이기만 했다.

거북이걸음처럼 더디게만 지나가는 시간이었다.

체감상 시간이 제법 지났을 때 천장을 올려다보던 엘로

라는 손님이 왔다는 소식을 들을 수 있었다. 사람의 발걸음이 뜸한 아모몬 궁에서 손님이라고 해 봐야 아르미트 사람일 게 뻔했다. 에곤이 막겠다고 하더니 결국 막지 못한 모양이었다.

지루함을 가시게 할 소식이긴 했지만 가족에게 이 얼굴을 또 보여 주게 된다는 생각에 살짝 우울해하고 있는데 히나의 입에서 예상과 다른 이름이 나왔다.

라하트와 크리센즈인.

그들이 이곳을 방문했다고 했다. 그것도 비공식적인 방문이 아닌 공식적인 방문이었다.

"돌려보낼게요."

엘로라의 의사를 묻는 것이 아니었다. 그들을 돌려보내리라고 통보하고 있었다. 엘로라의 몸 상태를 고려한 판단이었다.

에곤은 막무가내로 들어온 데다 때마침 엘로라가 깨어나서 어쩔 수 없었다면 이번에는 달랐다. 공식적으로 예를 갖추며 방문한 그들을 쫓아낼 구실이야 수없이 많았다.

단호한 히나를 보던 엘로라는 침대에서 일어났다. 히나의 마음은 알지만 그들을 이대로 돌려보내고 싶지 않았다.

"응접실로 안내해."

"아가씨."

"괜찮아, 히나. 걱정할 것 없어."

엘로라는 건강을 염려하는 히나를 다독여 주고는 누워

있느라 헝클어진 머리칼을 정리했다. 그렇게 간단하게 준비를 마친 엘로라는 다시 히나의 부축을 받아서 응접실로 갔다.

그곳에는 라하트와 모리카가 기다리고 있었다.

엘로라가 응접실에 모습을 드러내자 자리에서 일어난 모리카가 격식 있는 인사를 하더니 정중한 음성으로 말했다. 이제껏 한 번도 들어보지 못한 모리카의 공적인 모습이었다.

"안녕하십니까, 전하. 코르도 상단에서 온 모리카라고 합니다. 소문대로 아름다우시군요. 그런 전하를 위해 여러 상품을 준비해 왔습니다. 최대한 다양하게 가져왔는데 전하의 얼굴을 직접 뵈니 너무 아름다우셔서 제가 가져온 상품이 빛을 잃은 것 같군요. 라하트 전하께서 선물을 드리고 싶다 하여 제가 직접 온 것인데 전하의 존재 자체가 선물인 듯합니다."

마치 초면인 듯, 사업가의 면모를 보여 주며 번지르르한 칭찬을 쏟아 내는 모리카를 얼떨떨한 표정으로 바라만 보았다. 처음 듣는 칭찬에 낯간지럽기도 하여 입술을 굳게 다물고 있는데 돌연 모리카가 빙그레 웃었다.

"이건 대외적인 명목이고, 사실은 엘로라가 보고 싶어서 전하를 재촉했어요. 제가 늦은 건 아닌가 싶어서 계속 걱정하고 있었거든요. 몸 상태가 좋지 않았다는 말은 들었지만 오늘이 아니면 앞으로 만나기 힘들 거라는 생각에 참을 수가 없어서……. 제 욕심 탓에 엘로라를 무리하게 움직이게 만들어서 미안해요."

"아니에요, 저도 만나고 싶었어요."

모리카를 이곳에 부르기에는 주위 시선이 많았고 바깥에서 만나기에는 엘로라가 변장을 할 수 없었다. 그래서 천천히 연락하려고 했던 것인데 오늘 이렇게 만나게 될 줄이야. 서로를 마주 보고 있으니 슬쩍 다가온 라하트가 끼어들었다.

"두 사람이서만 해야 할 얘기가 있을 테니 난 잠시 자리를 비우도록 할게. 내 신부님께서는 나와도 단둘이서 나눠야 할 이야기가 있잖아? 순서를 기다려야지."

그 누구도 무게감이라고는 느껴지지 않는 말투로 중간에 끼어든 라하트를 타박하지 않았다. 평소라면 그의 가벼운 언행에 대해 한마디쯤 했을 모리카 또한 마찬가지였다.

라하트와 나눠야 할 이야기라고 한다면 검은 투구와 관련돼 있음을 눈치챈 엘로라가 힐끔 모리카를 보았다. 모리카와는 미리 얘기를 나누고 온 것인지 라하트가 저렇게 말하리라는 걸 알고 있었다는 반응이었다.

"이곳 정원이 아름다웠지. 기다리는 동안 산책하고 있을게."

"히나, 전하를 정원까지 안내해 줘."

라하트의 방향 감각을 고려하여 히나에게 말하니 라하트가 고개를 저었다.

"아냐, 그럴 필요 없어."

"길 잃어버리실 거잖아요."

"그럴 리 없어."

단호한 대답이었다. 언제나 마음 가는 대로 움직였던 라하트이건만 지금 이 순간은 확신을 가지고 있었다.

"이곳은 헤매지 않아."

라하트의 얼굴을 보고 있자니 그 확신이 어디에서 나온 건지 알 것 같았다. 과거의 라하트에 대해서 본인 입으로 들었던 이야기가 있었다. 고개를 끄덕인 엘로라는 라하트를 홀로 보내 주었다.

히나 또한 바깥에서 대기를 하고 있고, 응접실에는 오로지 엘로라와 모리카만이 남았다. 짧게 어색한 침묵을 나눈 그들은 서로의 상처를 보았다.

엘로라는 남자들의 심기를 건드리는 언행을 많이 했기 때문에 그만큼 폭력의 대상이 되었다. 특히 마지막에 가서는 정체가 밝혀지는 바람에 남자들이 이성의 끈을 놓은 것처럼 굴어서 가장 많이 맞았다.

그에 반해 모리카는 남자들에게 당하지 않았으나 탈출하던 중 우여곡절이 많았는지 곳곳에 작은 생채기가 새겨져 있었다.

서로 상처의 수준은 달랐으나 마음이 곪아 들어가는 것은 같았다.

"엘로라는 마지막으로 봤을 때보다 더 수척해진 것 같아요."

"고작 하루하고 시간이 조금 더 지났을 뿐이에요. 그 사이에 살이 눈에 띄게 빠지지는 않죠."

그 신부를 믿지 마세요

IV

D&C BOOKS

모리카의 앞이라서 그런지 또 아무렇지 않은 척을 하게 되었다. 감정을 느끼지 않는 것처럼, 상처받지 않은 것처럼. 덤덤한 엘로라의 반응에 모리카는 쓰게 웃었다.

"그래서 더 놀라워요. 오늘이 오기까지 그리 긴 시간이 지나지 않았다는 사실이."

"……."

"오늘은 잠들고 싶지 않았지만 몸이 이기지 못한 건지 잠깐 잠을 잤어요. 그리고 악몽을 꾸었는데 낯선 곳에서 저는 달리고 있었어요. 엘로라가 준 검을 품에 소중히 안은 채로."

"……."

"꿈인데도 발은 아프고 몸은 부서질 듯이 아프더라고요. 하지만 걸음을 멈출 수가 없었어요. 제가 멈추게 된다면 몸은 잠깐 편할지언정 엘로라를 다시 보지 못할 테니까요. 그렇게 끊임없이 달리다가 문득 일어나게 되었는데 그제야 제가 잠들고 싶지 않았던 이유를 알 것 같았어요."

"……."

"엘로라도 그랬나요?"

모리카의 물음이 엘로라의 마음 깊숙이 파고들었다.

모리카의 말대로였다. 엘로라 또한 제대로 잠들지 못했다. 잠을 자긴 했으나 창고에 갇혀 있었을 때처럼 얕은 수면이었다. 경계해야 할 대상도 없건만 엘로라는 여전히 두려워하고 있었다. 하지만 그것을 모리카처럼 굳이 겉으로 드러내지 않았다.

"……너무 무거운 짐을 짊어지게 한 것 같아서 마음이 편치 않네요."

"저 혼자 짊어진 것이 아니었잖아요. 더는 강한 척하지 않아도 돼요."

"이런, 들켰네요."

창고에서와 다른 점이 있다면 그곳에서는 극도의 공포감이 앞을 가렸지만 지금은 아니었다. 여유가 생긴 모리카는 엘로라가 억지로 강인함을 짜내고 있음을 볼 수 있었다.

상황이 바뀌었으니 더는 속일 수 없다고 판단한 엘로라는 순순히 사실을 인정했다. 거짓말을 한다고 하여 모리카가 속아 줄 사람은 아니었다.

"멈출 뻔했어요. 몇 번이나."

그렇게 말하며 모리카가 단도를 꺼냈다. 엘로라가 모리카에게 건네주었던 단도였다.

"그런 저를 지탱해 준 건 이 검이에요. 만약 저 혼자였다면 절대 살아서 돌아오지 못했을 거예요. 그들에게 원하는 걸 술술 불었다 하더라도 곱게 보내 줄 인물은 아니었으니까요."

"그렇죠."

엘로라가 느꼈던 것을 모리카 또한 느끼고 있었다.

악인이 하는 말은 믿을 수 없었다. 원하는 것을 들어주게 되면 자연스레 이용 가치가 떨어지니 어떤 꼴을 당하더라도 이상할 것 없었다. 약속이라는 것은 지켜지는 경우보다 어겨지는 경우가 더 많았으니.

결국 서로가 있었기에 무사히 이 자리에 앉아 있을 수 있었던 것이었다.

"내일 크리센즈로 돌아갈 거예요."

"내일이요? 왜 그렇게 급하게 떠나세요?"

"그놈들을 제대로 죽여 놓으려고요."

"예?"

"아, 아. 제가 설명이 부족했네요. 볼흐라스는 아무래도 제도적인 측면에서 허술한 부분이 많아서 도움을 구하기 위해 일찍 돌아가기로 했어요."

"그렇다고 해도 너무 다급하게 느껴지네요. 하루라도 쉬어야 하는 것 아닌가요? 이번 일의 피해자는 저뿐만이 아니라는 사실을 알고 있잖아요."

너무 무리한 일정을 강행하는 것은 아닌가 싶어서 걱정되는 마음으로 엘로라가 말했다.

모리카 또한 이 일의 피해자였다. 마음을 추스르기에도 바쁠 텐데 조국으로 돌아가서 그 남자들이 제대로 된 법적 처벌을 받도록 노력한다니. 그 과정이 절대 쉽지는 않을 것이었다.

게다가 그녀는 볼흐라스에 놀러 온 것이 아니었다. 사업차 오게 된 것이니 사정이 제법 복잡하게 얽혀 있을 것이란 걸 짐작할 수 있었다. 하지만 이런 엘로라의 걱정과는 다르게 모리카는 딱 잘라 대답했다.

"그런 놈들이 버젓이 바깥을 돌아다닌다고 생각하니 가만히 있을 수가 없어요. 소설뿐만 아니라 현실에도 권선징악은 필요하잖아요."

소설뿐만 아니라 현실에도 권선징악은 필요하다.

그 말에 공감했다. 모두가 선을 응원하지만 현실에서는 악이 우세하는 경우가 많았으니.

"물론 그 과정에서 엘로라의 존재는 드러내지 않을 거예요. 애초에 엘로라는 관계없는 일에 휩쓸리게 된 것이고 그들 또한 엘로라가 엘로라인 줄 모르니까요."

"섬세하게 배려해 주셔서 고마워요. 겉으로는 드러나지 않겠지만 저 또한 피해자이니 도울 일이 있으면 편히 말씀해 주세요. 힘닿는 데까지 도울게요."

엘로라의 말에 모리카가 빙긋 웃었다.

"마음만 고맙게 받을게요. 인정하기는 싫지만 그 사람이 꼴에 이 나라의 황자라고 권력이 있어서 전폭적으로 지원해 준 덕에 큰 고난이라고는 없이 진행될 것 같거든요. 솔직히 말해서 이렇게까지 도와주리라고는 상상하지 못했는데 아무래도 엘로라가 연관돼 있어서 화가 많이 난 모양이에요."

"제가 연관돼 있지 않았어도 선뜻 도와줬을 거예요."

"이렇게까지 적극적이지는 않았겠죠. 불의는 참지 못하지만 결국 그 사람과 저는 남이니까요. 저번에 말했잖아요. 협력 관계일 뿐이라고."

허울 없이 대하기에 라하트와 모리카가 친하다고 생각했는데 모리카는 여전히 그들의 관계에 대해 스스럼없이 딱 잘라서 말했다.

서로의 이용 가치가 떨어지게 된다면 언제든지 남이 될 수 있는 사이. 모리카와 라하트의 관계는 그 정도인 것이었다.

"만약 제게 뒷배가 없었더라면 다른 범죄처럼 아무렇지 않게 넘어갔을지도 몰라요. 그래서 솔직히 좀 분해요. 남자의 손을 빌려야 일이 해결된다는 것이."

모리카가 주먹을 꽉 쥐었다. 많이 분해 보이는 그녀의 기분을 엘로라는 이해할 수 있었다. 남의 손을 빌려야 해결할 수 있는 데에 대한 무력함. 엘로라도 종종 겪는 느낌이었다.

"오늘도 굳이 공식적인 방문이 아니어도 되는데 얘기를 퍼뜨린 건 이 때문이에요. 엘로라를 통해 저희 상단과 라하트 전하가 인연이 있다고 밑밥을 깔아두는 거죠. 만약 이용당한 것 같은 기분이 든다면 뒤늦게라도 사과할게요."

"사과할 필요 없어요. 나쁜 의도가 아닌 데다 제게 불이익이 가는 일도 아니잖아요. 결과적으로 보면 저 또한 기뻐할 일이기도 하고. 오히려 적극적으로 도와주지 못해서 미안한 마음이 드는걸요. 혹시라도, 정말 혹시라도 필요한 일이 있다면 부담 없이 말씀해 주세요."

"그렇게 할게요. 엘로라."

엘로라는 모리카와 함께 싸우고 싶은 마음이 굴뚝 같지만 정체가 드러나서는 안 된다는 특수한 입장 탓에 아무것도 하지 못하고 그저 바라볼 수밖에 없어서 미안할 뿐이었다.

이런 엘로라의 간절한 마음을 느낀 모리카가 고개를 끄덕였다. 모리카로서는 그때 당시 엘로라가 냉정함을 유지한 채 탈출 방법을 모색한 것만으로도 충분히 대단하다는 평가를 내리고 있지만 그렇다고 하여 엘로라가 마음 놓을 수 있는 건 아니었다.

끝날 때까지 끝난 것이 아니었다.

가해자가 처벌을 받을 때까지, 아니 그 후에도.

피해자의 입장이 된 그들은 끝없이 싸울 것이었다.

"내일 크리센즈로 돌아가는 탓에 오늘 볼흐라스에서 해야 할 일이 많아서 이만 가 봐야 할 것 같아요. 아마 이래저래 바빠서 앞으로 보기 힘들 거예요."

"보고 싶을 거예요."

짧은 시간이었지만 함께 많은 감정을 공유한 만큼 모리카가 그리워질 것이었다. 어느 순간부터 모리카는 그냥 크리센즈인이 아닌 엘로라에게 소중한 사람이 돼 있었다.

"제가 찾아가지는 못해도 만약 그 남자가 힘들게 굴거나 제가 보고 싶으면 언제든 크리센즈로 오세요. 엘로라라면 환영이에요."

"크리센즈에 가게 된다면 차가운 바닥에서 노숙할 일은

없겠네요."

"돌아가면 거위 털을 잔뜩 넣은 이불을 준비해 둘게요."

"좋아요."

그 후 잠깐 침묵을 가진 모리카가 슬쩍 엘로라의 눈치를 보며 운을 띄웠다.

"그리고 검은 투구를 만나고 싶다고 했잖아요."

"그랬죠."

모리카가 변장을 하고 싶다고 했을 때 요청을 들어준 이유 중 하나였다. 그때는 검은 투구의 정체를 종잡을 수 없었고, 그와 만날 수 있는 유일한 방법은 모리카뿐이었다. 황태자에게 부탁할 수 없는 노릇이니까.

하지만 이제는 알았다. 그가 누구이고, 어째서 머뭇거렸는지. 그리고 손수건을 가져간 이유 또한. 이해되지 않았던 행동 하나하나가 그의 정체가 밝혀짐과 동시에 명확해졌다.

엘로라가 검은 투구의 정체를 알아냈다는 걸 익히 알고 있는 것인지 먼저 말을 꺼낸 모리카는 허탈한 표정을 지어 보였다.

"얘기 들었어요. 원래라면 무덤까지 안고 가야 했을 비밀인데 그 멍청이……, 아니. 그 사람이 실수를 했더라고요."

"덕분에 몰라서 답답했던 일이 해결되었죠."

"이렇게 될 거면 애초에 비밀 엄수라는 조건을 붙이지 않았어도 됐는데. 조건을 붙인 사람이 정체를 알아챌 만한 단서를 내어 주다니. 사람이 사랑을 하면 저렇게까지 멍청해질 수 있구나, 하고 생각했어요."

마른세수를 한 모리카가 끝까지 라하트를 힐난했다. 손수건을 건네준 탓에 정체가 밝혀졌다는 것 또한 라하트에게 들은 모양이었다. 그 손수건 한 장이 진실을 드러내는 중요한 역할이 되었으리라고 누가 상상이라도 했을까.

손수건. 참으로 사소하고 결정적인 실수였다.

"사랑이라."

엘로라의 입꼬리가 억지로 살짝 올라갔다가 곧바로 내려갔다.

"사랑이겠죠."

라하트의 사랑은 더는 의심할 수 없었다. 이제 의심되는 것은 엘로라, 본인의 마음뿐이었다.

작게 중얼거린 엘로라가 모리카와 함께 자리에서 일어나려고 했다. 계속 앉아 있을 줄 알았던 엘로라가 일어나자 모리카는 두 눈을 크게 떴다.

"아프잖아요. 배웅은 하지 않아도 돼요."

"오랫동안 만나지 못할 텐데 앉아만 있을 수는 없죠. 그리고 그를 직접 찾아가려고요."

"사람을 시키면 되는 일 아닌가요?"

"기다리기만 할 수는 없어서요."

테이블에 손을 짚었다. 손목을 타고 찌릿찌릿한 감각이 올라왔지만 애써 무시한 엘로라가 최대한 농담처럼 가벼운 어조를 짜냈다.

"걷는 것쯤은 할 수 있어요. 마치 술 취한 라하트 전하처럼 넘어질 뻔한 적이 많긴 하지만 벽을 짚으면 해결될 일이죠."

그렇게 말하며 한 걸음 앞으로 나아간 엘로라는 순간 고통을 이기지 못하고 균형을 잃었다. 앞으로 기울어지는 엘로라를 모리카가 다급하게 잡아 주었다. 만약 모리카가 없었더라면 엎어지고 말았을 것이었다.

"미안해요, 이러려던 것이 아닌데……."

"사과하지 않아도 돼요."

곧바로 넘어질 줄은 몰라서 당황한 엘로라가 허둥지둥하고 있으니 모리카가 엘로라를 단단히 받쳐 주며 단호하게 말했다.

그런 그녀의 목소리에는 이제까지 느낄 수 있었던 다정함은 찾아볼 수 없었다. 대신 미약한 분노가 남아 있었다. 그 분노의 대상은 엘로라가 아니었다.

"있잖아요, 엘로라."

"네."

"착하게 살지 말아요."

착하게 살지 말라니. 당황한 엘로라가 모리카를 올려다보니 그녀는 웃음기 하나 없는 진지한 얼굴을 하고 있었다.

"내가 이래도 되는 걸까? 하는 생각이 들더라도 이기적으로 살도록 해요. 당신들은 태어날 때부터 세뇌당하면서 살아요. 자신의 이익을 주장하지 못하도록. 볼흐라스 여성과 크리센즈 여성이 다른 점이 뭔 줄 알아요? 볼흐라스 여성은 자신의 행동에 대해 일일이 고민하지만 크리센즈는 그렇지 않다는 거예요."

모리카의 녹색 눈동자가 짙게 가라앉았다. 그 눈동자에는 분노와 함께 슬픔 또한 담겨져 있었다.

"저는 당신이 착해서 좋아요. 하지만 한편으로 더는 착하게 살지 않았으면 좋겠어요."

모리카의 부축을 받은 채로 한 걸음, 한 걸음 천천히 앞으로 나아갔다. 그때마다 모리카의 목소리가 깊숙이 스며들었다. 엘로라는 그녀가 하고자 하는 말을 알 것 같으면서도 정확히 이해하지 못했다.

"당장은 제가 무슨 말을 하고 있는 건지 이해되지 않아서 의아하게 느껴질 거예요. 하지만 언젠가 제가 한 말이 떠오를 때가 있을 거예요. 그때는 이해할 수 있겠죠."

"계기가 있어야 사람은 변화하는 법인데 이해되지 않는 지금으로써는 두렵네요.

"겁먹을 필요 없어요. 원하든 원치 않든 문은 열리게 돼 있으니."

그렇게 말하며 모리카가 문을 열었다. 바깥에서 대기하고 있던 히나는 모리카뿐만 아니라 엘로라까지 모습을 드러내자 놀란 기색을 보였다.

"어머, 아가씨?"

"손님이 돌아가신다고 하네. 히나가 길을 안내해 줘."

"네, 알겠어요. 아가씨께서는 응접실에 앉아 계세요. 손님을 안내하고 나서 차가 식었을 테니 새로 내어 올게요. 라하트 전하를 모셔오는 건 물론 그 후가 될 거예요."

이번에 라하트의 도움을 받았음에도 불구하고 여전히 라하트가 싫은지 히나는 그에 대한 적대감을 지우지 못했다.

"그럴 필요 없어. 내가 직접 찾아갈 거니까."

"예? 아가씨께서요?"

"실내에 있는 걸 끔찍하게 싫어하는 사람이잖아. 찾아오길 기다리는 것보다 직접 찾아가는 게 낫겠지."

모리카의 품에서 벗어난 엘로라가 손바닥으로 벽을 짚으며 정원이 있는 방향으로 걸어갔다. 그 뒷모습을 멍하니 보다가 뒤늦게 "아, 아가씨!" 하며 뒤쫓으려 했으나 모리카가 그런 히나를 막았다.

"우리 구면이죠? 궁을 나가는 길을 알 수 있을까요?"

"아, 예. 그런데 지금은……."

"저 고집을 누가 이겨요. 엘로라와 몇 번 만나지 않은 나도 알고 있는데 그쪽은 더 잘 알고 있겠죠?"

이 상황이 몹시 즐거운 듯, 모리카가 눈웃음을 지었다.

"그러니 부탁할게요."

정중한 모리카의 부탁에 조금씩 멀어지는 엘로라의 뒷모습을 힐끔힐끔 쳐다보던 히나가 어쩔 수 없이 항복했다.

모리카의 말대로였다. 한 번 결심한 엘로라를 막을 자는 없었다.

히나와 모리카가 어떤 대화를 나누었는지 모른 채 그들을 뒤로 한 엘로라는 포기하지 않고 꾸준히 걸은 끝에 정원에 도착할 수 있었다. 정원은 넓었고, 라하트는 보이지 않았지만 길을 헤매지 않았다.

라하트가 어디에 있는지 이미 알고 있었다.

그가 말하지 않았더라도.

절뚝대는 걸음으로 익숙한 길을 걸어갔다. 몇 번은 넘어질 뻔했지만 겨우 중심을 잡고 다시 앞으로 나아갈 수 있었다.

한 번도 헤매거나 머뭇거리지 않은 엘로라는 우뚝 솟은 거대한 나무 앞에 앉아 있는 남자의 뒷모습을 볼 수 있었다.

햇살 아래에서 반짝이는 금색 머리칼이 아름다웠다. 올곧게 허리를 펴고 앉아 있는 그의 옆으로 살금살금 다가간 엘로라는 그대로 주저앉았다.

그러자 고개를 돌리거나 나무에서 시선을 떼어서 누군지 확인도 하지 않았건만 옆에 앉은 사람이 당연히 엘로라라고 생각한 것인지 라하트가 자연스럽게 말을 걸었다.

"몸은 괜찮아?"

"보다시피 나쁘지 않아요."

"나빠 보이는데."

하염없이 나무를 바라보던 라하트가 고개를 돌렸다. 그의 시선은 뺨에서부터 시작하여 목덜미에 닿았다. 어떤 흔적 없이 새하얗던 엘로라의 목덜미에는 거즈가 붙여져 있었다.

"그건 전하께서도 마찬가지잖아요."

붕대가 칭칭 감긴 라하트의 왼손을 보며 엘로라가 대답했다. 둘 다 상처를 달고 있어서 누구의 몸 상태가 좋고 나쁘고를 말할 처지가 되지 않았다.

"이 정도는 금방 나아."

손등에 칼이 박혀서 피가 쏟아지는 것을 직접 목격했는데도 라하트는 뛰어다니다가 넘어진 것처럼 굴었다. 가볍기 그지없는 대답에 엘로라는 라하트의 옆구리를 보았다. 금방 낫지 않은 그의 상처가 있는 곳이었다.

"거짓말하지 마세요. 다른 데는 금방 안 나았잖아요."

"아르미트가 생각보다 너무 강해서 잘 낫질 않네. 괜히 대륙 최고의 검이 아닌가 봐."

능청스러운 라하트를 보고 있자니 돌연 바람이 불어 머리칼을 어루만지고 지나갔다.

흩날리는 머리칼을 정리할 생각도 하지 못한 채 눈웃음 짓는 보랏빛 눈동자를 뚫어져라 쳐다보고 있으니 라하트가 손을 뻗었다가 이내 아무 짓도 하지 않고 내렸다.

헝클어진 머리칼을 만져 주려다가 정신을 차리고 그만두었다는 것쯤은 금방 알 수 있었다.

첫 만남은 경박하다 싶을 정도로 언행이 가볍고 숨 쉬듯이 연인처럼 다정하게 굴었지만 지금은 달랐다.

라하트는 조심스럽고, 신중했다.

그리고 무례하지 않았다.

"도대체 어디까지 아세요?"

엘로라는 확신했다. 깃털처럼 가벼워 보이는 이 남자가 모든 것을 알고 있음을.

무투 대회에서 검은 투구와 그윈으로 만났을 때조차 이 남자는 그윈이 엘로라임을 알고 있었을 것이었다. 그렇지 않고서는 그간 겪었던 일의 앞뒤가 맞지 않았다.

"어디까지 아느냐고 묻는다면 내 앞에 있는 사람이 나의 신부님이라는 것을 알고 있지."

농담 같은 라하트의 대답에도 엘로라는 흔들리지 않았다. 라하트의 페이스에 말려들어 주제를 잃어버리지 않도록 마치 그 대답은 듣지 못한 것처럼 굴었다.

"봐주신 거예요?"

"……."

"잡아뗄 생각하지 마요. 머뭇거렸잖아요."

엘로라는 팔을 걷어서 무투 대회 중에 입었던 흉터를 보여줬다. 팔뚝에는 검이 스쳐 지나간 흔적이 길게 나 있었다.

잊고 싶어도 잊을 수 없는, 지우고 싶어도 지울 수 없는 흉터였다.

"결승전에서 만나지 않았다는 이유로 잊으신 건 아니죠?"

올곧은 푸른 눈동자와 팔뚝에 난 흉터를 번갈아 보던 라하트가 고개를 저었다. 회피한다고 하여 마음대로 되지 않으리라는 것을 깨달은 듯했다.

"안 그래도 상처투성이인데 나 때문에 흉터가 남았네."

쓰게 웃은 라하트가 엘로라에게 정중히 물었다.

"그 상처, 만져 봐도 돼?"

보랏빛 눈동자를 가만히 바라보던 엘로라가 고개를 끄덕였다. 엘로라의 허락이 떨어지자 다친 왼손으로 팔목을 잡은 라하트가 조심스레 손가락으로 상처 부위를 쓸어내렸다.

살갗과 살갗이 닿는 감각에 흠칫한 엘로라는 아무렇지 않은 척하며 눈을 내리깔았다. 라하트의 검지가 지그시 상처 부위를 누르면서 느릿하게 움직였다.

상처는 아문지 오래였기에 만진다고 하여 아프지 않았다. 대신 간지러웠다. 굉장히 낯선 기분이었다.

타인의 손길이 닿자마자 잔뜩 예민해진 팔 전체에 솜털이 쭈뼛 선 것 같았다. 그렇다고 라하트의 손길을 뿌리치기에는 애초에 만져도 괜찮다고 허락한 것은 엘로라, 자신이었다.

라하트는 전혀 이상하지 않았다. 그저 상처를 손가락으로 어루만지기만 하는 것뿐이었다. 엘로라는 혼자서만 이상해진 것 같았다.

만져도 괜찮다고 허락한 지 몇 초 지나지도 않았기 때문에 어쩔 줄 모르고 있는데 갑자기 고개를 숙인 라하트가 상처에 가볍게 입을 맞췄다.

손가락과는 차원이 다른 열기를 가진, 물컹한 그것이 피부에 닿자 엘로라는 잔뜩 경직했다. 온몸이 굳어서 라하트를 뿌리치지도 못하고 가만히 있는데 알아서 엘로라의 손목을 놓아준 그가 빙긋이 웃었다.

"이제 흉터는 사라질 거야."

"……어째서요?"

"동화를 보면 저주는 왕자님의 키스로 풀리잖아. 그런 원리지."

"인생은 동화가 아니죠. 그리고 제 흉터에 저주 같은 건 없어요."

어이가 없는 라하트의 말에 정신을 차린 엘로라가 평소대로 냉정하게 평했다. 가차 없는 엘로라의 대답에도 라하트는 기죽은 기색이 없었다.

"하지만 요정은 있었잖아."

"……."

"내 소원이 어떤 식으로 이루어질지는 모를 일이지."

만약 라하트가 음흉한 사심을 숨기고 있었더라면 이런 식으로 은근슬쩍 접촉하는 저열한 작자라고 비난했을 것이었다. 그러나 말갛게 웃는 라하트의 얼굴에는 사심이라고는 보이지 않았다.

억지로 입술에 키스한 것도 아니고, 정말 가볍게 팔뚝에 입술이 닿았다가 떨어진 것뿐이라 엘로라는 라하트에게 화내기를 포기했다.

잠깐 닿았을 뿐인데 흉터에 라하트의 온기가 오랫동안

남는 듯해 가만히 팔뚝을 내려다보았다. 감촉은 여전히 남아 있지만 열기가 식어 가자 대화 주제가 묘하게 빗나가 있음을 깨달았다. 작게 한숨을 내쉰 엘로라는 속마음을 털어놓았다.

"저는 전하께서 어디까지 알고 계획한 건지 모르겠어요. 이상하다고 느끼면서 넘어간 일의 중심에는 항상 전하가 계시는 것 같아요."

"예를 들면?"

"건국 이후 한 번도 주목받은 적 없는 클라우디아 왕녀에 대한 얘기가 갑자기 퍼지게 된 것이나 뜬금없이 왕녀의 팔찌가 무투 대회 상품으로 걸린 것. 그리고 전례 없는 일이어서 다들 당황했을 텐데 마치 기다렸다는 듯이 팔찌의 카피 제품이 팔리기 시작한 것도 있네요. 그런데 카피 제품을 가장 먼저 팔기 시작한 곳이 모리카가 몸담고 있는 상단이라는 점과 전하와 모리카의 관계를 고려한다면 음모설도 음모설로 치부될 일은 아니죠."

한 번 입을 열게 되니 마치 눈앞에 대본이 있는 것처럼 말이 술술 나왔다. 그만큼 쌓아 두었던 의심이 잔뜩 있었다.

무투 대회 상품이 클라우디아의 팔찌라는 사실이 발표되자마자 때맞추어 대량의 카피 제품을 공수해 온 것 하며 더 잘 팔리라고 부추기듯이 왕녀에 대한 이야기를 각색하여 퍼뜨린 것까지. 게다가 모리카가 카피 제품으로 떼돈을 벌었다는 것은 그녀의 입을 통해서 확실히 들었다.

상황도 좋지 않았을뿐더러 이 일을 계획했다고 의심 중인 라하트에게 자세한 얘기를 듣는 것이 더 좋을 듯해 굳이 모리카에게는 집요하게 물어보지 않았지만, 엘로라는 지나가듯이 한 말까지 모두 기억하고 있었다.

"어디까지 알고 있냐는 물음은 오히려 내가 해야 할 것 같네."

"제 추측을 부정하지 않으시네요."

"네게 거짓말하고 싶지 않으니까."

라하트는 엘로라에게 거짓은 말하지 않는다.

대신 곤란한 질문은 교묘하게 넘어가고는 했다.

"왜 그러셨어요?"

"……."

"왜 하필 클라우디아 왕녀였어요?"

라하트에게만 유일하게 보인 나약함이었다.

라하트는 정확히 그 빈틈을 파고들었다.

"너의 슬픔을 봤지만 그걸 달래 줄 사람은 내가 될 수 없었지. 내가 직접 나선다고 하면 너는 멀리 달아날 테니까. 하지만 그렇다고 해서 방관할 수만은 없었어."

"그래서 이런 일을 계획했나요?"

"처음 시작은 그러했지. 사실 이렇게까지 일을 크게 만들 생각은 없었는데 상황이 잘 안 따라 주더라고. 창고에 있는 팔찌를 찾았지만 역사적 가치가 있는 물건인 탓에 아무리 나라도 몰래 슬쩍 하기 힘들어서 팔찌를 바깥에 들고 나갈 명목이 필요했지. 그래서 도움을 좀 받았어."

"아히발트 전하에게요?"

"와, 천재네."

"검은 투구의 후원자라고 직접 말씀하셨거든요."

"정확한 명칭은 검은 투구가 아니라 어둠의 지존님이시지."

"'님'은 빼는 게 좋을 것 같네요. 가능하다면 '어둠의 지존'이라는 것도요."

"그러면 남는 게 없잖아."

저 낯간지러운 명칭은 어째서 고집하는지 모를 일이었다. '어둠의 지존'이라는 정확한 명칭을 듣자마자 일순 소름이 돋은 엘로라가 냉정하게 반응했다.

다른 건 몰라도 저 명칭만은 절대 적응되지 않을 것이었다. 라하트의 취향이라도 존중해 주지 못했다. 어둠의 지존과 빛의 미소년의 대결이라는 다시 생각하기도 싫은 얘기를 들은 터라 더욱 그랬다.

싸늘한 엘로라의 반응에 라하트가 낮게 소리 내어 웃고는 이어 말했다.

"어쨌든 형이 도와준 덕에 별별 같잖은 이유를 들어가며 무투 대회 상품으로 내걸 수도 있었고, 신분을 속여서 몰래 무투 대회에 참여할 수 있었어. 원래 내 계획대로였더라면 멋지게 우승을 차지해서 네게 팔찌를 선물했을 텐데 내 마음대로 되지 않더라고. 그윈이었지. 그때 네 이름은."

"전하께서 계획한 일이라는 걸 알았다면 참여하지 않았

을 거예요."

"만약 그랬다면 섭섭했을 정도로 강하던데."

"놀리지 마세요."

"정말이야."

여전히 웃는 얼굴이었지만 농담처럼 가볍지 않았다.

칭찬하는 이가 라하트였기에 놀리는 건 아닐까, 하는 의심이 먼저 들었지만 그건 아닌 듯했다. 본인의 실력을 객관적으로 알고 있는 엘로라는 라하트의 진심 어린 칭찬을 받아들였다.

분명 눈앞에 있는 사람의 얼굴은 라하트인데 사실 자신을 꺾은 자라는 걸 알고 나니 칭찬을 기꺼이 받아들일 수 있었다.

어느 정도 경지에 이른 강자는 자존심이 강하기 때문에 남을 칭찬하기가 어려운데 순순히 실력을 인정해 주니 뿌듯함까지 느껴지던 차였다.

"만약 내가 아니었더라면 월계관을 쓴 건 너였겠지."

"……."

"그래서 조금은 후회했어. 그날, 일부러 져 줘야 했던 건 아니었는지."

"웃기지 말아요."

패배를 인정한 사람 앞에서 할 말은 아니었다. 조금 전의 뿌듯한 기분은 어디로 가고 치욕스러움만이 남아 있었다.

라하트가 일부러 졌더라면 엘로라는 다시 싸웠을 것이었

다. 라하트가 진짜 실력을 보일 때까지. 엘로라가 라하트와의 경기에서 만족했던 이유는 자신의 모든 것을 쏟아 낼 수 있었기 때문이었다.

그것 하나 때문에 졌어도 후회가 남지 않았다.

이기기 위해 지금까지 쌓아 온 모든 걸 보여 줬다. 그런데 이제 와서 일부러 졌어야 했다고? 웃기지도 않는 말이었다.

"그런 안일한 마음으로 손수건을 받아 간 거라면 돌려주세요. 그런 식으로 저를 모욕하는 건 용납할 수 없어요."

한순간에 변한 엘로라의 표정에 그제야 아차, 싶었는지 라하트가 자세부터 고쳐 앉았다. 뒤늦게 본인이 실수했음을 깨달은 모양이었다.

"네가 준 손수건에 걸맞은 사람이 되도록 내 마음을 고쳐 보도록 할게."

"믿음이 전혀 가지 않는데요."

"너와의 일에 있어서 나는 항상 진심이야."

능청스러운 라하트를 보고 있자니 끓어오르던 화도 식었다. 날숨 한 번 쉬면 날아갈 듯이 가벼운 상대에게 열을 내봤자 혼자 바보 되는 기분만 느낄 뿐이었다.

한숨을 내쉰 엘로라는 라하트와 했던 이야기를 되새겼다. 그러니 하나의 결론이 도출되었다.

"지금까지의 얘기를 종합하자면 결국 다 전하의 계획대로였고 저는 거기에 놀아난 거네요."

"아니, 너는 변수였어."

엘로라에게 있어 검은 투구가 승리의 변수가 되었듯, 라하트에게 있어서 그윈으로 변장한 엘로라는 변수가 되었다. 팔찌를 합법적으로 슬쩍하기 위해 개최한 무투 대회에서 가만히 팔찌를 받아야 할 신부가 참가하리라고 누가 상상이라도 했을까.

라하트는 엘로라가 팔찌를 갖고 싶다고 생각할 뿐 아무런 행동은 하지 않을 거라고 생각한 모양이었다. 그도 그럴 것이 어떤 영애가 목숨을 잃을 수도 있는 경기에 참여하겠는가.

하지만 엘로라는 큰 고민 없이 참가했고, 라하트가 주연인 무대에 올라가게 되었다. 엘로라가 아닌 그윈이라는 이름으로.

이로써 라하트가 그윈과 이름 없는 붉은 머리의 주근깨 소녀이 엘로라라는 사실을 일찍이 알고 있었음을 깨달을 수 있었다. 그윈이야 화장을 옅게 했으니 민낯을 아는 라하트가 눈치챘다고 하더라도 이상할 것 없지만 초면이었던 이름 없는 소녀은 달랐다.

이쯤 되면 로즈와 로이스의 정체 또한 엘로라라는 걸 알고 있지 않을까, 하는 생각이 슬그머니 들었지만 상상하기 싫었다.

괜히 진실을 들추고 싶지도 않고, 말을 꺼냈다가 로즈와 로이스는 눈치채지 못했는데 새삼 알게 될까 봐 굳이 추가로 묻지 않은 엘로라는 머리가 아파 와서 관자놀이를 눌렀다.

어떤 진실 앞에서도 엘로라가 결국 라하트가 짠 무대 위에 올라가서 움직이고 있었다는 건 변하지 않았다.

“도대체 어디까지 판을 짜 놓은 거예요?”

“판? 난 그런 거 짠 적 없는데. 팔찌를 얻기 위해 대회에 참여했고 상황이 내가 원하는 대로 흘러갔을 뿐이지.”

말은 참 잘했다.

방긋 웃는 라하트의 얼굴을 노려보다가 만약 검은 투구가 라하트만 아니었다면 혼자만의 의심으로 덮어 놓았을 생각을 입 밖으로 꺼냈다.

“결승전을 보고 있자니 이상했어요. 처음에는 일부러 져주는 것처럼 보였거든요. 마치 극적인 상황을 노리듯이.”

“아, 내 신부님은 너무 눈치가 빨라. 이러다가 내 밑천까지 털리겠어.”

“이것 말고 비밀이 더 남아 있어요?”

“그러게.”

정말 다른 게 남아 있기라도 한 건지 라하트가 애매 모호하게 대답하며 어깨를 으쓱거렸다. 다른 비밀은 엘로라가 직접 알아내서 물어보지 않는 이상 굳게 입을 닫고 있을 듯했다.

“혹시 결승전에서 만난 로렌츠 영식을 미리 포섭한 건가요?”

“그런 비열한 짓은 안 해.”

“그러면요?”

“그냥 싫었어.”

무엇이 싫었다는 것일까. 혹 로렌츠 영식과 사이가 좋지 않았던 걸까? 남들은 모르는 원수지간?

엘로라가 알기로 로렌츠가와 황실의 접점은 없었다. 하지만 라하트가 워낙 자유분방하게 돌아다닌 터라 황실과 접점이 없다고 라하트와 접점이 없다는 건 아니었다.

곰곰이 생각해 보면 무투 대회 중 엘로라를 불러 세운 로렌츠 영애도 라하트를 언급했었다. 그때 제정신이 아니어서 무슨 말을 했는지 기억나지 않았지만.

라하트가 침묵하는 짧은 순간 동안 다양한 추측을 하던 엘로라는 추측과는 전혀 다른 진실을 들을 수 있었다.

“네가 무수히 많은 사람들에게 조롱을 들어야 한다는 사실이.”

“아.”

“다 들으라는 듯이 널 조롱하고 비난하는 언어를 지워 버리고 싶었어.”

엘로라가 스스로 만들어 낸 상황이었다. 그렇기 때문에 아무렇지 않았고 무심히 넘어갔다. 그들이 무슨 말을 하든 결국 엘로라가 만들어 낸 이야기의 일부에 불과하니까. 그러나 이 남자는 그것을 참지 못하고 나섰다고 얘기하고 있었다.

“너는 내가 나라는 사실을 모르니까 투구를 쓴 채로 손수건을 청하게 된다면 억지로 빼앗아 가는 것 같아서 가만히 있으려고 했어. 그런데 막상 숨 쉬듯이 쏟아지는 너에 대한 조롱을 듣게 되니 가만히 있지 못하겠더라고. 사람이란 참 간사하지."

"……."

"네 손수건을 받고 결승전에서 이긴다면 다들 아무 말도 하지 못할 거라는 생각에 네게 손수건을 청했고 처음부터 너무 경기를 유리하게 가져가면 기억에 남지 않을 것 같아서 연기를 했지. 덕분에 승리의 여신이 날 향해 미소 짓고 있다는 사실을 그들의 머릿속에 똑똑히 각인시켜 줬잖아."

"로렌츠 영식이 이 얘기를 듣게 된다면 눈물을 흘릴지도 모르겠네요."

긍지를 가지고 경기에 임했을 텐데 라하트에게 철저히 이용당하고 버려졌다는 사실을 알고 나면 눈물만 흘리지 않을 것이었다.

로렌츠 영식과 한 번도 대화를 나눠 보지 않았지만 엘로라는 그가 끝까지 검을 놓지 않았다는 것을 기억하고 있었다.

"그런데 손수건 말이야. 정말 내게 주려고 했어?"

라하트가 얼굴을 들이댔다. 바싹 붙은 라하트의 얼굴을 보고 엘로라는 두 눈을 크게 떴다.

갑자기 가까워진 탓에 너무 놀랐지만 목소리만큼은 침착했다.

"……가까워요."

엘로라의 말이 떨어지자마자 라하트가 순식간에 멀찍이

떨어졌다. 그리고 두 눈을 반짝이며 다시 물었다.

"내게 주려고 직접 수를 놓은 거야?"

다른 건 몰라도 반짝반짝 빛나는 보랏빛 눈동자는 선명하게 보였다.

"지금도 소중히 간직하고 있어. 봐, 핏자국도 지웠어."

주머니를 뒤지더니 라하트가 손수건을 꺼냈다. 그의 말대로 손수건은 핏자국 하나 없이 깨끗했다.

멀리서 보니 새것처럼 하얗고 엘로라가 놓은 수가 선명히 새겨져 있었다. 아마 가까이서 본다면 희미하게 붉은 흔적이 보일 테지만 핏자국을 지우기 위해 얼마나 노력했을지 가늠이 됐다.

"핏자국은 네가 묻히지 말라고 했잖아."

그 한마디에 또 미련하게 행동했다고 한다. 이 남자는.

엘로라는 기쁨을 주체하지 못하겠다는 표정을 짓는 라하트를 바라보았다. 손수건 하나에 저토록 기뻐할 사람이 몇이나 될까. 초롱초롱 반짝이는 눈빛을 한 몸에 받고 있자니 부끄러웠다.

보랏빛 눈동자와 마주하다가 슬쩍 시선을 돌린 엘로라는 라하트를 위해 수를 놓았다는 사실을 인정했다.

"손수건을 들고 다니지 않는다고 말한 적이 있잖아요. 생각나서 하는 김에 놔 봤어요. 남자가 손수건 하나쯤은 들고 다녀야죠."

"날 생각해 준 거네?"

여기서 더 밝아질 수 없다고 생각한 엘로라를 비웃기라도 하듯이 라하트의 텐션이 더욱 올라갔다. 눈에 띄게 밝아진 라하트를 어찌할 수 없어 멀찍이 떨어진 채 그가 감격하는 모습을 지켜보았다.

수를 놓으면서 막연히 좋아할 거라고 예상은 했지만 저렇게까지 좋아할 줄은 몰랐다.

너무 과한 반응이라서 부담스러운 엘로라는 잠깐 라하트가 기쁨에 젖어 있을 수 있도록 내버려 뒀다가 조심스럽게 물었다.

“마지막으로 묻고 싶은 게 있어요.”

“뭔데? 뭔데? 여러 개 물어도 돼.”

“……무릎은 왜 꿇은 거예요?”

“들었어? 소식 참 빠르네.”

“에곤 오라버니가 왔다 갔어요.”

“역시 가족과도 사이가 좋았구나.”

이제 가족과 사이가 좋은 것쯤이야 라하트에게 밝혀진다고 하여 새삼스러울 것 없었다. 그보다 더한 진실이 라하트에게 밝혀졌는데 가족과 사이가 좋다는 건 덤으로 알아가는 느낌이었다.

“멱살이 잡혔으니 재차 확인받을 필요는 없겠죠.”

“맞아. 사랑의 힘이 꽤 아팠어. 세 명이나 달려드니 어찌해 보기도 전에 멱살이 잡혀 있더라고. 심지어 그중에 제국의 검도 있었잖아.”

자신이 세 명에게 맞았다는 얘기를 아무렇지 않게 하는 라하트를 보고 있자니 엘로라는 머리가 지끈지끈 아파 왔다.

라하트가 그냥 넘어가서 다행이지 자칫 잘못하다가는 아르미트가의 머리와 몸통이 분리될 만한 대형 사건이었다. 그만큼 아르미트 형제들의 행동은 대책이 없었다.

"무릎을 꿇으려면 실례를 범한 오라버니들이 꿇었지 전하께서 꿇을 필요는 없었어요. 이번 사건에서 전하가 잘못한 건 아무것도 없잖아요. 도움을 받으면 받았지, 폐를 끼친 적도 없고. 과한 처사였어요."

"난 그렇게 생각하지 않아."

"전하께서 무엇을 잘못했는데요?"

"내가 그날 모리카한테 네 정체를 밝히라고 하지만 않았어도 네가 다칠 일은 없었잖아. 모리카 또한 휴가를 내지 않았다면 어쩌면 납치범들이 활약할 틈이 없었겠지."

라하트의 발언에 엘로라는 배신감을 느꼈다.

본인이 한 말을 잊어버린 것일까? 엘로라의 등을 떠밀어 준 것은 다른 누구도 아닌 라하트였다.

"즐거운 일이 일어날 것이라고 한 건 전하예요."

"미래에 일어날 일은 나도 모르니까."

"저는 충분히 즐거웠어요."

모리카를 만나고, 함께 변장하고, 편하게 웃고 떠들 수 있는 시간이 소중했다. 만약 정체를 밝히지 않았다면 그냥 스쳐 지나갈 인연이었을 텐데 그러지 않아서 신기하고, 즐거웠다.

"나를 숨기지 않고 편하게 사람을 만날 수 있다는 것이 얼마나 즐거운 일인지 다시금 깨달을 수 있어서 좋았어요. 그러니 사과하지 마세요."

비록 납치라는 끔찍한 일을 겪었긴 했지만 나쁜 기억으로 좋은 기억이 퇴색되는 것은 아니었다. 그것은 모리카의 잘못이 아니니 더더욱.

웃음기 하나 없이 진지한 엘로라를 바라보던 라하트가 싱긋 웃었다. 그 웃음이 아까처럼 마냥 기뻐 보이지만은 않았다.

"그러면 됐어."

"……."

"넌 후회하지 않으니까 그걸로 된 거겠지."

그렇게 말한 라하트가 거대한 나무가 있는 쪽으로 고개를 돌렸다. 엘로라 또한 라하트를 따라 고개를 돌렸다. 햇살이 눈부신 하늘 아래에 우뚝 솟아 있는 아모몬 나무는 아몬이 사라진 후에도 변함없이 그 생명력을 유지하고 있었다.

"그렇지?"

라하트의 물음은 이 자리에 있는 엘로라가 아닌 아몬을 향하는 듯했다. 대답 대신 바람이 불어서 나뭇잎이 바람을 따라 흔들렸다. 그림자 또한 따라서 흔들렸다.

머리카락을 귀 뒤로 넘긴 엘로라는 친숙한 고요에 살며

시 눈을 내리깔며 나무 냄새를 맡았다. 꽃내음과 풀 내음이 섞여서 익숙한 냄새가 났다. 아몬의 냄새였다.

"아, 날씨 좋다."

라하트가 벌러덩 누웠다. 마치 휴가를 나온 듯, 자유를 만끽하는 모습이었다.

아까부터 계속 기분이 좋은 건지 미소를 띤 그 얼굴을 내려다보던 엘로라는 라하트가 겉은 멀쩡해 보여도 손과 옆구리뿐만 아니라 자잘한 상처를 많이 입었다는 사실을 알고 있었기 때문에 별다른 말은 하지 않고 다시 아모몬 나무를 보았다. 익숙한 냄새와 풍경이 안정을 주었다.

"더 물을 건 없어? 예를 들면 내가 널 얼마나 좋아하는지에 대해 같은 것들. 그런 질문은 언제나 환영이야."

"언제 돌아가세요?"

"……."

"모리카 씨도 갔는데 오래 있을 필요 없지 않아요?"

가만히 내버려 두었다가는 계속 귀찮게 굴 라하트가 부담스러워져서 일부러 차갑게 말했다. 묻고 싶은 거 다 물어보고, 캐내고 싶은 거 다 캐낸 후에 내치는 것이 찜찜하긴 했지만 잔뜩 흥분한 라하트를 한 번 받아 주면 끝이 없다는 걸 알고 있었다.

목소리에도 들뜸이 묻어 있던 라하트가 엘로라의 말이 끝나자마자 벌떡 일어났다. 혹시 화가 난 건 아닌지, 정말 가려는 건지 확인하기 위해 고개를 돌린 엘로라는 정원 밖이 아닌 자신에게 성큼 다가오는 라하트를 볼 수 있었다.

그리고 가까워진 라하트가 엘로라를 들었다. 얼떨결에 공주님 안기 자세로 라하트에게 안긴 엘로라는 당황스러워서 허우적거렸다. 몸이 아파서 크게 반항하지는 못했다.

"한쪽 손이랑 옆구리가 아파서 실수로 널 놓기라도 하면 어쩌나 하고 매우 신중하게 널 안고 있어."

"……저를 내버려 두면 해결되는 일 아닌가요?"

"아프잖아."

"혼자서 걸을 수 있어요."

"널 홀로 두고 싶지 않아."

혹 실수라도 라하트가 놓아 버린다면 그대로 땅바닥과 몸이 충돌하기 때문에 잔뜩 경직된 엘로라가 라하트를 올려다보았다.

그는 눈꼬리가 휘어지는 예쁜 미소를 짓고 있었다. 어쩐지 라하트의 페이스에 말려드는 듯해 찝찝했지만 그렇다고 하여 그를 막을 수는 없었다.

"안녕!"

아모몬 나무를 향해 외친 라하트가 달리기 시작했다.

빠르게 스쳐 지나가는 풍경을 본 엘로라는 라하트를 꽉 잡았다. 떨어지지 않도록 최대한 힘을 주어 라하트를 붙잡고 있으니 낮게 웃는 소리가 들렸다. 참 고약한 성미라고 생각한 엘로라는 뺨을 스치고 지나가는 바람이 상쾌하여 소리 없이 웃었다.

물론 엘로라를 안고 달리는 라하트를 발견한 히나가 소리 없는 비명을 지른 건 나중 일이었다. 용케 기절하지 않은 히나는 라하트가 황자라는 것도 잊고 꾸중을 늘어놓은 후 엘로라를 데리고 갔다. 안 그래도 라하트를 싫어하는 히나인데 이번 일로 단단히 미운털이 박힌 라하트였다.

상처가 어느 정도 아물고 거동이 가능해졌을 때쯤, 히나와 함께 바깥으로 나간 엘로라는 아몬을 위한 선물을 드디어 구입했다.

그간 무엇을 선물하고 싶은지 몰라 머뭇거렸으나 상처가 아무는 동안 마음을 정할 수 있었다. 길게 방황했던 이유는 결국 시간이 필요했기 때문이었다.

만족스럽게 선물을 품에 안고 정원으로 간 엘로라는 아모몬 나무 앞에 섰다. 그리고 삽을 꺼내 들어 나무 밑에 땅을 파고, 씨앗을 뿌렸다.

"평생 너만을 그리워하며 살아갈지도 모른다고 생각했어."

마치 아버지처럼.

꽃을 심은 엘로라가 뒷말을 삼켰다.

"넌 나의 처음이니까."

아몬은 엘로라에게 있어서 처음 사귄 친구였다.

만약 아몬이 인간이었다면 조금 거리를 두었겠지만 인간이 아닌 존재였기에 스스럼없이 다가갈 수 있었다. 민낯을 보여도 문제가 되지 않으며 어떤 상하 관계가 적용된 것도 아니고 겉보기에는 비슷한 연령대였다. 이보다 더 친구가 되기에 적합한 조건을 가진 이가 있을까.

그래서 갑작스러운 헤어짐이 두려웠다.

다신 아몬과 같은 존재를 곁에 두지 못할까 봐.

"너와의 헤어짐이 내 인간관계의 끝을 의미하는 건 아닌데 내 얼굴이 아닌 다른 얼굴로 사람을 만나고, 삶을 가장하는 것이 익숙해서 내 인생에 네가 없다는 사실 하나만으로 두려웠어."

영원히 아몬만을 그리워하리라 믿었는데 원래라면 입을 꾹 다물고 있었을 비밀을 모리카에게 털어놓으며 엘로라는 변했다. 모리카와 아무렇지 않게 얘기를 나누고 그녀와 함께 변장도 했다.

그 순간은 엘로라에게 절대 잊을 수 없는 추억이었다. 비밀을 감추기만 했지 한 번도 직접 얘기해 보지 않아 막연하게만 느꼈던 두려움이라는 감정을 풀어 준 것 같았다.

"만남이 있으면 헤어짐도 있다지만, 반대로 헤어짐 이후 만남도 있지. 그 만남으로 상실을 채워가며 살아가는 것 같아."

아몬이 클라우디아와 헤어졌지만 결국은 엘로라를 만났

듯이.

하지만 아몬에게 클라우디아가 유일한 존재였듯, 엘로라에게도 아몬을 대체할 수 있는 존재는 존재하지 않을 것이었다. 하나밖에 없는 인연이니까.

대신 인연을 쌓아 가며 앞으로 조금씩 나아가고 있었다.

"이 꽃이 피어날 때면 또 어떤 인연을 만나게 될지는 나도 모르는 일이지."

미소 지은 엘로라는 미리 준비해 둔 사다리를 타고 아모몬 나무에 올라갔다.

굵은 나뭇가지에 앉은 엘로라는 클라우디아의 팔찌를 가느다란 가지에 끼워 넣었다. 그토록 선물하고 싶었던 팔찌가 드디어 제 주인을 찾은 것이었다.

"그곳에서도 행복하길 바랄게."

허리를 굽힌 엘로라는 나뭇가지에 살포시 입을 맞췄다.

이 바람이 아몬에게 닿길 바라며.

"널 잊지 않을 거야."

바람결에 흩어지도록 작게 속삭인 엘로라는 아몬의 눈색과 똑 닮은 나뭇잎을 바라보다가 나무에서 내려왔다. 땅을 딛고 서서 팔찌를 끼운 나뭇가지를 올려다보게 되니 가장 먼저 개운한 기분이 들었다.

어쩌면 단순하다고 여길 행위이지만 여기까지 오기까지 생각보다 긴 시간이 흘렀다.

그 시간 동안 엘로라에게는 많은 일이 일어나고, 마음가

짐도 많이 변했다. 그러니 지금의 엘로라이기에 할 수 있는 행동이며 느낄 수 있는 감정이 아닐까 싶었다.

"엘로라!"

목이 아파 오도록 한참을 나무를 올려다보던 엘로라는 자신을 크게 부르는 목소리에 뒤를 돌아봤다. 그러자 자신과 똑같은 은발을 한 세 남자가 달려오는 모습이 시야에 잡혔다.

아르미트 삼 형제였다. 라엘과 요제프는 오랜만에 만나게 되어 기쁨을 감추지 못한 얼굴이었고 맨 뒤에서 그들을 쫓는 에곤의 얼굴에는 살짝 짜증이 어려 있었다. 그 짜증이 향하는 방향은 엘로라가 아닌 두 남자였다.

"내가 조금 더 기다렸다가 오자고 했지!"

"내 동생 엘로라다!"

에곤의 고함을 들은 체 만 체 한 요제프가 소리를 질렀다. 에곤이 무슨 말을 하든 전혀 듣지 않을 기세였다. 한 편의 코미디 같은 장면에 엘로라는 웃음을 터트릴 뻔했다.

선두로 달리던 라엘이 그녀를 끌어안았다. 그 뒤를 이어 요제프가 자신도 엘로라와 재회의 포옹을 나눌 거라면서 끌어안았다.

두 남자에게 둘러싸인 듯한 엘로라를 보고서는 가장 늦게 도착한 에곤이 아직 아픈 애한테 뭘 하는 짓이냐고 화를 냈지만 듣는 사람은 없었다.

장남의 권위가 실추된 현장에서 키득키득 웃음을 터트린

엘로라가 두 남자의 틈 사이에서 힘겹게 팔을 빼내어 에곤에게 오라고 손짓했다.

엘로라의 부름에 어쩔 수 없다는 듯이 에곤이 다가왔다. 에곤이 거리를 좁히자마자 미리 합의를 본 것도 아니건만 라엘과 요제프는 기다렸다는 듯이 그런 장남까지 안아 버렸다. 실이 뭉치듯이 한데 모인 아르미트였다.

곤란하다는 표정을 짓고 있지만 어색하게 사이에 낀 에곤과 작게 미소 지으며 단단히 안아 주는 라엘 그리고 마냥 들떠 있는 요제프. 그들의 품에 안긴 엘로라는 함박웃음을 터뜨렸다.

18. Boy Meets Girl

18. Boy Meets Girl

아침부터 비가 쏟아지는 날이었다.

이맘때쯤이면 항상 비가 많이 내렸다. 오후가 되어서는 몇 방울 떨어지지 않았지만 거리는 빗물로 흠뻑 젖어 있었다.

검은 드레스를 입은 엘로라는 검은 베일을 통해 빠르게 지나가는 창밖의 풍경을 보다가 커튼을 쳤다.

얼마 지나지 않아서 달리던 마차가 멈추고, 마차에서 내릴 수 있었다. 엘로라는 한 손에는 꽃을, 다른 한 손에는 우산을 들고 홀로 묘지에 들어갔다.

간헐적으로 빗방울이 우산을 두드리는 소리가 들렸다. 찬 공기를 폐부 가득 채우고는 익숙한 길을 걸어갔다.

일 년에 한 번은 이 길을 걷고 있었다.

"엄마, 저 왔어요."

오늘은 어머니의 기일이었다.

묘비 앞에 선 엘로라는 소중히 들고 있던 흰 국화를 내려놓았다. 가족들이 왔다 갔는지 그녀의 묘비에는 아직 생기를 머금고 있는 꽃이 잔뜩 쌓여 있었다.

가족과 사이가 좋지 않다고 소문이 났지만 이른 나이에 잃은 어머니는 예외로 쳐 준 것인지 황후는 엘로라가 먼저 말을 꺼내기도 전에 기일을 챙기라며 등을 떠밀어 주었다.

어떤 식으로든 어머니를 찾아뵈러 왔겠지만 덕분에 다른 이로 변장하지 않고 '엘로라'라는 이름으로 만날 수 있었다.

"올해도 바쁘게 지냈어요. 저번에 말한 벤더티는 상업적 성공을 이루지 못했지만 그가 쓴 소설을 기반으로 한 오페라에서 주연을 맡고, 수도를 벗어나서 바다도 구경하고, 그림도 열심히 그렸어요. 또 놀랍게도 요정 친구를 사귄 거 있죠. 소개해 주고 싶은데 어쩌면 엄마와 이미 만났을지도 모르겠네요. 그리고 최근에는 라엘 오라버니에게 특강을 받아서 무투 대회 본선까지 올라갔어요. 당시에는 몰랐는데 막상 이렇게 말하니까 올해도 쉬지 않고 달린 것 같아서 뿌듯해요."

묘비에 박힌 이름을 내려다보며 엘로라가 기쁘게 말했다. 하나씩 언급할 때마다 기억이 새록새록 떠올랐다.

빗방울에 섞여 들어가는 목소리의 여운을 느낀 엘로라는 어떤 기억에서도 빠지지 않는 한 사람을 떠올렸다.

"아 참, 결혼도 했어요."

앞서 이뤄 낸 것을 열거했을 때보다 가라앉은 목소리였다.

"나이로 따지면 오라버니들이 먼저 할 줄 알았는데 막내인 제가 가장 처음으로 경험하게 되었네요. 그리고 엄마에게 결혼 소식을 알려 주자마자 이혼도 빠르게 다가오고 있는데…… 저는 요즘 잘 모르겠어요."

요즘 신문에서는 아히발트의 결혼 소식을 알리기 바빴다. 아히발트가 재혼인 데다 사별 이후로 한 여자만 바라보는 해바라기 같은 이미지를 고수하고 있어서 갑작스레 결혼 발표를 하게 된다면 대중에 알려진 이미지에 큰 감점이 될 것을 고려한 듯했다.

국가 간의 이익을 위해 이미 모두 합의하고 정해진 결혼이었지만, 마치 평범한 인간 대 인간으로서 서로에게 끌렸다는 듯이 두 사람은 만남부터 연애까지 모두 대중에게 공개되었다. 매체는 만들어진 풋풋한 사랑을 전했고, 대중은 그에 열광했다.

덕분에 아히발트와 외국인인 결혼 상대 모두 상대 국가에 긍정적인 이미지를 주었다. 절절한 세기의 사랑 이야기가 만들어진 것이다.

아히발트의 결혼 소식은 쉴 새 없이 전해졌고, 엘로라의 귀에도 들어가는 건 당연한 일이었다. 그녀는 신문을 보며 아히발트의 결혼이 가까워지는 걸 알 수 있었다.

그것은 엘로라의 이혼이 다가옴을 의미했다.

"사람의 마음은 잘 안다고 믿어 왔는데 자만이었을 뿐이라는 생각을 많이 하고 있어요."

정작 본인의 감정도 확신하지 못하고 있으니.

엘로라에게 있어 라하트란 해독할 수 없는 암호였다. 하지만 그 암호를 해독하는 데 있어 결정적으로 필요한 것은 엘로라의 마음이었다.

계획대로 이혼을 할 수 있어서 좋아해야 함이 분명한데 요즘 엘로라는 스스로의 기분을 이해하지 못하고 있었다. 단순히 좋다, 싫다로 판가름이 가질 않았다.

그 사실이 혼란스러운 와중에 최근 라하트와 꾸준히 만나고 있었다. 처음에는 침대에만 누워 있는 것이 지루해서 라하트를 구실로 삼아 바깥공기를 쐬었는데 상처가 대부분 나은 지금까지도 만남을 거절하지 않았다.

거절하지 않는 이유에는 자주 얼굴을 보게 되면 무언가 달라지지 않을까 하는 마음이 없잖아 있었다.

라하트가 아모몬 궁에 오면 주로 나무 밑에서 티타임을 가졌다. 가끔 라하트가 얘기를 꺼낼 뿐, 엘로라가 먼저 입을 여는 경우는 없었다.

그렇게 아모몬 궁에서 시간을 때우다가 본인의 궁으로 돌아갔는데 근래 들어 술도 담배도 하지 않는 것인지 입에 대는 모습을 보지 못했다. 항상 흐리멍덩했던 눈동자 또한 엘로라 앞에서는 별처럼 반짝였다.

"저와 결혼한 사람은 세간에는 구제 불능 탕아라고 알려져 있어요. 여자와 술, 담배 같은 쾌락에 도취되어 본인의 일은 하지 않아서 저 또한 그저 운이 좋았기 때문에 황사라는 지위를 거머쥔 사람이라고 생각했어요. 그런데 막상 맞닥뜨려 보니 아예 틀린 말은 아닌데 생각했던 것과는 달랐어요."

소문으로만 라하트를 접했을 때는 엘로라가 알고 있는 전형적인 남자 유형 중 일부라고 생각했다. 하지만 지금까지 여러 일을 겪고 나니 그라는 사람을 단정 지어서는 안 된다는 걸 알았다.

길을 가다가 아무 이유 없이 엎어지는 라하트도, 말이 안 되는 소리를 하는 라하트도, 피범벅이 되어 자신을 끌어안았던 라하트도. 결국 다 한 사람이었다. 그리고 그 모든 라하트가 한 방향을 가리키고 있었다.

"바보 같기도 하지만 올곧은 사람이에요. 가끔 제멋대로 행동하는 경향이 있는데 행동의 이유를 물어보면 한결같이 저를 위해서라는 대답이 나와요. 그것이 변명이 아닌 진심이라는 것은 눈을 보면 알 수 있어요. 그래서 실은 소문만큼 나약하지도 악하지도 않다는 걸 깨달았어요."

정말 바보 같은 사람이었다.

사랑을 쟁취하겠다고 당사자 앞에서 당당히 말했으면서 정작 그 노력은 숨겼지 않은가. 자신이 나섰다는 걸 알게 되면 거절할 것이라는 이유 하나만으로.

그때 라하트는 정말 작정하고 정체를 숨겼다. 살갗은 절대 드러내지 않았고 실수로라도 신음 한 번 낸 적 없었다.

모리카뿐만 아니라 황태자까지 합세해서 비밀을 지켰다.

아무리 엘로라라고 하더라도 배후에 라하트가 있다는 사실을 알 수 있을 리 없었다. 만약 계기가 없었더라면 제 손에 클라우디아의 팔찌가 들어온 이유는 영원히 비밀이 되었을 것이었다.

그토록 노력했는데도 불구하고.

바보 같고 미련한 사람이었다.

"그리고 저를 사랑한대요."

입 밖에 꺼내는 단어가 낯설었다.

이제까지 엘로라는 사랑 고백을 받아 본 적이 없었다. '엘로라'라는 이름으로 활동했을 때는 당연한 일이었고, 그 외에는 대부분 유약한 소년이었으니 이성으로 접촉하는 사람이 있을 리 없었다. 워낙 일에만 몰두해서 빈틈을 보이지 않은 것 또한 한몫했다.

물론 엘로라는 자신의 비밀을 알고 있는 가족과 히나를 사랑했으나 그것은 라하트가 말하는 사랑과 같은 선상에 둘 수 없다는 걸 알았다.

"모르면 배우고 경험하면 돼요. 어설프게라도 남을 보고 따라 하다 보면 남들처럼은 할 수 있어요. ……하지만 엄마. 타인의 사랑을 보더라도 제게 와닿지 않아요. 사랑해 본 적 없는 제 입에서 사랑이라는 단어가 나올까요?"

엘로라는 우산 손잡이를 꽉 잡았다. 아직 다 낫지 않은 손목이 미약하게 통증을 호소했다.

"사랑하지 않는다고 믿어 왔어요. 그런데 제가 그냥 사랑을 모르는 것이면 어쩌죠? 지금 제가 느끼는 감정이 사랑이 아니더라도 어떤 것인지 정확히 알고 싶어요."

모르니까 알고 싶었다. 엘로라는 자신이 느끼는 감정을 계속 모르는 채로 살고 싶지 않았다.

"엄마는 이걸 사랑이라고 부를 건가요?"

엄마의 사랑은 어떤 종류의 것이었나요.

채 꺼내지 못한 말을 삼킨 엘로라는 그 뒤에도 침묵을 지키며 묘비를 바라보았다. 빗방울은 차차 잦아들어 한두 방울 떨어지는 수준이었지만 우산만큼은 단단히 쥐고 있었다. 그것이 버팀목이라도 되는 것처럼.

그렇게 한참을 묘비 앞에 서 있던 엘로라는 돌아가기 위해 어머니와 작별 인사를 했다. 외출을 허가받았다고는 하나 혼인한 몸이기에 바깥에 오래 머물 수 없었다.

내년에는 또 다른 모습일지 모르겠다고 생각하며 한 발자국 앞으로 내딛는데 자신을 부르는 목소리를 들은 것 같았다.

"엘로라."

처음에는 환청이라고 여겼다. 그도 그럴 것이 빗소리만이 적막을 깨우는 묘지에서 엘로라는 혼자 있다고 생각했으니까. 하지만 이런 엘로라의 예상과 다르게 덥석 손목이 잡혔다.

"엘로라!"

"……누구시죠?"

몸을 돌린 엘로라는 상대를 훑어보았다.

붉은 머리칼의 남자였다. 뛰어왔는지 거친 숨을 몰아쉬고 있었다. 객관적으로 판단했을 때 미남이긴 했으나 다짜고짜 친근하게 이름을 부르는 것이 아무리 봐도 수상했다.

복장을 보아하니 평민은 아니고 고위 귀족 정도 되는 듯한데 볼흐라스 귀족의 얼굴을 어느 정도 익힌 엘로라로서는 처음 보는 얼굴이었다.

상대의 신분을 정확히 알 수 없으니 무작정 하대하지 못하고 물끄러미 얼굴을 바라보다가 붙잡힌 손목을 내려다봤다. 의식하지 못하는 건지 제법 강한 힘으로 손목을 붙잡고 있었다.

"놓으세요."

"아, 미안해. 마음이 급해서 오랜만에 만났는데 실례를 범했어. 원래 이러려고 했던 게 아니었는데……."

엘로라의 차가운 반응에 불에 덴 듯 황급히 손을 놓은 남자가 울상을 지었다.

본인이 붙잡아 놓고 우왕좌왕하고 있었다. 대체 의도가 무엇일까? 남자의 얼굴을 보고 있자니 무언가 기억날 듯하면서도 기억나지 않았다.

저렇게 생긴 남자가 흔한 것도 아니고, 사슴 같은 생김새는 충분히 특징이 있었기 때문에 기억에 남을 만했다. 그런데 아무리 떠올려 봐도 콕 집어서 건질 수 있는 기억이 없었다. 그저 스쳐 지나가는 인연도 아니고 이름을 부를 수 있을 정도로 친한 사람은 더더욱.

“혹시 날 기억하지 못하는 거야?”

“아, 예.”

남자의 조심스러운 물음에 엘로라가 떨떠름하게 대답했다. 충격을 받은 듯, 남자가 두 눈을 동그랗게 떴다.

꼭 울 것 같은 얼굴이라서 죄를 지은 것도 아닌데 중죄를 지은 듯한 기분을 느꼈다.

일방적으로 아는 체를 하니 미친 사람 같긴 한데 아예 근거 없는 아는 척은 또 아닌 것 같았다.

살면서 기억력이 나쁘다고 생각한 적은 없었던 엘로라는 작은 단서라도 얻기 위해 남자를 훑어보았다. 그러나 별다른 소득은 없었다.

긴 침묵이 이어지고, 서로 생각을 정리했다. 울음을 참는 듯한 남자는 떨리는 목소리로 자신의 이름을 밝혔다.

“루디.”

“루디?”

“루도비쿠스 프란체. 혹은 페르니트.”

“……프란체?”

이름이 아닌 성씨에 먼저 반응한 엘로라는 헛숨을 삼켰다.

“설마 그 프란체?”

남자가 고개를 끄덕였다.

엘로라가 가장 먼저 떠올린 프란체는 남성도 아니고 또

래도 아니었다. 부모님과 비슷한 연령대의 여성이자 크리센즈의 영웅. 최근 크리센즈인인 모리카를 만나게 되어 짧게 언급만 했었던 그 인물이 선명하게 떠올랐다.

엘로라가 아는 프란체는 오래전에 배우자를 잃어서 하나뿐인 아들이 프란체의 성을 잇게 되었다. 그 소식을 뒤늦게 접했기도 했고, 아들이 프란체가 된 건 엘로라와 헤어질 때쯤이었기 때문에 프란체 하면 가장 먼저 붉은 머리칼의 여성이 떠올랐다.

엘로라는 기억 속의 여성과 눈앞에 있는 남성을 덧대어 보았다.

두 사람의 공통점이라고는 붉은 머리칼밖에 없었다.

"오랜만이야. 엘로라."

당황한 엘로라가 입을 다물지 못한 채로 잔뜩 굳어 있자, 이제야 자신을 떠올렸다고 생각한 건지 남자가 배시시 웃었다. 처음에 미친놈이 아닐까 의심했던 것이 미안할 정도였다.

"있잖아, 엘로라."

"예?"

"그동안 보고 싶었어."

살짝 뺨을 붉힌 남자가 수줍게 말했다. 남자를 까맣게 잊고 있었던 엘로라로서는 두 배로 당황스럽고 미안한 발언이었다.

남자와 엘로라 사이의 공백은 십 년이 넘었다. 십 년 전이라고 하더라도 기억력이 좋은 엘로라가 친하게 지냈던 소꿉친구를 잊을 리는 없었지만 헤어질 때쯤 상황 자체가 어린 엘로라가 감당하기에는 너무 충격적이라서 상대의 존재 자체를 잊고 있었다.

마차 사고와 어머니의 죽음, 홀로 살아남은 프란체, 그리고 그녀가 보여 준 잔혹한 현실.

그것은 엘로라의 인생을 송두리째 바꾼 사건이었다.

남자의 얼굴을 가만히 보고 있자면 옛 얼굴이 아직도 남아 있었다. 그럼에도 불구하고 프란체라고 했을 때 남자가 아닌 남자의 어머니를 먼저 떠올린 것은 그녀의 존재가 너무 커서 정작 아들이 묻혀 버렸기 때문이었다.

마차 사고가 있기 전까지 가족끼리 사이가 좋아서 자주 놀았었는데 참 신기한 일이었다.

"그렇군요."

"엘로라, 내게 편하게 말해. 너는 어떤지 모르겠지만 나는 그 후로 단 한 번도 널 잊은 적이 없어."

엘로라는 고민했다. 눈앞에 있는 상대는 어릴 적 자신을 알고 있었다. 어쩌면 어릴 적 자신만 알고 있을 수도 있었다.

어머니를 따라 크리센즈로 떠난 그는 엘로라가 굳이 프란체에 대해 찾아보려 하지 않았듯이 아르미트를 입에 올려 일부러 아픈 기억을 떠올리고 싶지 않을 수도 있었다.

그래서 난감했다. 어릴 적 자신과 못난이 엘로라 사이의 간극은 엄청났다. 외적으로도 내적으로도. 어릴 때처럼 대하려고 하니 현재 자신은 그런 사람이 아니었고 차갑게 내치자니 미묘한 동질감이 느껴져 모질게 굴 수 없었다.

차라리 못난이 엘로라에 대해 알아서 적대감을 보여 줬더라면 편했을 텐데 당장은 베일을 쓰고 있어서 어릴 적과 비교하여 얼굴이 바뀌었다는 걸 모르는 눈치였다.

어릴 때 소꿉친구라고 부를 만큼 교류를 한 건 남자가 유일했기 때문에 어떻게 대해야 할지 갈피가 잡히지 않았다.

"아르미트 부인을 만나러 온 거지?"

"……어, 응."

"나도 오전에 아버지한테 들른 후 잠깐 인사드리러 온 거야."

그날, 엘로라만이 소중한 사람을 잃은 건 아니었다. 한날, 한시에 가족을 잃었다. 그걸 알기 때문에 남자에게 모질게 굴 수 없는 것이었다.

대신 미지근한 반응을 보이고 있으니 다 젖은 엘로라의 치맛자락을 보며 남자가 말했다.

"좋은 사람은 하늘이 시샘해서 빨리 데리고 간다는 말이 맞나 봐."

"……."

"보내 주고 싶지 않은데 수긍하고 따를 수밖에 없다는 사실이 안타까워. 하고픈 말이 많은데 직접 전할 수 없잖아."

어머니에게 많은 말을 전했던 엘로라는 공감할 수밖에 없었다. 제아무리 살면서 어머니의 빈자리를 그리 크게 느낀 적이 없다고 하지만 묘비 앞에 설 때마다 그녀가 곁에 없다는 사실을 절절히 깨달았다.

죽은 자의 빈자리는 깊은 못과 같았다.

문득 내려다보면 그 끝을 알 수 없었다.

"헤어질 때만 하더라도 계속 크리센즈에 있을 거라고 들었어."

"원래는 그럴 예정이었는데 사정이 있어서 어머니와 짧게 체류하게 되었어."

"프란체 님도?"

"응, 어머니는 아직 아르미트 저택에 계실 거야."

프란체 님이 아르미트 저택에 있다니. 크리센즈보다 훨씬 가까운 거리였다. 그동안 일부러 소식을 접하지 않아서 그렇지 만나고자 하는 마음은 항상 있었다.

마차를 타고 간다면 금방일 거리에 있다는 얘기를 들었음에도 엘로라는 선뜻 걸음을 떼지 못하고 머뭇거렸다. 만나도 괜찮을지에 대한 불안감이 싹트고 있었다.

그런 엘로라의 머뭇거림을 다른 의미로 착각한 남자가 입술을 잘근잘근 깨물었다. 그러다가 심호흡을 하여 마음을 다잡고 말을 꺼냈다.

"볼흐라스에 다시 오게 된 데에는 여러 이유가 있지만 그중에서 가장 큰 이유는 엘로라, 널 만나고 싶어서였어. 서로가 서로에게 독이 된다는 것쯤은 알아. 원치 않더라도 괴로운 기억을 꺼내게 되니까."

누구의 탓도 할 수 없었다. 말 그대로 사고였으니까. 하지만 그것이 말처럼 쉬운 일은 아니었다.

"특히 어머니가 짊어져야 했던 죄책감은 이루 말할 수 없었지. 그 모습을 지켜보면서 나 또한 많이 고민했어. 이대로 너를 만나는 게 네 상처를 헤집어 놓는 일이 되는 것은 아닌지."

"……."

"그런데 문득 이런 생각이 들었어. 내가 너를 그리워하듯 너 또한 나를 그리워하고 있는 것은 아닐지. 그 마음을 나와 같은 이유로 드러내지 못하는 것은 아닐지. 엘로라 너는 어릴 때부터 속내를 그대로 드러내지 않았잖아. 내가 넘어지면 곧장 달려와서 눈물을 닦아 줬는데 정작 본인이 넘어지면 울지도 않고, 아픈 소리도 하지 않았지."

두 눈을 내리깔며 조곤조곤 말하는 남자는 어릴 적 추억에 젖어 있는 듯했다. 그러다가 꿈에서 깨듯이 퍼뜩 고개를 들고 우왕좌왕했다. 차분했던 조금 전과 상당히 대비되는 모습이었다.

"아, 아. 물론 내 착각이었다면 미안해. 그런데 한 번 그렇게 생각하니까 내가 먼저 다가가지 않는다면 영원히 널 보지 못할 것 같았어. 내가 머뭇거린 탓에 겪은 후회는 한 번만으로도 족하니까."

남자는 혹 해서는 안 될 말을 한 건 아닌지 걱정이 되어 엘로라의 눈치를 힐끔힐끔 보았다. 머리칼만큼이나 붉힌 얼굴을 빤히 보고 있자니 시간에 스러졌던 기억이 물밀 듯이 밀려왔다.

"루디."

처음으로 불러 준 자신의 이름에 남자가 두 눈을 크게 떴다.

예전이나 지금이나 다를 바 없는 모습이었다. 살포시 미소 지은 엘로라는 단호하게 말했다.

"내겐 시간이 없어."

"응?"

"먼저 저택으로 갈게."

"으, 응! 알겠어! 그곳에서 보자!"

마차로 향하는 발걸음이 가벼웠다. 구두를 신은 채 달릴 수 없어 최대한 빠르게 묘지를 벗어난 엘로라는 마차 문을 열어 주는 마부에게 빠르고 정확하게 명령했다.

"아르미트 저택."

"예?"

"그곳으로 최대한 빨리 가."

냉정한 엘로라의 음성에 혹 해코지를 당하지는 않을까 싶어서 황급히 고개를 숙인 마부가 알겠다고 했다.

어머니의 묘지를 본 후 가족을 방문하겠다는 것이 이상한 건 또 아니라서 엘로라의 명령대로 최대한 빨리 아르미트 저택으로 향했다.

엘로라는 마차가 멈추자마자 아르미트 저택으로 나아갔다. 갑작스러운 엘로라의 등장에 집사는 당황스러움을 감추지 못했고, 엘로라는 그런 그에게 본론부터 들어갔다.

"손님이 와 계시지?"

"예? 예. 주인님과 서재에 계십니다."

목적지를 확인한 엘로라는 "하지만."이라고 말을 이으려던 집사를 무시하고 거침없이 서재로 갔다.

저택에 오지 않은 지 제법 긴 시간이 흘렀으나 나고 자란 곳이었다. 서재의 위치를 금세 잊을 리 없었다.

기다란 은발은 누가 봐도 엘로라였기에 집사와 마찬가지로 혼란스러워하는 시종과 시녀를 지나서 서재 앞에 선 엘로라는 노크하고 문을 열었다. 충분히 무례한 행동이었지만 아버지와의 대화가 끝나기를 마냥 기다릴 수만은 없었다.

현재 황실의 허락을 받고 나왔기 때문에 일거수일투족이 모두 보고될 것이 뻔했다. 어머니의 묘지에서도 긴 시간 동안 있었는데 아르미트 저택에서까지 오랫동안 있을 수 없었다.

평범한 가족이라면 어머니의 기일에 가족을 찾아가는 것이 이상할 것 없지만 이게 다 사이가 좋지 않다고 소문을 퍼뜨려서 생긴 문제였다.

아히발트의 결혼식으로 이목이 모두 그쪽으로 쏠려 있는 와중에 황제와 황후의 관심을 굳이 돌릴 필요는 없었다.

마치 가족에게 질척거리다가 된통 혼이 난 것처럼 최대한 빨리 왔다가 가는 것이 엘로라의 목표였다.

"엘리!"

"……엘리?"

"제게 남은 시간이 많지 않아서 무례를 범한 점은 사죄하겠습니다."

성큼 들어오는 엘로라를 보자마자 아르미트 후작이 애칭으로 불렀다. 하지만 엘로라의 시선은 후작이 아닌 손님에게 가 있었다. 기억보다 훨씬 짧아진 붉은 머리칼의 여인에게.

"저를 기억하지 못하더라도 이 말은 꼭 하고 싶었어요."

지금이 아니라면 영원히 전하지 못할 것 같았다.

이제야 그녀와 마주할 용기가 생겼다.

"감사합니다."

그녀와 시선이 교차됐다. 여전히 날카로운 눈빛이었다. 머리 길이만 짧아졌지, 기억과 별반 다를 것 없는 얼굴이기도 했다. 그녀를 보고 있자니 마치 어릴 때로 돌아간 듯한 기분을 느꼈다.

정원에서 어머니와 담소를 나누던 그녀, 마차 사고 이후 눈에 띄게 수척해졌던 그녀, 무언가 결심한 얼굴로 자신의 손을 붙잡고 참혹한 현실을 보여 줬던 그녀.

그런 그녀가 있었기에 엘로라는 일찍이 선택할 수 있었다. 어떤 삶을 살아가야 후회하지 않을지에 대해서.

평생 잊을 수 없는 은혜였다. 당시에는 전하지 못했던 감사의 인사가 십 년이라는 세월을 훌쩍 뛰어넘어 나왔다.

"베일을 벗겨도 되겠니?"

"네."

가만히 엘로라와 눈을 마주치던 프란체가 자리에서 일어나 거리를 좁히며 물었다. 흠칫한 엘로라는 고개를 끄덕였다. 다른 누구면 몰라도 그녀에게라면 이 얼굴을 보여 주는 것이 두렵지도, 기분 나쁘지도 않았다.

밤의 장막과 같은 베일이 걷어지고, 선명한 시야로 그녀를 올려다봤다. 어떠한 표정 변화 없이 그녀는 엘로라를 내려다보았다.

그때도 그랬다.

그때도 지금과 같은 얼굴을 하고 있었다.

"여전히 아름답구나."

"예?"

당황한 엘로라가 얼빠진 소리를 냈으나 프란체는 조용히 베일을 다시 덮어 줬을 뿐이었다. 지금 엘로라는 너무 못생겨서 눈조차 마주치지 못하는 그 얼굴인 채였다.

그런데 아름답다니. 농담으로도 나올 수 없는 말이지만 상대는 한 점의 거짓도 고하지 않는 듯했다. 적어도 엘로라가 보기에는 그랬다.

"나는 감사의 인사를 받을 자격이 되지 않아. 오히려 네게 미안하다고 말해야 할 처지이지."

"말도 안 돼요."

"어린아이에게 심술을 부린 거였어. 어른으로서 해선 안 될 짓이었지."

"……."

"그런데도 여전히 맑은 눈을 하고 있구나."

쓴 미소를 지은 프란체가 살포시 엘로라의 머리에 손을 얹었다. 부드럽게 머리를 쓰다듬어 주는 손길에 안심이 되었다.

"어깨가 젖었네."

"아."

"옷을 갈아입어야 하는 거 아니니?"

"아니요, 저는 이만 가 봐야 해요. 미리 말하지 않고 불쑥 왔다가 불쑥 가게 되어 죄송합니다."

정중히 고개를 숙인 엘로라가 그제야 한 공간에 있었던 아버지를 보았다.

"그리고 아버지, 손님이 계신데 무례를 범해서 거듭 죄송합니다."

"아, 아니. 나는 신경 쓰지 말거라."

"감사합니다. 그러면 저는 가 보도록 할게요."

저택에 오래 있지 못하는 엘로라의 사정을 알고 있는 아르미트 후작이 고개를 끄덕였다. 서둘러 나가려는 엘로라를 보고 있던 프란체는 흠뻑 젖은 치맛자락에 짧게 시선을 주었다가 물었다.

"디아나를 만나고 온 것 같은데 혹시 그곳에서 내 아들을 만나지 않았니?"

"네, 만났어요."

"별다른 얘기는 없었고?"

"네? 네."

특별히 이렇다 할 얘기는 나눈 것 같지 않아 엘로라가 긍정했다. 사정이 있어서 볼흐라스에 오게 되었고, 프란체 님이 이곳에 있다고 했다. 그것이 '별다른 얘기'로 취급될 건 아니었다.

"뭐, 다 컸으니 알아서 해야겠지. 부모라고 언제까지나 입에 떠먹여 줄 수는 없으니. 안 그러니?"

얼떨결에 고개를 끄덕인 엘로라는 문 앞까지 그녀와 함께 갔다. 다정하게도 엘로라가 나가기 위해 직접 문을 열어 준 프란체가 싱긋 웃었다.

"잘 가렴. 다음이 있다면 또 보자꾸나."

문이 닫혔다. 서재를 나오자 마치 꿈에서 깬 것 같았다. 그러나 아직 여운은 남아 있었다.

무려 프란체 님을 다시 봤다. 그녀는 어머니의 죽음과 관련돼 있었기 때문에 머릿속에 떠올리는 것도 남아 있는 가족을 위해서라면 해서는 안 될 일인 것처럼 느껴졌다.

그런데 다시 만났다. 그리고 감사의 인사를 전했다. 누군가 옆에서 꿈이라고 속삭인다면 멍청하게 수긍할 것만 같았다.

황궁으로 돌아가기 위해 멍한 상태로 정원을 가로질렀다. 몸이 길을 기억하고 있는 덕에 다소 나사 빠진 상태더라도 옳은 길을 가고 있었다.

그래서 만약 반대편에서 오는 남자가 이름을 부르지 않았더라면 아는 체도 하지 않고 그냥 스쳐 지나갔을 거였다.

"엘로라!"

"어, 루디."

"혹시 또 가는 거야?"

아직 정신이 제대로 돌아오지 못한 엘로라가 무심히 고개를 끄덕였다. 먼저 저택으로 간다는 말이 아르미트 저택에서 보자는 뜻인 줄 알고 왔던 남자는 마른침을 삼키고는 다시 입을 열었다.

"오랜만에 만난 김에 얘기라도 나누고 싶은데 시간 내줄 수 있어?"

"미안, 지금은 바빠서 다음에 보자."

"다음? 언제?"

지금까지 한 번도 듣지 못했던 날카로운 음성이 엘로라의 발목을 잡았다. 그 목소리를 들으니 마치 머리에 냉수를 끼얹은 것처럼 정신이 퍼뜩 들었다.

이번에는 꿈에서 깬 것도 모자라 볼까지 꼬집힌 기분이었다. 다급히 현실로 돌아온 엘로라는 가만히 서 있었다.

"미, 미안해. 하지만……."

엘로라가 현실로 끌려온다고 아무 말도 하지 않고, 아무 행동도 취하지 않자 잔뜩 혼이라도 난 것처럼 남자의 사슴처럼 커다란 눈망울에 눈물이 차올랐다.

어쩔 줄 몰라 하는 그를 보게 된 엘로라는 한숨을 내쉬었다.

정신이 너무 다른 데 있었다. 앞에 사람만 없었다면 답지 않은 짓을 했다며 제 뺨을 내리쳤을 것이었다. 프란체 님과 헤어진 지가 언제인데 온전히 제정신일 필요가 있었다.

"엘로라, 다시 말하지만 난 널 보러왔어."

재차 이곳에 온 목적을 강조하니 미안하다는 말이 절로 목 끝까지 차올랐다. 살면서 한 번이라도 소꿉친구를 그리워했다면 몰라도 거의 완벽하게 잊고 살았기에 더 그랬다.

엘로라가 남자를 잊고 살았던 만큼 남자는 엘로라를 그리워했다는 점에서 가책과 부담, 미안함을 느끼고 있는데 주먹을 꽉 쥔 남자가 외쳤다.

"널 좋아해."

"……뭐?"

"친구로서 하는 말이 아니야. 어릴 적부터 쭉 널 좋아했어."

빗소리 때문에 잘못 들은 게 아니었다.

똑똑히 들었다. 좋아한다고.

"그 한마디 하기 위해서 온 거야."

"혹시 소식 못 들었어? 난 이미 결혼했어."

"원치 않은 결혼이라고 들었어. 가문을 위해 어쩔 수 없이 하는 마음 없는 결혼. 그러니까……!"

목소리가 높아지는 그에게 엘로라는 차갑게 말을 끊었다.

"황실과의 약조야. 내 의사는 필요치 않아."

"그, 그래도 네 마음이 중요한 거잖아! 상대는 매일 술독에 빠져 사는 것도 모자라 여자를 밝히는 파렴치한이라고 들었어. 일반적으로 그런 남자와 결혼 생활을 유지하고 싶어 하는 여자는 없잖아!"

순간 엘로라는 할 말을 잃었다. 크리센즈에서도 악명을 떨치고 있는 라하트에 대한 소문이 아예 거짓은 아니어서 반박할 수 없었다.

최근에야 사람 같아졌다는 느낌이지만 얼마 전만 하더라도 매일 술독에 빠져 있던 사람이었다. 그리고 여자를 밝히는 것 같지 않더라도 짚이는 부분이 아예 없는 것은 아니었다.

하필이면 그런 남자를 사랑하고 있는지에 대해 고민하던 참이라 남자의 한마디 한마디가 세게 치고 들어왔다. 특히 일반적이지 않다는 그 말이.

라하트를 만나기 전, 과거의 엘로라였다면 남자의 말에 무조건 공감했을 것이었다. 하지만 지금은 상황이 일반적이지 않은 방향으로 흐르고 있었다.

필사적으로 자신을 붙잡으려는 남자의 얼굴을 보던 엘로라가 물었다.

"날 사랑해?"

"응."

"내가 못생겼어도?"

"네가 어떤 모습이라 하더라도 내 마음은 변치 않아."

흔들림 없이 굳건한 의지였다. 그러나 남자의 고백이 여전히 와닿지 않은 엘로라는 얼굴을 가리고 있던 베일을 벗었다. 우산에 가려져 잘 보이지 않을까 봐 우산 또한 뒤로 살짝 젖힌 채였다.

과거와 달리 못생긴 얼굴. 그것은 거짓이었으나 엘로라가 만들어 낸 진실이었다.

어느 곳으로도 피할 수 없는 상황에서 또렷이 엘로라의 얼굴을 본 남자는 입을 다물었다. 동시에 미묘한 침묵이 깔렸다.

남자의 사랑은 엘로라에게 와닿지 않는 것이었으나 침묵의 뜻은 익히 알고 있었다.

"봤지? 네 시간만 흐른 게 아니야. 네가 없는 동안 많은 것이 변했어. 그건 나 또한 마찬가지야. 난 네가 기억하는 것처럼 예쁘지도 착하지도 않아."

"……."

"어릴 때 친하게 지냈지만 연락하지 않은 지 벌써 십 년이 훌쩍 지났어. 널 다시 만나게 된 건 기쁘지만 이제 그만 돌아가."

"아니, 상관없어. 어찌 됐든 결국 넌 내가 알던 엘로라잖아."

목소리가 떨렸다.

그 사실을 남자는 알고 있을까.

무엇이 그토록 남자를 필사적으로 만드는지 엘로라는 이해할 수 없었다. 이것 또한 사랑의 힘인 건가 싶었다. 만약 사랑 고백을 하지 않았더라면 억지로 납득하고 있는 것뿐이라고 냉정하게 판단했을 것이었다.

"그 사실 하나만으로 충분해."

"애쓰지 않아도 돼."

"애쓰는 거 아니야. 난 아직도 널 사랑해. 그러니 내게 네 시간을 빌려주면 안 될까?"

엘로라는 자신을 사랑한다고 속삭이는 남자를 보았다. 생김새도, 성격도, 만나게 된 계기도 라하트와는 완벽하게 다른 남자였다. 그러나 사랑한다고 말하는 것은 똑같았다. 비록 그 태도가 미묘하다 하더라도 사랑하는 방식에는 여러 종류가 있으니 거리낄 것 없었다.

지금까지 이성 간의 사랑을 해 본 적도, 받은 적도 없어서 감정을 확신하지 못하는 거라면 비교 대상이 있으면 되는 게 아닐까.

본인임에도 불구하고 스스로의 감정을 열어 본다는 것이 쉬운 일은 아니라 엘로라는 고민했다.

그때 누군가 빠르게 옆을 지나갔다. 지금까지 남자와 나누었던 대화를 엿들었을 수도 있다는 생각에 고개를 돌리려 했으나 낯선 이가 더 빨랐다.

그는 엘로라가 움직이기 전에 뒷걸음질해서 돌아왔다. 그러더니 남자와 엘로라 사이에 끼어들었다. 아르미트 가문의 상징이라고 할 수 있는 은발을 쏟아지는 빗속에 그대로 노출한 채로.

요제프였다. 엊그제부터 비가 쏟아졌는데 우산은 어디에

팔아먹고 왔는지 아무렇지 않게 비를 맞고 있었다. 그냥 지나가려다가 지나친 사람이 엘로라임을 발견하고 돌아온 건지 그가 엘로라를 보며 미소 지었다.

"어머니를 만나고 온 거야?"

"맞아. 이제 돌아가려고. 그런데 우산은?"

"급하게 나오느라 깜빡했어. 오, 이게 누구야. 되게 오랜만에 보는 얼굴도 있네."

"아, 안녕하세요!"

"그러니까 페르니트 맞지? 아, 프란체라고 불러야 하나. 어쨌든 오랜만에 봐도 여전하구나."

요제프는 뻔뻔스럽게도 은근슬쩍 루도비쿠스의 우산에 들어가서 어깨동무를 했다. 그 모습이 어쩐지 익숙하여 기억을 되짚어 본 엘로라는 그들이 예전에도 이런 관계였던 것 같다고 생각했다.

아무래도 에곤과 라엘이 나이 차가 많이 나고 기본적으로 무뚝뚝하다 보니 거리감이 있었다면 비교적 나이 차가 적게 나는 요제프는 장난기 많은 오라버니 그 자체였다.

"그러고 보니 크리센즈로 아예 가 버린 거 아니었나?"

"일이 있어서 잠깐 방문했어요."

"그래? 그거 잘 됐네. 오랜만에 돌아와서 길이 낯설 텐데 엘로라 네가 수도 구경이라도 시켜 줘. 둘이 친했잖아."

갑작스러운 요제프의 등장으로 남자가 난처해하는 것이 보였다. 중간에 요제프까지 끼어들어서 원래 화제가 흐지

부지 되었으니 시간을 끌 필요가 없었다. 엘로라는 더는 지체하지 않고 차갑게 말했다.

"오라버니, 난 어서 돌아가야 해. 그리고 마음대로 바깥에 돌아다닐 수 없다는 거 알잖아."

"내 콧수염 빌려줄까?"

엘로라는 요제프의 인중을 빤히 쳐다봤다. 요제프에게 콧수염은 없었다. 오해의 소지가 다분한 제안이 분명했다.

"예전에 오페라 하우스에서 썼던 걸 말하는 거야?"

"응, 그때 써 보고 괜찮길래 사 뒀지."

"……됐어. 사양할래."

"아니면 지금처럼 베일을 쓰고 다녀도 되지."

"너무 눈에 띄어."

"검은색이라면 의미가 다르잖아."

장례 중이거나 기일에 죽음을 기리기 위해 여성이 검은 베일을 쓰고 다니는 건 흔히 있는 일이었다. 만약 은발을 가린 채 지금과 비슷한 복장으로 거리를 돌아다니면 사람들이 그러려니 하고 지나갈 것이었다.

하지만 엘로라가 이 방법을 쓰지 않는 이유는 간단했다. 죽음을 가벼이 다루고 싶지도 않고, 슬픔을 지속적으로 상기시키고 싶지도 않았기 때문이었다. 엘로라가 검은 옷에 베일을 쓰고 다닌다면 마음 아파할 이는 다른 누구도 아닌 아버지였다.

그런 사정을 다 알고 있는 요제프가 검은 베일을 써서라도 오랜만에 만난 소꿉친구와 함께하길 바라고 있었다. 그것도 그냥 바라는 게 아니라 매우. 갑자기 나타나서 하는 말치고는 굉장히 준비된 구석이 있었다.

엘로라는 어쩌면 요제프를 우연히 만난 것이 아닐지도 모른다고 생각했다.

"내일 시간 있지?"

"예? 예!"

"엘로라 너는?"

무슨 꿍꿍이냐고 물어보고 싶었다.

대놓고 등을 떠밀고 있었다. 요제프는 아무 생각 없이 이럴 사람이 아니었다.

"내일은 날씨가 좋아서 놀러 다니기 좋을 거야. 이맘때쯤엔 항상 그렇잖아."

"그렇지."

요제프의 말에 동의한 엘로라가 슬쩍 하늘을 올려다보았다. 아직 흐린 하늘이지만 내일이 되면 마법처럼 개어 있을 것이었다.

매년 이런 식이었다. 그것이 꼭 하루만 참았다면 어머니의 죽음은 피할 수 있었을 거라고 말하는 듯해 절로 쓴 미소가 지어졌다.

하늘을 보고 있으니 빗방울이 뺨에 떨어졌다. 뺨을 타고 흐르는 빗방울을 선뜻 닦아 낼 생각을 하지 못한 엘로라는 남자를 돌아봤다.

“좋아, 내일 구경시켜 줄게. 할 얘기가 남아 있는 듯하니까.”

요제프의 속내가 어찌 되었든 어차피 고민하던 차였다.

훌쩍 커서 돌아온 소꿉친구를 어떻게 해야 할지, 그가 가진 감정을 어찌해야 할지 짧은 시간에 깊이 고민했다. 요제프가 없었더라도 같은 대답을 내놓았을 것이다.

“대신 나에 대한 의문을 가져서는 안 돼. 가능하지?”

“응, 가능해!”

“또 나와의 만남을 타인에게 언급하지 마.”

황궁에 있어야 할 여자가 버젓이 바깥에 돌아다닌다는 걸 황실 측에서 알게 된다면 난리가 날 게 뻔했다. 모든 것은 이때까지 그랬던 것처럼 몰래 진행될 것이었다. 아무도 모르게.

어릴 때와 비교하면 몸만 큰 것 같은 남자는 유약해 보여도 믿음직한 사람이었다. 시간이 흘러 내면이 바뀌었을지도 모르지만 적어도 요제프가 속내가 시꺼먼 사람과 만나라고 부추기진 않을 거라고 생각했다.

약속 시간과 장소를 정한 엘로라가 요제프를 보았다. 그는 아무것도 모른다는 듯이 미소 짓고 있었다. 이럴 때면 개구쟁이 같은 오라버니를 보며 작게 한숨을 쉰 엘로라는 아르미트 저택을 벗어났다.

비가 내리고 있었다.

“내게 있어 볼흐라스는 죄의 땅이야.”

“그런 것치고는 그 땅을 잘 밟고 다니더군.”

“언제까지나 외면할 수는 없으니까.”

엘로라가 나간 후, 문을 닫은 프란체가 지친 듯이 대꾸했다. 조금 전까지만 해도 엘로라가 있던 자리를 보던 그녀는 한숨을 내쉬고는 다시 자리로 돌아와서 털썩 의자에 주저앉았다.

“아직도 내 남편을 원망하고 있지?”

아르미트는 아무 말도 하지 않았지만 침묵은 긍정을 뜻했다. 약속된 침묵이었다. 몇 년이 지나서 몇 번을 물어도 반복될 것이었다.

그에 대해 비난하거나 비겁하다는 등의 반응은 보이지 않았다. 대신 중간에 엘로라가 들어온 탓에 끊어졌던 이야기를 다시 이은 프란체는 쓰게 웃었다.

“그를 원망하는 건 너뿐만이 아니야. 나 또한 그를 원망하고 있어.”

“…….”

“만약 그날, 할 수만 있었다면 내가 그를 감쌌을 거야.”

세 사람이 마차에 타고 있었다.

아르미트 후작을 제외한 세 사람이.

그리고 마차가 뒤집어졌을 때 페르니트는 프란체를 감쌌다. 찰나에 벌어진 일이었다. 그 순간적인 판단력으로 인해 아르미트 부인인 디아나와 페르니트는 즉사했고, 프란체는 싸늘해져 가는 남편의 품속에서 생명을 연명해야 했다.

하필 산길에서 전복 사고가 일어난 터라 몇 번이나 뒤집어져서 엉망이 된 마차에서 기적적으로 살아난 프란체는 아무 말도 하지 않았다. 아니, 할 수 없었다.

아르미트 후작 또한 누군가를 탓하고 싶지만 누구도 탓할 수 없는 상황이라서 그날 이후 서로 침묵으로만 일관했다. 그렇게 긴 시간이 지난 후에서야 프란체가 처음으로 속내를 털어놓았다.

"누구의 반응 속도가 더 빨랐느냐의 싸움이었어. 문인에게 반응 속도에서 지다니. 세간에 알려진 전쟁의 신, 크리센즈의 붉은 사자, 야만인을 쫓아낸 영웅 같은 별명이 부끄러울 정도야. 안 그래?"

"나와 무슨 얘기를 하고 싶은지 모르겠군."

"또 외면하려 들지. 아르미트, 넌 그런 점이 참 안 좋아."

"외면이라니. 그래서 넌 디아나와 함께 있지 못한 나를 책하고 싶은 건가? 내가 그녀가 아닌 일을 더 중요시해서 그녀를……."

끝내 말을 잇지 못한 아르미트가 손바닥으로 얼굴을 감쌌다. 마치 부인의 부고를 받았을 때처럼 고통스러워하는 그를 조용히 지켜보던 프란체가 입을 열었다.

"만약 네가 그 자리에 있었다면 넌 디아나를 보호했을 테지. 그 반대가 되었을 수도 있고. 하지만 누가 되었든 살아남은 자는 죽은 사람을 원망해. 시간이 지났는데도 우리 둘 다 페르니트를 욕하고 있잖아. 페르니트가 천국에 있다면 지금쯤 귀가 아주 간지러울 거야."

농담하듯이 다소 가벼운 어투로 말했지만 냉소적인 미소를 머금고 있었다. 절대 그녀가 가벼운 마음으로 죽은 자를 언급하는 것이 아니라는 것을 알고 있는 아르미트는 다소 넋을 놓은 채 프란체를 보았다.

"모두를 살리는 선택지 같은 건 없었어."

"……."

"떠난다고 결정한 순간부터 누군가는 죽었어야 했던 것이지. 우린 우리의 선택에 대가를 치른 것뿐이야."

"그래서 오랜만에 찾아와서 하고자 하는 말이 내 아내의 죽음은 불가항력이었다는 것인가? 십 년이 지나도 그녀를 잊지 못하는 사람한테 기껏 하는 말이!"

"나답지 않지만 운명론으로 생각해야 조금이라도 마음이 편했어. 내가 편하니 내 아이도 제 아비의 죽음에 대해 눈치를 보지 않았지."

소리 높여 분노하는 아르미트를 보고서도 꿈쩍하지 않은 프란체가 제 할 말을 했다. 잔뜩 열이 오른 아르미트와 다르게 냉정한 반응이었다.

"알아. 페르니트와 디아나를 살리지 못한 건 내 죄야. 내 잘못이 아닐지라도 그곳에서 유일하게 살아남은 자이니 산 사람끼리 떠넘길 질타는 내가 모두 짊어져야지."

"……미안하다."

"이제야 내 얘기를 들어 줄 생각이 들었어? 너도 참 한결같이 이해력이 떨어지구나."

살아남았다는 이유 하나만으로 모든 것을 책임지겠다는 프란체의 발언에 뒤늦게 찬물을 뒤집어쓴 것처럼 냉정을 찾은 아르미트였다. 프란체에게 잘못이 없다는 걸 알면서도 그녀를 너무 몰아세우고 있음을 깨닫고 사죄했다.

그런 그를 보며 프란체는 웃는 얼굴로 욕했다.

"사실 내가 저 아이에게 한 짓을 생각한다면 죽어서도 디아나를 볼 염치가 없어. 디아나와 페르니트뿐만 아니라 한참 좋은 것만 보고 자랄 어린아이에게까지 손을 댔으니 내게 있어 볼흐라스는 영원히 죄를 짊어져야 할 곳이지."

엘로라가 오기 전까지 두 사람은 그녀에 대한 얘기를 나누고 있었다. 그간 있었던 일을 아르미트 후작이 모두 털어놓아서 프란체는 엘로라가 어떻게 살았는지 들을 수 있었다.

거기다 조금 전 엘로라의 거짓 얼굴까지 보았으니 상황 파악을 마친 프란체가 깊은 한숨을 내쉬었다.

프란체는 본인이 한 짓을 잊지 않고 있었다. 때문에 엘로라의 얼굴을 본 순간 과거 자신이 저지른 죄를 정통으로 맞은 듯한 기분이었다. 다신 되돌릴 수 없는 본인의 죄였다.

프란체가 우울한 기색을 보였다. 당시에 엘로라의 얘기를 들을 상태도 아니었거니와 엘로라 또한 딱히 얘기하고 싶어 하지 않는 듯해 자세한 사정을 모르는 아르미트가 의문을 표했다.

"그러고 보니 그동안 묻지 못했군. 내 딸에게 무슨 짓을 했지?"

"네가 상상하는 그 모든 것. 어쩌면 그 이상일지도 모르지. 겉으로만 드러나지 않았지, 이 나라는 남자들로 인해 썩어 문드러졌으니까."

"……."

"너 또한 묵인하고 있잖아? 양심이 있다면 모른다고 하지 않겠지."

아르미트 후작은 침묵했다. 엘로라를 지켜보면서 느낀 것이 있었기에 거짓으로도 포장할 수 없었다.

"그 애는 사회를 바꾸기에는 자신이 너무나 어리고 나약하다는 걸 깨닫고 스스로를 숨기는 것을 택했어. 당시 나이를 고려한다면 절망하지 않고 앞으로 나아갔으니 현명하고 용기 있다고 할 수 있지만 결국 자신마저 속이고 있는데 마냥 기뻐할 수 있을까? 네가 생각이 있었다면 그 아이를 대견스러워해야 할 것이 아니라 하루라도 빨리 거짓된 삶을 살지 않도록 움직였어야 했어."

쏟아지는 질타에 아르미트는 질끈 두 눈을 감았다. 외면했던 그 모든 것을 프란체가 날카롭게 찌르고 있었다. 차마 프란체의 얼굴을 보지 못한 그는 언제나 그러했듯이 회피를 택했다.

"사람 사는 건 어느 나라든 똑같아. 문제가 있을 수밖에 없지."

"적어도 크리센즈는 죄를 가벼이 여기지 않아."

"볼흐라스 또한 죄를 가벼이 여기지 않지."

"허, 그게 네 입에서 나올 소리야? 최근 볼흐라스 남자가 크리센즈인을 납치한 사건이 있었지. 그걸 듣고 내가 무슨 생각을 한 줄 알아?"

프란체의 눈동자가 차갑게 번뜩였다. 그것은 그녀가 전쟁터를 누빌 때 적군에게 보여 줬던 눈빛과 비슷했다.

"이 나라는 여전하구나."

프란체가 언급한 납치 사건은 엘로라와 관련이 있었다. 때문에 황자가 손을 쓰고 있고, 아르미트 측에서도 언제든 힘을 실어 줄 의향이 있었다. 표면적으로 드러난 한 명의 피해자 또한 가해자가 합당한 처벌을 받기를 바라며 적극적으로 나서고 있었다.

하지만 뒤집어서 말하자면 볼흐라스의 권력자가 나서지 않았다면 조용히 묻혔을 사건이었다. 오래 끌 필요도 없이 솜방망이 처벌을 받고 끝날 사건이었음을 아르미트 후작은 알고 있었다.

"그 애는 차라리 크리센즈에서 사는 게 행복할지도 몰라."

"알고 있어."

"그럼에도 유학을 보내지 않은 건 네 욕심이겠지. 그 마음은 이해해. 언젠가 헤어질 수밖에 없으니 함께할 수 있는 시간 내에서라도 네 울타리 안에 소중히 가둬 놓고 싶었겠지. 아이에게 족쇄를 채우는 행위라는 걸 알지만 그 아이가 스스로 얻은 절름발이 자유에 위안을 얻으면서. 결국 넌 네 행동에 대한 모든 책임을 그 아이에게 떠맡긴 거야."

"아니, 나는……."

"이래서 남자들이란. 일도 못해, 애도 못 키워. 쓸데없이 감정적인 데다 저들끼리 우르르 몰려다니는 것밖에 할 줄 모르지. 정말 무능하다니까."

아르미트의 변명을 중간에 끊은 프란체가 약간의 온정도 느껴지지 않는 말을 했다. 기분 나쁠 법도 했지만 아예 틀린 말을 한 것도 아닌 터라 아르미트는 순순히 인정할 수밖에 없었다.

"여전히 신랄하군."

"네가 그간 조금이라도 변했다면 이렇게까지 말하지 않았겠지."

"그렇게 형편없어 보이나?"

"대답이 정해진 질문을 하는 멍청이가 여기 있어."

가차 없는 프란체의 말에 아르미트가 처음으로 웃음을 터트렸다. 큰 짐을 잠시나마 내려놓은 듯, 시종일관 굳어 있던 아르미트의 표정이 풀리는 것을 보고 프란체는 절레

절레 고개를 저었다.

"참, 소식은 들었어. 이제 완전히 볼흐라스로 돌아오는 것인가?"

"나는 이곳에 남지 않을 거야. 대신 내 아들이 선택의 기로에 서 있지."

"그렇군. 네 아들, 머리 색 빼고는 페르니트를 쏙 빼닮았던데 미래를 생각한다면 볼흐라스를 택하겠지."

냉정한 아르미트의 말에 프란체가 쓰게 웃었다. 은연중에 프란체 또한 같은 생각을 하고 있었기 때문이었다.

볼흐라스 남자처럼 키우지 않기 위해 크리센즈로 데려갔지만 아이가 성인이 되고 나니 남성은 크리센즈보다 볼흐라스에서 사는 것이 훨씬 낫다는 걸 통감하던 차였다.

"네 의견에는 동의하는 바지만 난 그 아이의 결정에 왈가왈부하지 않을 거야. 지금쯤 충분히 고민하고 있을 테니까. 대신 더 좋은 선택을 할 수 있도록 길을 깔아 둘 수는 있지. 그게 앞서 걸어가는 우리들의 임무잖아."

프란체의 말에 아르미트는 조용히 고개를 끄덕였다.

남자와 약속을 잡고 황궁으로 돌아온 엘로라는 히나에게

서 라하트의 편지가 도착했다는 소식을 들을 수 있었다.

히나의 입에서 '라하트'라는 이름이 나오자 작게 뜨끔한 엘로라는 건네받은 편지 봉투를 뜯었다. 그러자 항상 그렇듯 용건만 간단히 적힌 편지지가 모습을 드러냈다.

[내일 만나러 갈게.]

밑에는 낙서인지 형체를 알 수 없는 그림이 그려져 있었다. 매번 무엇을 그리는지 모르겠지만 모양이 다른 것으로 보아 대상이 바뀌는 것 같았다.

불행히도 라하트가 무엇을 그렸는지는 한 번도 알아본 적이 없었다.

편지를 받으면서 엘로라는 라하트가 지독하게도 그림을 못 그린다는 사실을 알게 되었다. 그러나 직접 얼굴을 마주하며 그 얘기를 한 적은 없었다.

라하트도 굳이 무엇을 그렸다고 말하지 않았고, 대화 주제가 그쪽으로 튄 적이 없어서 엘로라 홀로 편지지에 새겨진 형체 모를 것을 볼 때마다 무엇인지 잠깐 고민하다가 말았다.

편지지를 쥔 손가락에 힘이 들어갔다.

하필이면 내일이었다. 모레도 있는데 내일.

근래 들어 라하트와의 만남을 거절한 적이 없었다. 그래서 막상 안 된다고 답을 보내려니 말이 길어졌다. 머릿속으로 쓸 내용을 그려 보던 엘로라는 이내 모든 생각을 지워 냈다.

이런저런 변명은 필요 없었다. 말이 길어지면 쓸데없는 의심을 사기 쉬워질 뿐이었다.

펜을 든 엘로라는 간단하게 만남을 하루 미루겠다고 적었다. 한 문장만 쓰니 짧고, 간결했다. 만약 처음 생각한 대로 적어서 보냈다면 종이 한 장으로는 어림도 없었을 것이었다.

그것을 고이 접어 히나를 통해 라하트에게 보냈다. 왜 안 되냐고 히나에게 따질 줄 알았는데 히나 앞에서 편지를 열어 본 라하트는 그러려니 하는 반응을 보였다고 했다.

엘로라는 라하트가 무작정 고집하지 않아 다행이라고 생각했다.

그리고 다음 날 외출 준비를 했다.

갑작스러운 엘로라의 외출에 히나는 의문을 표했다. 그도 그럴 것이 얼굴은 못난이 엘로라로 변했지만 복장은 그걸 티내지 않기 위해 검은색으로 꽁꽁 싸맸기 때문이었다. 이도 저도 아닌 변장은 엘로라의 스타일이 아니었다.

어머니의 묘비를 방문하는 것 같지도 않아서 호기심 가득한 얼굴로 자신을 보는 히나에게 엘로라는 오랜만에 소꿉친구를 만나러 간다고 했다. 마차 사고 이후 오랫동안 헤어져야 했던 친구를. 그제야 히나는 모든 것을 납득한 표정을 지었다.

그렇게 히나를 납득시키고 비밀 통로를 이용하여 무사히 바깥에 나온 엘로라는 약속 장소로 갔다. 사람들은 검은 옷과 베일을 한 엘로라를 짧게 쳐다보고 지나쳤다.

"엘리, 여기야."

남자는 엘로라를 본명이 아닌 애칭으로 불렀다. 속으로 안도의 한숨을 내쉰 엘로라는 붉은 머리칼의 남자에게 다가갔다. 뒤늦게 자신이 애칭으로 불렀다는 것을 깨달았는지 한 박자 늦게 놀란 남자는 주위를 둘러봤다.

마치 죄라도 지은 듯한 그의 모습에 엘로라는 의아해졌다. 그리고 이어지는 남자의 물음으로 의문이 풀렸다.

"아직도 널 엘리라고 부르면 후작께서 화내셔?"

"화를 내신다기보다는 토라지시지."

"그 아르미트께서?"

"놀랍게도."

어느 순간부터 저택 내에서 엘로라를 '엘리'라고 부를 수 있는 사람은 후작뿐이었다. 아르미트 형제들 또한 살갑게 애칭으로 부르고 싶었지만 후작이 조용히 토라지기를 반복하니 포기했다.

이 포기는 굉장히 빠른 편이었는데, 루도비쿠스가 어릴 적에 아르미트 형제도 부르지 못하는 엘로라의 애칭을 멋모르고 계속 부르다가 딱 걸려서 혼쭐이 난 적이 있었다.

루도비쿠스는 그때를 잊지 않고 있었다. 저보다 덩치가 훨씬 큰 세 남자에게 둘러싸여서 무언의 압박을 받았는데 잊을 수 있을 리 없었다.

"난 신경 쓰지 않으니까 마음대로 불러. 아무래도 듣는 귀가 있으니 진짜 이름은 빼고."

남자의 자세한 과거를 알지 못하는 엘로라가 단단히 주의를 줬다. 한 번의 실수로 모든 것이 끝장날 수 있음을 경험을 통해 습득했기 때문에 몇 번을 얘기해도 모자랐다.

특히 루도비쿠스라는 사람에 대해서는 흐릿하게 남은 과거의 몇몇 기억뿐이니 확실히 해 두는 편이 나을 것 같았다.

"미안, 내가 널 곤란하게 했지. 예전처럼 너와 이 거리를 걸을 수 있다는 사실이 행복하지만 너무 나 좋을 대로 밀어붙인 것 같아서 미안해."

"곤란하지 않다면 거짓이겠지만 오라버니에게 등 떠밀려서 널 만난 건 아니야."

"……정말?"

중간에 요제프가 끼어든 탓에 남자 또한 걱정이 깊었다. 원치 않은데 억지로 만나게 된 것은 아닐까 싶어서. 그런데 엘로라가 본인 입으로 원해서 나왔다고 하니 반색할 수밖에 없었다.

물론 엘로라에게는 감정을 학습하고자 하는 불순한 동기가 섞여 있었지만 완연하게 기뻐하는 남자를 보며 곧이곧대로 속내를 털어놓을 만큼 눈치 없지 않았다.

"우린 친구였잖아."

친구였다. 비록 어릴 때 잠깐 만났다 헤어졌다 하더라도 그 사실은 변치 않았다. 성장했다 하더라도 과거의 순수함은 변질되는 것이 아니었으니.

"내 또래의 아이가 있는 가문 중에 페르니트만큼 아르미트와 교류가 잦았던 가문은 또 없어서 소꿉친구라고 부를 만한 사람은 너밖에 없어."

과거를 기억해 내면서 말한 탓인지 목소리에 힘이 들어가지 않았다. 루도비쿠스는 엘로라가 완벽하게 자신을 이성이 아닌 친구로만 바라본다는 것을 깨달았지만 굳이 말을 덧붙이지 않았다.

친구라는 관계로라도 함께할 수 있는 것에 만족했다. 지금이 아니더라도 미래는 달라질 수 있는 법이니까.

서로 다른 생각을 품은 두 사람은 익숙한 거리를 걸었다. 십 년이라는 공백 탓인지 루도비쿠스는 주위 풍경을 낯설어했다.

그는 기억을 더듬어 가며 옛날에는 어떤 건물이 있었고, 엘로라와 무엇을 했는지 얘기했다. 대부분 엘로라의 기억에 없는 것이었다.

사람마다 기억하는 관점이 다르니 그럴 수 있었다.

루도비쿠스가 엘로라보다 기억이 좋은 듯해도 그 또한 단편적인 기억을 품고 있을 뿐이었다.

너무 오랜만에 방문한 볼흐라스였다. 이제는 거의 크리센즈인이나 마찬가지였기 때문에 엘로라는 자연스럽게 그를 데리고 관광지 위주로 발걸음을 옮겼다.

익숙해도 너무 익숙한 길이었다. 모리카와 이 길을 걸은 기억이 선명하게 났다. 엘로라는 아무렇지 않게 앞으로 나아가며 누가 뒤쫓아 오는 것은 아닌지 계속 확인했다. 아무도 따라오지 않는다는 걸 머릿속으로 알고 있지만 몸이 먼저 움직였다.

주위를 살피는 몸짓은 그리 크지 않았다. 그러나 간헐적으로 불안한 모습을 보여 주니 처음에는 눈치채지 못했더라도 시간이 흐르자 남자는 엘로라의 특이 행동을 도저히 모를 수가 없었다.

"엘리?"

"왜?"

"혹시 근처에 아는 사람이라도 있어?"

"아니, 전혀."

여지를 주지 않는 단호한 대답이었다. 충분히 차갑다고 느낄 수 있는 엘로라의 태도에 남자는 아차 싶어서 빠르게 사과했다.

"내가 착각해서 미안해."

"네가 잘못한 건 없어. 사과하지 않아도 돼."

바로 굽히고 들어오는 남자의 태도에 작게 한숨을 내쉰 엘로라가 화제를 돌렸다. 아무래도 이 근처를 돌아다니면 서로에게 좋을 것이 없는 듯했다.

"식사는 했어? 근처에 맛있는 음식점을 아는데 그곳으로 갈까?"

아예 다른 길로 간 엘로라는 루도비쿠스와 무난하게 식사를 하고 밖으로 나왔다. 또 문제가 될 만한 행동을 할 장소는 일부러 피하면서 걷고 있는데 문득 루도비쿠스가 소리쳤다.

"저것 봐. 강아지야!"

"……그렇게 말하면서 왜 내 뒤로 숨어?"

"아, 아니야. 숨지 않았어!"

"점점 더 뒤로 가는데?"

"이건 몸이 반응하는 거라서 어쩔 수가 없어."

슬금슬금 뒷걸음질 친 루도비쿠스가 울상을 지었다. 그러면서 시선은 거대한 개에게서 떼지 않았다.

몸짓을 보면 두려워하는 듯한데 눈빛을 보면 또 애매했다. 좋아하는 건지 두려워하는 건지 확실하게 단정 지을 수 없었다.

엘로라는 남자의 눈길을 따라갔다. 강아지라고 부르기에는 어폐가 있어 보이는 덩치를 가진 개가 산책 중이었다.

"그러고 보니 엘리 너도 강아지를 키웠지?"

"강아지라고 부르기에는 나이가 많았어. 우리보다 더 이르게 태어났을걸."

지금까지 추억을 얘기한 것처럼 남자가 이전에 키우던 개 얘기를 꺼냈다. 무심하게 남자의 단어 선택을 정정한 엘로라는 최근에 개 얘기를 한 적이 있었던 탓인지 쉽게 관련 기억을 떠올릴 수 있었다.

"둘이 비슷하게 생겼었어. 금색 털에 크고, 아주…… 컸지."

말하는 중간에 잠깐 뜸을 들인 남자가 마른침을 꼴깍 삼켰다. 동시에 떠오른 기억에 엘로라는 작게 웃음을 터트렸다.

"그러고 보니 대형견을 무서워했었지. 아직도 그래?"

"무, 무서워하는 거 아니야!"

"그러면 왜 내 뒤에 있어?"

"앞으로 갈게."

뻣뻣하게 굳은 남자가 한 발자국 앞으로 나아갔다. 그런데 문제는 오른손과 오른발이 함께 나아가고 있다는 것이었다. 어색하기 그지없는 걸음걸이였다. 톡 하고 건드리면 도미노처럼 그대로 옆으로 쓰러질 것만 같았다.

산책하는 개가 멀어지는데도 긴장하고 있었다. 처음부터 그리 가까운 거리에 있는 것도 아니었다는 걸 고려한다면 거리가 얼마나 되었든 시야에 들어오면 긴장하는 듯했다.

어릴 적에도 그랬다. 동물은 좋아하는데 겁이 많아서 저보다 덩치가 크면 두려워했었다. 온순하고 기력이 없어서 대부분의 시간을 잠으로 때우는 아르미트의 개와 맞닥뜨렸을 때도 지금처럼 걷고는 했으니 말 다 했다.

지금 이렇게 훌쩍 컸는데 덩치가 큰 동물을 보면 아직도 긴장하는 듯했다.

"그때는 어떻게 나를 위로해 줬어?"

"방금 뭐라고 했어?"

"아니야. 아무것도."

기억났다. 개가 죽은 날, 위로해 준 사람이.

아예 그 존재를 잊고 있었던 터라 에곤이라고 지레짐작

하고는 넘어갔는데 에곤이 아니었다. 그때도 루도비쿠스는 엘로라의 곁에 있었다.

엘로라는 굳이 그 사실을 얘기하기보다 홀로 간직하기로 했다.

루도비쿠스가 과거의 기억을 상기시켜 준 덕인지 그간 어떻게 잊었나 싶을 정도로 예전처럼 친밀하게 이야기를 나눴다. 대화의 주제는 대부분 어릴 적 얘기였다. 마차 사고가 일어나기 전 이야기.

루도비쿠스는 번번이 말하다가 발음이 꼬이거나 앞을 제대로 보지 않아 지나가던 사람과 부딪치는 등의 실수를 했다.

기억 속에서도 그랬던 터라 낯설지 않았다. 그리고 그는 서툴더라도 최대한 엘로라를 배려해 주려고 애썼고, 엘로라도 그걸 느낄 수 있었다.

하지만 안타깝게도 꾸준히 루도비쿠스를 의식하면서 감정을 분석해 봤으나 딱히 이렇다 할 만한 느낌은 오지 않았다.

걷다가 힘들면 잠시 쉬는 것을 반복하던 엘로라와 루도비쿠스는 커다란 솜사탕을 각자 들고 걸었다.

베일을 쓴 탓에 먹는 것이 썩 편치 않았지만 얼굴을 드러내는 것보다는 나았기에 아무 불평도 하지 않았다. 대신 이런 차림으로 솜사탕을 들고 있는 제 꼴이 평범해 보이지는 않을 거라고 생각했다.

"엘리."

솜사탕을 먹으려고 입가로 가져오면 워낙 크기가 너무 커서 시야가 살짝 가렸다. 베일을 살짝 들어서 솜사탕을 한입 베어 문 엘로라는 루도비쿠스 쪽으로 고개를 돌렸다.

"해 줄 얘기가 있어."

"무슨 얘기?"

"어쩌면……."

루도비쿠스가 말을 끝내기 전에 엘로라는 딱딱한 바닥과는 다른, 물컹거리는 무언가를 밟은 기분이 들어서 경직했다.

촉이 좋지 않았다.

밟아서는 안 될 것을 밟은 기분이었다.

시야에서 솜사탕을 슬쩍 치운 엘로라는 밑을 내려다보았다. 웬 남자가 거리에서 누워 있었다.

두 눈을 감고 있는 남자의 얼굴은 너무나 익숙한 것이라서 차라리 누군가 꿈이라고 속삭여 준다면 믿을 정도였다.

죽었나?

죽은 건가?

밟아서 죽어 버렸나. 아니면 죽은 사람을 밟은 건가.

짧은 순간에 오만 가지 생각이 머릿속을 스쳐 지나가는데 바닥에 누워 있던 남자가 두 눈을 번쩍 떴다. 동시에 보석 같은 자안이 드러났다.

"뭐야, 너무 보고 싶어서 헛것까지 보게 되네."

라하트였다.

착각이 아니라 진짜 라하트!

눈이 마주치자마자 엘로라가 뒷걸음질 쳤지만 이미 늦었다. 벌떡 일어난 라하트가 엘로라의 팔을 붙잡았다.

"요즘은 헛것에도 온기가 느껴지구나."

그렇게 속삭이며 다른 한 손으로는 엘로라의 베일을 걷어 낸 라하트가 순식간에 거리를 좁혔다.

키스라도 할 듯이 얼굴을 가까이 가져오는 라하트를 엘로라는 밀쳐내지 않았다. 어떤 상황에서도 라하트가 입을 맞춘 적이 없었기 때문이었다.

그리고 예상대로 딱 입술이 부딪치기 직전의 거리에서 라하트는 멈췄다.

"피하지 않네?"

"……취하셨어요?"

"전혀."

살짝 고개를 저은 라하트가 배시시 웃었다. 아무리 봐도 잔뜩 취해서 보이는 반응 같았다.

보통 라하트는 취하지 않았다고 했을 때 취해 있었고, 취했다고 했을 때도 취해 있었다. 딱히 술 냄새는 나는 것 같지 않았지만 진지한 라하트보다는 평소에 보여 줬던 나사가 나간 라하트였기 때문에 엘로라는 긴장을 늦추지 않았다.

생글생글 웃고 있는 라하트의 얼굴을 보며 무미건조한 반응을 보인 엘로라는 이대로 있으면 남들이 제 얼굴을 볼까 봐 베일은 내버려 두라고 부탁하려 했다. 그러나 그 전에 루도비쿠스가 라하트를 밀쳐냈다.

딱히 강한 힘으로 엘로라를 붙잡고 있었던 것은 아닌 터라 라하트는 속절없이 뒷걸음질 쳤다.

“이것도 헛것인가?”

루도비쿠스에게 손가락질하며 묻는 꼴이 영락없이 취객이 하는 행동이었다.

“엘리, 피해.”

“엘리?”

라하트가 고개를 갸웃거렸다.

“엘리 아닌데. 내 신부님인데.”

“미친 사람이야. 내 뒤에 있어.”

루도비쿠스는 라하트를 전혀 알아보지 못하고 있었다. 그러지 않고서야 일국의 황자에게 대놓고 미친 사람이라고 말할 리 없었다.

각 나라마다 라하트의 얼굴이 수배 전단처럼 붙여 있는 것도 아니니 곧장 그를 알아보는 것이 더 이상한 상황이긴 했으나 저토록 선명한 금발에 자안 조합은 흔하지 않았다. 그런데도 눈앞에 있는 사람이 볼흐라스의 황자라는 사실을 눈치채지 못한 기색이었다.

“누구야?”

라하트가 엘로라를 바라보며 물었다. 미친 사람이라는 말을 들은 건 딱히 신경 쓰지 않는 기색이었다.

그간 기행을 통해서 별별 말을 듣는 사람이니 미친 사람 정도야 아무렇지 않은 듯했다. 아니면 루도비쿠스의 말을 전혀 듣지 않고 있는 것일 수도 있었다.

잔뜩 긴장한 루도비쿠스와 전혀 긴장하지 않은 라하트. 그 사이에 낀 엘로라는 루도비쿠스에 대해 어떻게 설명해야 할지에 대해 짧게 고민하다가 두 사람이 서로를 알아봤자 좋을 것 없다고 판단하여 선을 그었다.

“제가 알려 줘야 할 의무는 없죠.”

“소중한 사람인가 봐.”

“멋대로 판단하지 마요.”

“마치 회귀한 것 같네.”

명백히 거리를 벌리는 엘로라의 대답에 라하트가 입꼬리를 올렸다. 항상 웃는 얼굴을 하고 있는 라하트였지만 엘로라는 그것이 꼭 억지로 미소 짓는 것처럼 느껴졌다.

“대화 패턴이 예전과 비슷하잖아. 최근에는 조금 나아졌다고 생각했는데.”

라하트가 느릿하게 눈을 감았다가 떴다. 여전히 웃는 얼굴이었지만 보랏빛 눈동자는 짙게 가라앉아 있었다.

“아무래도 헛것이 아닌가 봐. 내 신부님은.”

무언가 잘못됐다. 라하트와 눈이 마주치자 오로지 그 생각만이 머릿속을 점령했다. 뒤늦게 무슨 말이라도 하려던 엘로라는 중간에 끼어든 루도비쿠스로 인해 자연스럽게 입을 다물 수밖에 없었다.

“계속 신부님이라는 둥 헛소리를 하시니 이 이상 엘리와 접촉하게 내버려 둘 수 없습니다.”

"무슨 권리로?"

"예?"

"네가 뭔데?"

"예? 어, 어……. 그러니까 저는……."

주정뱅이처럼 실실 웃으면서 대하던 라하트는 웃는 낯짝은 그대로였지만 목소리만큼은 사람을 주눅 들게 할 위압감을 가지고 있었다. 미묘하게 변한 어투를 눈치챈 엘로라는 주위를 둘러봤다.

미남 두 명에 검은 옷을 입은 정체불명의 여자. 충분히 주목을 받을 수 있는 조합이었다. 실제로도 대치가 길어지니 주위 이목이 집중되고 있음을 느낄 수 있었다.

"그만해요."

일방적으로 루도비쿠스를 밀어붙이던 라하트를 보며 말했다.

당장은 라하트와 헤어지고 이 상황에서 벗어나야 한다는 생각뿐이었다. 조금 전 라하트의 눈빛이 걸리긴 했으나 사람들의 관심에서 벗어나는 것이 먼저였다.

"모르는 사람이야. 신경 쓰지 말고 가자."

"엘리, 하지만……."

"가자."

루도비쿠스는 라하트에게 할 말이 많아 보이는 표정이었다. 그러나 엘로라의 재촉에 남자는 라하트에게서 등을 돌렸다.

누군가에게 쫓기듯이 서둘러 자리를 피하려는 엘로라와 루도비쿠스를 지켜보던 라하트는 평소와 같은 얼굴과 목소리로 능청을 떨었다.

"아, 그렇지. 모르는 사람이었지. 사람을 착각했네."

"……저야말로 밟아서 죄송합니다."

"전혀 아프지 않았어. 오히려 네가 주는 그 모든 것은 기꺼이 받아들일 자신이 있으니까 사과하지 마. 이런, 내가 또 사람을 헷갈려서 말하고 말았네. 베일에 가려져 있어도 그 아름다움은 내가 알고 있는 사람과 같다 보니."

라하트의 시선은 계속해서 엘로라를 향하고 있었다. 라하트가 엘로라의 정체를 모르고 있는 상태면 몰라도 서로 누가 누군지 뻔히 아는 상태에서 이런 웃기지도 않는 희극 같은 장면을 연출해야 하니 속이 더부룩했다.

하지만 그렇다고 하여 살갑게 아는 체 할 상황도 아니었기 때문에 따갑게 쏟아지기 시작한 시선을 느끼며 엘로라는 라하트에게 꾸벅 고개 숙여 인사했다. 그러고는 루도비쿠스의 팔목을 잡고 그곳을 벗어났다. 되도록 인적이 드문 곳으로.

"엘리, 아까 그 사람은……."

"내가 말했지. 의문을 가지지 말라고."

"미안, 깜빡했어."

한풀 기가 죽은 루도비쿠스의 목소리를 들으니 본인이 얼마나 가시를 세우고 있는지 깨달은 엘로라는 한숨을 내쉬었다.

가슴을 짓누르는 무언가가 함께 날아가길 바라며. 하지만 속이 시원해지기는커녕 여전한 기분이었다.

루도비쿠스가 잘못한 건 없었다. 잘못하지 않은 이에게 화풀이를 해서는 안 되니 진정할 필요가 있었다.

연거푸 한숨을 내쉰 엘로라는 마른세수를 했다. 남자는 그런 엘로라를 걱정스럽게 쳐다봤다. 모든 것이 자신의 잘못이라도 되는 것처럼.

“좋은 모습만 보여 주고 싶은데 그러지 못해서 미안해. 예전이나 지금이나 참 한심하지.”

“한심하지 않았어. 너는 그때도…….”

흐릿한 과거를 떠올리며 얘기하던 엘로라는 말을 끝맺지 못하고 그대로 입을 다물었다.

그들이 헤어지고 긴 시간이 지났다. 그동안 엘로라는 남자를 한 번도 추억하지 않았다. 오히려 잊고 있었다. 그런 주제에 과거의 그를 운운하는 것은 기만이 아닐까 하는 생각이 들었다.

오늘 만남을 통해 어릴 적 추억에 먼지를 털어 냈지만 그렇다고 하여 남자를 까맣게 잊었다는 사실은 변치 않았다.

엘로라가 채 말을 잇지 못하고 침묵을 유지하니 남자가 빙긋이 웃었다.

“그렇게 말해 주는 건 엘리, 너뿐이야.”

예전도, 지금도.

부끄러운지 뒷말은 주위가 시끄러웠다면 듣지 못했을 정도로 작은 소리였다. 남자의 솔직한 고백을 듣고 있자니 엘로라는 두근거리기보다는 중압감을 느꼈다.

그래서 다소 급한 감은 있었지만 더는 자리를 지키지 못할 것 같아서 헤어짐을 고했다.

루도비쿠스는 엘로라가 헤어지자고 한 이유가 라하트 탓이라고 생각했는지 피곤하겠다면서 수긍해 주었다.

깜빡 잊고 있었는지 뒤늦게 내일 요제프가 방문할 거라며, 부탁받은 얘기를 전한 그는 곧이어 다음 약속을 잡고 싶어 했지만 엘로라는 이를 모르는 척하며 먼저 자리를 떠났다.

생각을 정리할 필요가 있었다.

다음 날, 한숨도 자지 못한 엘로라는 히나 몰래 라하트와의 계약서를 꺼내 보았다.

직접 작성한 계약서였다. 시간이 제법 흘렀건만 아직도 토씨 하나 틀리지 않고 계약서 내용을 줄줄 읊을 수 있을 정도로 완벽하게 외웠다.

종이를 손으로 만지고, 활자를 눈으로 익히고 있자니 계약서를 작성할 때 당시의 심경이 떠올랐다.

그때만 하더라도 라하트는 완벽한 남이었으며 엘로라가 정해 놓은 선 밖에 있는 사람이었다.

한두 차례 만난 후에도 마찬가지였다. 무례하고 황당한 사람이니 죽었다 깨어난다 하더라도 그가 선 안으로 들어올 리 없다고 단정 지었다.

빠르고 조용한 결혼과 이혼.

오로지 그 길만을 걸을 것이라 확신했건만 지금 라하트라는 남자는 선 바깥도 아니고 선 안도 아닌 걸쳐 있는 상태였다.

그와 함께 한 시간만큼 거리가 좁혀지고 좁혀져서 여기까지 왔다. 이제 라하트를 선 밖 사람으로 만들 것인지, 선 안 사람으로 만들 것인지는 엘로라의 몫이었다.

엘로라는 '이혼'이라는 활자를 몇 번이나 손가락으로 쓸어내렸다.

이 종이는 약속의 증표였다. 그리고 그 약속은 엘로라 본인을 위한 것이기도 했다.

엘로라에게 있어 결혼은 족쇄였다. 이 결혼 생활을 지속하게 된다는 것은 못난이 엘로라로서의 삶을 지속하게 된다는 의미와 같았다.

비밀 통로 덕에 비교적 자유롭게 생활한다 하더라도 결혼 전과 비교할 수 없었다. 아히발트가 결혼하도록 수작을 부린 이유도 원래대로 삶을 되돌려 놓기 위함이 아니었던가.

모두 계획대로 되었고 이제 받아들이기만 하면 되는데 이제 와서 무엇을 망설이고 고민하고 있는지 스스로도 정확히 알 수 없었다. 라하트에 대한 감정이 정해진다 하더라도 선택은 같아야 했다.

만약 라하트에게 느끼는 이 감정이 사랑이라 하더라도 뒤로 물러설 수 없었다.

루도비쿠스를 만나고 나서 해답을 찾기는커녕 더 짙은 안개를 접한 기분이 되었지만 엘로라는 마음을 단단히 잡았다. 어떤 이유에서라도 무너져서는 안 되었다.

다소 복잡한 기분으로 가만히 계약서를 내려다보던 엘로라는 라하트가 왔다는 소식에 서둘러 자리에서 일어났다.

요제프가 방문하기로 한 날이었지만 두 사람의 시간대가 겹치지 않는 듯해 하루에 두 사람 모두 만나기로 했다.

대신 혹 모를 가능성을 대비하여 먼저 오는 라하트를 일찍 보낼 예정이었다.

라하트가 맨얼굴을 알고 있었기 때문에 굳이 변장할 필요는 없었지만 꿋꿋이 못난이 엘로라로 변장한 그녀가 라하트를 만나기 위해 정원으로 갔다.

언제나 그렇듯이 라하트는 아모몬 나무를 바라보고 있었다.

기척을 죽인 채 근처에 앉은 엘로라는 찻물을 따랐다. 그러는 동안에도 라하트는 아무 말도 하지 않았다.

어제 있었던 일 탓인지 침묵이 불편하게 느껴졌다. 저도 모르게 라하트의 눈치를 보게 된 엘로라는 긴 침묵 끝에 먼저 입을 열었다.

"오늘 약속이 있어요."

"그래?"

"네, 그래서 평소보다 일찍 가 주셨으면 해요."

"못할 것도 없지."

말이 끝나자마자 라하트가 엘로라의 얼굴을 빤히 쳐다봤다. 보랏빛 눈동자가 엘로라의 얼굴을 주시했다.

그의 행동을 그러려니 하며 무심하게 넘기고 싶어도 눈 한 번 깜빡이지 않고 부동의 자세로 쳐다보는데 신경 쓰일 수밖에 없었다.

라하트의 시선을 피해 아모몬 나무만 빤히 쳐다보고 있던 엘로라는 결국 고개를 돌려 라하트를 보았다. 눈이 딱 마주쳤다. 동시에 무표정하던 라하트가 빙긋 웃었다.

"……뭐 하세요?"

"내 신부님 봐."

"몹시 부담스러운데요."

"일찍 돌아가야 하는 만큼 더 보는 거지. 싫어?"

"싫다기보다는 부담스러워요."

"베일로 내 얼굴을 가릴까?"

라하트의 입에서 '베일'이라는 단어가 나오자 도둑이 제 발 저리다고 엘로라는 뜨끔했다. 언급하지 않고 있지만 어제 만난 사람이 서로라는 것을 알고 있었다. 마지막에 모르는 사람인 척했지만 전혀 모르는 사람이 아니었다.

"그러면 덜 부담스럽겠지."

"어제는……."

지금이라면 보는 눈도 없으니 편히 얘기할 수 있었다. 하지만 막상 라하트 앞에서 어제 이야기를 꺼내려고 하니 신중하게 단어를 고르게 되어 머뭇거렸다.

엘로라가 뜸을 들이고 있으니 라하트가 먼저 선수를 쳤다.

"맞아, 어제 못 본 만큼도 봐야 해."

헤실헤실 웃고 있는 라하트를 보고 있자니 어제 일에 대해 함부로 말을 꺼낼 수가 없었다. 마치 오늘 처음 본다는 듯한 저 태도는 어제의 연장선이었다.

문득 웃고 있지만 전혀 웃고 있지 않은 것 같았던 라하트의 얼굴이 머릿속에 스쳐 지나갔다.

마른침을 삼킨 엘로라는 어떤 말이라도 해야 할 필요성을 느꼈다. 그러나 라하트의 시선이 너무 따가워서 해야 할 말도 쏙 들어가게 되었다.

이렇게 되면 차라리 라하트의 시선이 닿지 않는 곳에서 해야 할 말을 정리해 두는 편이 나을 것 같아서 핑계를 대며 일어났다.

"차가 식었네요. 새것을 가져올게요."

"같이 가자."

"아뇨, 여기 계세요. 충분히 저 혼자서 준비할 수 있어요."

같이 일어나려는 라하트를 저지하며 아직 온기가 남은 티포트를 든 엘로라는 빠른 걸음으로 정원을 가로질러 갔다.

라하트의 시선에서 벗어났을 때쯤에는 걸어가는 속도를 늦추었는데 얼마 가지 않아서 엘로라의 시야에 자신과 똑같은 은발이 잡혔다.

아직 이곳에 있어서는 안 될 인물이었다.

"……오라버니?"

"엘로라!"

요제프가 반갑게 손을 흔들었다. 그런 그의 옆에는 난처한 얼굴을 한 히나와 붉은 머리칼의 사내가 있었다.

사내는 안대 대신 천으로 얼굴을 반쯤 가리고 있었지만 누가 봐도 루도비쿠스였다.

이 시간에 있어서는 안 될 인물이 한 명도 아닌 둘이나 있다니. 엘로라는 하마터면 들고 있던 티포트를 놓칠 뻔했다.

조금 전까지 머릿속을 장악하던 고민거리는 은발을 보자마자 싹 지워져 있었다.

"왜 이렇게 일찍 온 거야? 그리고 루디와 동행한다는 말은 없었잖아."

"어쩌다 보니 같이 오게 되었어."

라하트나 할 법한 변명이었다. 인상을 와락 찡그린 엘로라는 안절부절못하는 히나에게 티포트를 넘겼다.

"새 차를 우려서 갖다줄래? 그동안 이곳 상황을 정리하고 있을게."

"네, 네!"

먼저 히나를 보낸 엘로라는 루도비쿠스의 손목을 잡았

다. 그리고 요제프가 무어라 하기도 전에 그를 이끌고 아무 방에 들어갔다.

"에, 엘로라. 그게……."

"부탁이야. 여기 얌전히 있어."

아무도 없는 방에 홀로 남겨 놓는데 시야까지 가려 놓는 건 몹쓸 짓을 하는 기분이라 빠른 손놀림으로 얼굴을 가리고 있는 천을 풀어 준 엘로라가 낮게 경고했다. 감은 눈을 뜨지 않은 루도비쿠스는 고개를 끄덕였다.

그것을 확인한 엘로라는 방을 나갔다. 그러자 그녀를 기다리고 있던 요제프와 딱 마주칠 수 있었다.

요제프의 얼굴을 보자마자 엘로라는 살짝 목소리를 높여 말했다.

"무슨 속셈이야? 뜬금없이 루도비쿠스를 이곳에 데려오다니?"

'미쳤어?'라는 말이 목 끝까지 차올랐다.

요제프는 엘로라의 비밀을 지켜 줄 몇 없는 사람 중 하나였다. 그런데 비밀 통로를 이용하여 외부인을 데려온 것도 모자라 그에 대해 한마디 언급도 없었다. 엘로라로서는 뒤통수를 맞은 기분이었다.

"그래서 눈을 완벽하게 가리고 데려왔어. 돌아갈 때는 왔을 때와 동일한 방식으로 내가 데려다줄 거야. 그러니 안심해."

"그게 문제가 아니잖아. 어째서 그를 데리고 온 거야?

아무런 언질도 없이."

"크리센즈 남자가 착하고 순종적이래. 얼굴도 저만하면 나쁘지 않게 컸고."

"아니, 그게 지금 무슨 뚱딴지같은 소리야. 오라버니. 내 눈을 똑바로 쳐다보고 제대로 말해."

엘로라가 열을 내는 것과 달리 요제프는 태연했다. 전혀 관계없는 말을 늘어놓는 그를 노려보았다. 본인의 잘못을 정확히 인지하고 있을 그가 헛소리를 늘어놓는 것이 마음에 들지 않았다.

강경한 엘로라의 태도에 한숨을 내쉰 요제프는 조용히 묻어 놨던 속마음을 털어놓았다.

"이혼한다고 했잖아. 그런데 그날 보였던 그놈의 태도는 뭐야? 마치 널 진실로 사랑하는 것 같았어. 전적으로 네 인생이니 내가 간섭해야 하면 안 된다는 건 알지만 이상해. 그걸 계속 받아 주는 너도."

요제프가 미미하게 인상을 찡그렸다. 엘로라가 납치당했을 때 보였던 라하트의 태도나 두 사람이 주기적으로 만날 만큼 사이가 좋다는 공공연한 소문으로 인해 일방적인 관계가 아니라는 것을 알아챈 듯했다.

"머리 식힐 필요가 있는 거 아냐?"

요제프가 말하지 않아도 엘로라는 이미 계약서를 보며 마음을 다잡은 후였다. 라하트를 보며 느끼는 감정이 무엇이 되었든 모든 일은 그대로 진행할 것이었다.

감정에 치우쳐 일을 그르칠 리 없었다.

"맞아. 오라버니 말이 옳아."

"그렇지?"

"하지만 이건 아니지."

요제프의 걱정은 충분히 이해하는 바이지만 엘로라가 느끼기에 도를 넘어서는 행동이었다. 하마터면 최악의 상황이 벌어질 뻔했다.

"만약 내가 변장 중이 아니었으면 어쩔 뻔했어?"

"그래서 시야를 가렸잖아."

"대신 비밀 통로의 존재 자체를 알게 되었잖아."

"그 녀석, 귀도 막았어. 비밀 통로보다는 개구멍을 통해 들어왔다고 생각하고 있을걸. 개구멍은 어디든 존재하니까."

"너무 허접한 변명 아니야?"

"어차피 볼흐라스 사람도 아닌걸. 나중에는 어찌 될지 모르지만."

요제프의 뒷말이 의미심장했다. 나중에 어떻게 될지 모른다는 말은 꼭 언제든지 루도비쿠스가 다시 볼흐라스 사람이 될 수 있다고 하는 것 같았다.

루도비쿠스가 한 번 국적을 바꾸긴 했지만 그건 아버지인 페르니트의 죽음으로 인해 프란체에게 양육권이 있었기 때문이었다. 혼혈이라고 하여 손바닥 뒤집듯이 쉽게 국적을 바꿀 수 있는 건 아니었다.

국적을 바꾸기 위해서 몇 가지 조건이 있었는데 그중 하나를 떠올린 엘로라는 설마, 하는 마음으로 요제프에게 물었다.

"오라버니는 지금 내가 루도비쿠스와 연애라도 하길 바라는 거야?"

"연애라기보다는 새로운 만남이 필요하다는 거지. 하지만 그냥 만나라고 하면 절대 만나지 않을 거잖아. 세간에 알려진 너는 사람을 만나기 꺼려 하니까."

"어제 그와 만나길 부추긴 건 다 계산된 행동이었구나."

"네 사정을 고려한다면 그만큼 좋은 상대는 없으니까."

비록 그 의도는 미묘하게 달랐지만 요제프 또한 루도비쿠스를 보며 엘로라와 비슷한 생각을 하고 있었다. 현재 엘로라와 가까이 지낼 남성으로 루도비쿠스만큼 제격인 사람이 없었다. 원치 않게 아르미트가에 이용당하고 있는 루도비쿠스였다.

"일단 돌아가. 지금은 곤란하니까 나중에 다시 오든가 해."

"알겠어. 아까 걔 몰아넣은 방이 이 방이지?"

"내가 부를게. 오라버니는 먼저 가고 있어."

"그래도 되겠어?"

"오라버니의 의도가 어찌 되었든 날 보러 온 사람이잖아. 내가 얘기할게."

"친절하네."

요제프를 먼저 보낸 엘로라가 루도비쿠스가 있는 방의 문을 열었다. 기척을 듣자마자 화들짝 놀란 그가 엘로라를 돌아봤다.

나쁜 짓을 하다가 들킨 것처럼 살짝 불안한 기색을 지우지 못했지만 요제프와 했던 대화를 곱씹고 있던 엘로라는 눈치채지 못했다.

"시간 내서 방문해 줘서 고마워. 그런데 약속 시간에 대해서 오라버니와 나 사이에 오해가 있었나 봐. 괜찮다면 나중에 다시 찾아와 줄 수 있겠어?"

"으, 응. 가능해."

"양해해 줘서 고마워. 그리고 기껏 찾아왔는데 미안해."

"아니야, 원래 나는 올 생각이 없었는데 끼어들게 된 거잖아. 내가 더 미안해."

"혹시 오라버니가 막무가내로 행동한 거야?"

"막무가내는 아니었어. ……권유였지."

'권유'라는 단어를 꺼내기까지 잠깐의 공백이 있었다. 그 찰나를 놓치지 않은 엘로라는 둘 사이에 모종의 사건이 있었음을 알아챌 수 있었다.

나중에 요제프와 얘기를 나눠야겠다고 생각한 엘로라는 루도비쿠스와 방에서 나왔다. 그러고 천을 건네주었다.

"불편하겠지만 왔을 때처럼 눈을 가려 줘. 그 후에 오라버니가 있는 데까지 데려다줄게."

고개를 끄덕인 루도비쿠스가 눈을 가리기 위해 천을 들었다. 그 순간 익숙한 남자의 목소리가 엘로라와 루도비쿠스의 사이에 비집고 들었다.

"손님은 나 혼자뿐이라고 생각했는데 아니었네."

"당신은……."

"손님이 더 있었다면 찻잔을 하나 더 준비하지 그랬어."

곧바로 라하트를 알아본 루도비쿠스가 손가락질했다. 그걸 완벽하게 무시한 라하트는 실실 웃으면서 점점 더 가까이 다가왔다.

최악의 상황이 도래한 것이다.

전적으로 요제프의 책임이라 하여도 황궁에 루도비쿠스가 있는 것에 대해서 입이 열 개라도 할 말이 없는 엘로라는 슬쩍 라하트의 시선을 피했다.

남들 몰래 자유로이 황궁을 출입하는 엘로라를 보며 라하트는 비밀 통로에 대해 어느 정도 눈치채고 있는 듯했지만 그것을 엘로라 홀로 쓰는 것과 외간 남자를 몰래 들이는 데에 쓰는 건 의미 자체가 달랐다.

두 사람 다 당장 목이 잘려도 변명의 여지가 없는 상황이었다.

당장은 라하트가 루도비쿠스의 존재를 단순 손님 취급하고 있었지만 언제 불호령이 떨어질지 몰라 엘로라는 바짝 긴장했다.

"누군지 모르지만 안녕."

"아, 예."

"같이 차라도 마실래? 마침 새것을 우려 놓는다고 내 신부님이 갔었는데…… 티포트가 안 보이네. 잃어버리기라도 한 거야? 그렇다면 내 솜씨를 보여 줄까? 내가 10년 후에는 차 끓이는 대회에 나가서 1등을 차지할 사람이야."

너무 태연한 라하트의 태도 탓에 루도비쿠스가 얼떨결에 인사했다. 분명 어제 만난 그 사람인데 전혀 아는 체를 하지 않으니 얼떨떨한 모양이었다. 그런 루도비쿠스를 보며 라하트는 아무 말 잔치를 벌였다.

긴장 탓에 가만히 듣고만 있던 엘로라는 히나를 발견했다. 때맞춰서 온 히나는 상황이 더 심각하다는 걸 깨닫고 굉장히 혼란스러운 눈빛을 했다.

루도비쿠스와 라하트. 그리고 그 사이에 끼어 있는 엘로라.

한 여자를 쟁취하기 위한 삼각 구도였다. 그러나 히나의 눈에도 엘로라의 눈에도 전혀 달갑지 않은 구도였다.

만약 이곳이 황궁, 그것도 엘로라의 거처가 아니었다면 그들은 지금과 같은 위기감을 느끼지 않았을 거였다.

"새로 우린 차가 여기 있네요. 이제 돌아갈까요?"

단숨에 상황을 완벽하게 정리할 수 없었기 때문에 엘로라는 마치 루도비쿠스가 이곳에 없는 사람인 것처럼 무시하며 라하트를 끌고 가려고 했다. 세 사람이 함께 있어 봤자 혼란만 가중될 뿐이라는 걸 누구보다 잘 알고 있었다.

그러나 엘로라의 마음대로 움직여 줄 라하트가 아니었다.

"그러고 보니 통성명을 안 했네."

엘로라가 저지하기 전에 라하트가 여전히 웃는 얼굴로 자신을 소개했다.

윤온 장편소설

그 신부를 믿지 마세요

“라하트 루크렌츠. 다들 라하트라고 불러. 루크렌츠라는 성을 쓰는 사람이 한둘이 아니어서 헷갈리잖아.”

“루크렌츠라면…….”

“더불어 내 신부님의 남편이야. 자, 내 소개를 했으니 네 소개도 해야지.”

묘하게 강압적이었다. 엘로라 또한 피부로 와닿을 수 있을 정도였다.

라하트의 인상착의는 모르더라도 ‘루크렌츠’라는, 황족만이 쓸 수 있는 성씨는 익히 알고 있던 루도비쿠스는 지금 눈앞에 있는 상대가 황족이라는 것을 그제야 깨달았다. 그냥 황족이 아닌 불량하다고 소문난 엘로라의 남편.

딱히 무슨 짓을 한 건 아니었지만 상황도 상황이거니와 엘로라에게 불순한 마음을 먹고 있는 탓인지 루도비쿠스는 허둥지둥하며 어떻게 해야 할지 갈피를 잡지 못하다가 제 이름을 밝혔다.

“루도비쿠스 프란체입니다.”

“프란체라면 크리센즈의 프란체?”

“예, 그렇습니다.”

“아, 그렇게 된 거구나.”

루도비쿠스의 이름을 듣고 라하트가 무엇을 깨달았는지 엘로라는 알지 못했다. 대신 불길한 기운은 느낄 수 있었다.

눈꼬리가 휘어지도록 웃고 있는 남자의 얼굴을 보고 있자니 솜털이 쭈뼛 섰다. 평소에 라하트가 저렇게 웃을 때는 정말 기쁜 일이 있거나 상대를 홀리기 위해서였다. 제 얼굴이 잘난 걸 아는 남자인 만큼, 웃으면 어떻게 보이는지도 정확히 알고 있었다.

그런데 저 미소는 전자도 후자도 아니었다.

"내 신부님을 만나러 왔지? 이렇게 만난 것도 인연인데 셋이서 편하게 차라도 마시자."

"저, 그것이……."

"나는 내가 지금 서 있는 이곳이 내 신부님의 거처라는 것도 깜빡 잊을 정도로 반가운데 혹시 함께해서는 안 될 이유라도 있어?"

엘로라와 루도비쿠스는 뜨끔했다. 어떻게 들어도 원하는 대로 해 주지 않는다면 깜빡 잊었던 사실을 떠올리겠다는 의미였다.

라하트가 입 한 번 까딱 잘못 연다면 모두 사형이었다.

엘로라는 라하트를 무작정 저지하기보다는 그가 원하는 대로 해 주기로 했다. 제 의견을 밀어붙이기에는 죄가 깊었다.

"히나, 오라버니에게 먼저 돌아가라고 전해 줘. 지금쯤 그곳에 있을 거야."

사태의 심각성을 절절히 느낀 히나가 빠르게 사라졌다. 티포트를 든 엘로라는 두 남자와 함께 정원으로 돌아갔다.

루도비쿠스를 위한 찻잔은 없었으나 라하트가 차를 마시자고 한 것이 단순 핑계에 불과하다는 걸 이 자리에 있는 모두가 알았기 때문에 그 사실을 지적하는 사람은 없었다.

라하트는 자신이 원하는 대로 흐름을 바꾸길 잘했고, 루도비쿠스는 그것에 속수무책으로 끌려갈 성격이었다.

잠시라도 자리를 비웠다가는 전혀 다른 속성의 두 사람 사이에 무슨 일이 벌어질지 몰라서 촉각을 곤두세운 엘로라는 미안한 마음을 담아 뻣뻣하게 굳은 루도비쿠스에게 작게 속삭였다.

"루디, 미안해. 그리 오래 붙잡지는 않을 테니까 그냥 아무 말 하지 말고 가만히 있어 줘."

"따지고 보면 내 탓이잖아. 아무 말도 하지 않을게. 그보다 엘리, 넌 괜찮아?"

전혀 괜찮지 않았기 때문에 대답 대신 어색하게 웃음만 지어 주었다. 빈말이라도 괜찮다고 할 수 없는 상황이었다.

어제 일과 맞물려 엘로라는 라하트에게 대역 죄인이 되었다.

사실 따지고 보면 계약서에 서로 간섭하지 말자고 적혀 있고, 루도비쿠스와는 오랜만에 만난 소꿉친구였기에 크게 찔릴 일은 없었지만 라하트를 모질게 대한 것과 공교롭게도 요제프와 함께 등장한 루도비쿠스로 인해 무슨 말을 해도 변명처럼 들리게 됐다.

다소 숙연해진 분위기 속에서 세 사람 다 아무 말도 하지 않고 앉아 있었다. 그러던 중 엘로라와 루도비쿠스의 속닥거림을 들은 건지 멍하니 있던 라하트가 다소 늦게 반응했다.

"엘리? 루디?"
"그러니까 그게……."
"애칭이야?"
"……네."
두 사람 다 습관적으로 애칭으로 부르고 있었다. 빠져나갈 구석은 없는 터라 순순히 사실은 인정하니 라하트가 빙긋 미소를 지었다.
"나도 애칭으로 불러 줘."
"애칭이요?"
라하트에게 애칭이라니. 화들짝 놀란 엘로라가 들은 것이 맞는지 확인하듯 되물었다.
곧장 고개를 끄덕인 라하트는 선명한 보라색 눈동자를 반짝이며 느릿하게 말했다.
"자, 따라해 봐. 릿티."
다른 누구도 아닌 라하트를 애칭으로 부르려니 목소리가 나오지 않았다.
지은 죄가 있으니 웬만해서는 그가 하자는 대로 하고 싶은데 항상 딱딱하게 '라하트 전하'라고 불렀다가 갑자기 깜찍한 발음의 애칭으로 불러 주는 것이 될 리 없었다. 심지어 둘만 있는 것이 아닌 루도비쿠스가 지켜보는 와중이었다.
금붕어처럼 입술만 빼끔거리던 엘로라가 결국 말을 돌렸다.
"애칭이 참 깜찍하네요."
"나의 정체성을 반영하고 있지. 그러니 불러 줘."

"……하지만……."

"네가 불러 주는 애칭을 듣고 싶어."

낯부끄러워져서 얼굴에 열이 오르는 것을 느낀 엘로라는 고개를 돌렸다. 회피가 좋지 않다는 걸 알고 있었지만 차마 라하트의 얼굴을 똑바로 볼 수 없었다.

"엘리."

라하트가 엘로라를 애칭으로 불렀다. 가족이나 루도비쿠스에게 애칭으로 불렸을 때는 별다른 생각이 들지 않았는데 라하트가 부르니 기분이 묘했다. 움찔한 엘로라는 심장이 간지럽다고 생각했다.

"엘리, 내 이름을 불러 주지 않을 거야?"

다정한 목소리였다. 목소리에서 애정이 뚝뚝 떨어졌다. 거기다 애칭으로 부르고 있으니 엘로라는 더더욱 고개를 돌릴 수가 없었다.

"응? 나를 봐."

살금살금, 조금씩 거리를 좁힌 라하트가 엘로라와 손깍지를 꼈다. 애칭으로 부르면서 잡은 손에 살짝살짝 힘을 주는데 기분이 이상했다.

쥐구멍이라도 있다면 그곳으로 숨고 싶었다.

엘로라와 라하트 사이에 미묘한 신경전이 계속되자 엘로라의 부탁으로 조용히 지켜보고만 있던 루도비쿠스가 입을 열었다.

엘로라가 싫어하니 그만두라는 루도비쿠스의 말을 라하

트는 듣는 척도 하지 않았다. 마치 루도비쿠스가 이 자리에 없는 사람이라도 되는 듯, 오로지 엘로라만을 쳐다봤다.

"이제 그만 놀리……."

루도비쿠스의 목소리를 들으니 라하트가 자신을 의도적으로 놀리고 있을 수도 있다는 생각에 일순 화가 난 엘로라가 고개를 돌리며 말했다. 하지만 엘로라가 하고자 하는 말은 다 나오지 못하고 목구멍으로 도로 들어가게 됐다.

라하트의 입술이 엘로라의 뺨에 닿았다.

선명한 감촉에 돌처럼 엘로라는 굳어 버렸다.

"이건 실수."

실수가 아니었다. 헤실헤실 웃고 있는 라하트의 얼굴은 조금 전 일이 절대 실수가 아닌 의도적인 일이었음을 말하고 있었다.

당황한 엘로라가 무어라 말하기 전에 루도비쿠스가 자리에서 벌떡 일어났다.

"벌써 가려고?"

"사과하시죠."

"무엇을?"

"엘리한테 사과하세요."

엘로라는 이마를 짚었다. 그렇게 열을 낼 일이 아니었다. 게다가 루도비쿠스는 지금 아무 말도 하지 않고 얌전히 있는 편이 나았다. 아무리 별일 없었다고 해도 몰래 황궁에 침입한 만큼 당당하지 못한 지금, 그는 라하트의 도

발에 넘어간 것이나 마찬가지였다.

“내가 실수로 내 신부님의 뺨에 입을 맞춘 것뿐인데 어째서 사과를 해야 한다는 거지? 타인과 결혼한 사람도 아닌데.”

“어차피 당신은…….”

어떤 말을 하려던 루도비쿠스가 입을 다물었다.

할 말이 많은 표정이었다. 하지만 그는 라하트에게 따질 수 있는 처지가 아니었다. 라하트와 엘로라는 법적으로 혼인한 사이였지만 루도비쿠스는 완벽하게 남이었으니.

가벼운 스킨십을 가지고 왈가왈부할 권리가 없을뿐더러 황궁에 무단 침입까지 했으니 목소리를 높이기는커녕 입을 다물고 있어야 했다.

엘로라는 자신을 위해 화를 내 준 루도비쿠스의 심정은 이해하지만 그런 그를 달랠 상황은 아니었기에 잠깐의 침묵을 틈타 라하트에게 말을 걸었다.

“오늘 일은 제가 거짓 없이 설명 드릴게요. 어제 있었던 일까지 합쳐서요. 그 뒤로 어떻게 할지 결정하세요.”

“듣고 싶지 않아.”

“예?”

“농담이야.”

농담치고는 진지했다. 웃고 있는 라하트의 얼굴을 봐도 전혀 안심이 되지 않았다.

불안하게 쳐다보고 있으니 라하트가 자리에서 일어났다.

"일찍 돌아가라고 했는데 생각보다 오래 있었네. 배웅해 줄 거지?"

고개를 끄덕인 엘로라는 라하트가 내민 손을 잡았다. 맞잡은 손에 힘을 주어 엘로라를 끌어당긴 라하트는 그녀가 일어난 후에도 손을 놓지 않았다. 오히려 살짝 힘을 주어 놓고 싶지 않다는 의지를 보였다.

살짝 당황한 엘로라는 잠깐 손을 뿌리칠까 생각하다가 그냥 가만히 있었다. 그리고 루도비쿠스에게 이곳에 얌전히 있어 달라고 부탁하고는 라하트를 따라갔다.

손을 잡은 채, 한 발자국 뒤에서 라하트의 뒤통수만 바라보던 엘로라는 루도비쿠스와 충분히 멀어졌다고 판단했을 때 입을 열었다.

신중하게 굴고 싶었지만 더는 고민할 겨를이 없었다. 하지만 라하트가 더 빨랐다.

"오늘 일찍 돌아가라고 한 이유는 그 남자를 보기 위함이었지?"

"아니요, 그런 이유가 아니에요."

"부정하지 않아도 돼. 그가 너의 짝사랑이라는 것쯤은 알고 있어."

"예?"

"기억하고 있어. 네가 좋아하는 남자, 그 자식이잖아."

지금 라하트가 그 자식이라고 할 만한 사람은 루도비쿠스밖에 없었다. 준비했던 말과 전혀 연관 없는, 뜬금없는 발언에 미미하게 인상을 찌푸린 엘로라는 무슨 소리를 하냐는 듯이 라하트를 쳐다보았다.

그러나 라하트는 이런 엘로라의 반응을 연기라고 생각했다.

"외국인인 데다 다정하고 순종적이라고 했지. 크리센즈 남자가 대체로 그런 편이지."

라하트가 요제프와 비슷한 소리를 하고 있었다. 무슨 의도로 하는 말인지 곧장 이해하지 못한 엘로라는 뒤늦게 예전에 자신이 했던 말을 떠올릴 수 있었다.

상황을 모면하기 위해 대충 얼버무린 말인 터라 엘로라는 까맣게 잊고 있었는데 라하트는 아니었다.

그는 지금 오해하고 있었다. 완벽하게.

"네 앞에서는 서로 노력하자고 했지만 막상 마주하게 되니 치졸하게 굴고 있는 나를 발견할 수 있었어. 나는 생각보다 속 좁은 사람인가 봐."

"……."

"이런 내게 실망했지? 네가 싫어할 짓을 했잖아."

"아니, 아니에요."

다급하게 부정하던 엘로라는 혀를 깨물 뻔했다. 너무 당황해서 부정확하게 나온 발음은 신경 쓰지도 못했다. 그저 오해를 풀어야 한다는 생각만이 들 뿐이었다. 하지만 라하트는 엘로라의 부정을 진심이라 여기지 않았다.

"예의상 하는 말인 거 알아. 내가 비집고 들어갈 틈 따위 없는 것 또한 익히 알고 있고. 네가 항상 걸고 있는 목걸이처럼 계속해서 소중히 간직한 마음이겠지. 그 목걸이, 그 남자가 준 것이지?"

라하트가 언급한 목걸이는 결혼식 날 요제프가 선물한 목걸이이었다.

루도비쿠스와 전혀 관계없는 물건이었다. 가족이 전부 그려져 있는 그림이 숨겨져 있었기 때문에 항상 차고 다니는 거였다. 그런데 라하트는 아예 다른 방향으로 오해하고 있었다.

오해가 더 심각해지기 전에 진실을 설명해 주려던 엘로라는 그대로 라하트가 끌어안아서 아무 말도 하지 못했다.

라하트는 엘로라의 입에서 나올 진실이 자신의 예상과 별반 다를 것 없다고 생각하여 듣고 싶지 않아 하는 듯했다.

"조금이라도 너와 가까워지고 싶은데 항상 멀어지기만 해. 가까워졌나 싶으면 또 그만큼 멀찍이 떨어져 있어."

라하트의 목소리가 떨리고 있었다. 엘로라는 그 목소리에서 옅은 불안을 읽어 낼 수 있었다.

"하루가 지나면 어제보다 널 더 좋아하게 되는데 그때마다 헤어질 시간이 다가오는 것을 선연히 느낄 수 있어서 두려워."

지금 그가 어떤 표정을 짓고 있는지 보고 싶었으나 품에 안겨 있는 탓에 얼굴을 볼 수 없었다. 대신 엘로라는 목소리로 라하트의 표정을 유추했다.

한마디, 한마디 내뱉을수록 감정이 점점 더 선연해져 그리 어렵지 않게 상상할 수 있었다.

"살면서 이토록 두려워한 적이 없어."

느릿하게 두 눈을 깜빡이던 엘로라는 알 수 있었다.

라하트가 다가올 이별을 두려워하고 있음을.

첫 만남부터 헤어짐을 염두에 뒀던 사이였다.

라하트에게 느끼는 이 감정에 어떤 이름이 붙게 되더라도 엘로라의 생각은 변치 않았다. 이미 마음을 확실히 다잡은 상태였다.

그들은 헤어질 수밖에 없었다.

이제부터라도 이별을 준비해야 했다.

"전하께서는 처음이 아니잖아요."

엘로라가 라하트를 밀어내며 말했다. 그리고 고개를 들어 라하트를 올려다보았다.

"그러니 금방 극복할 수 있겠죠."

냉정한 엘로라의 말에 라하트의 얼굴이 일그러졌다. 꼭 울 것 같았다. 눈물은 흐르지 않았으나 당장 눈물이 흐른다고 해도 이상할 것 없었다. 그 얼굴을 보게 되니 엘로라는 가슴이 미어졌다.

"아니, 처음이야."

"저는 바보가 아니에요. 결혼하기 전에 전하의 소식 정도는 알고 있었어요."

"모리카와 나를 그런 관계로 생각하지 않잖아. 이제껏 알려졌던 사람들은 모리카와 마찬가지야."

“어째서요?”

순수한 궁금증이 고개를 들었다. 라하트가 여자를 많이 만난다는 것쯤은 지나가던 개도 알던 사실이었다. 그런데 그는 지금 그들과의 관계가 대중에게 알려진 것과 다르다고 주장하고 있었다.

“어째서 그렇게까지 하면서 살았던 거예요?”

‘엘로라 아르미트’의 인생을 망친 엘로라는 그 일이 얼마나 많은 각오와 결심이 필요한지 익히 알고 있었다. 자신을 버려야 하고, 원치 않은 일을 해야 했다.

이루고자 하는 일이 있었기 때문에 이 악물고 버틸 수 있었던 것이지 웬만한 결심으로는 힘들었다. 그 누가 스스로를 버리려고 들겠는가.

하지만 라하트는 제 손으로 제 명예를 실추시켰다고 말하고 있었다.

무엇을 위해?

그는 모든 것을 가지고 태어난 사람이었다. 굳이 힘들여서 여자를 만나는 척할 필요 없었다.

방탕한 삶마저 라하트에게는 허용되니 하고 싶은 일이 있다면 언제든 하면 되었다. 같은 황족이었지만 아히발트처럼 무조건 황제가 되야 한다는 사명을 가진 것도 아니었다.

엘로라는 이런저런 것들을 고려해 보아도 라하트가 중압감이나 책임감 같은 것에서 비교적 벗어나 있다고 생각했다.

라하트는 답하길 머뭇거렸다. 모리카가 알고 있다는 비

밀과 연관이 있는 것 같았다. 궁금하지 않다면 거짓이지만 사람이 살면서 지켜야 할 선이 있었기 때문에 엘로라는 더 묻지 않았다.

"억지로 말하지 않아도 돼요. 좋아한다고 해서 모든 걸 털어놓을 필요는 없으니까요. 대신 염치없지만 오늘 있었던 일은……."

"언급하지 않을게. 그 누구에게도."

"감사해요."

감사의 의미로 고개를 살짝 끄덕인 엘로라는 앞장서서 걸어갔다.

루도비쿠스를 짝사랑 한다는 오해를 풀어 줘야 한다는 생각은 들었지만 이제 와서 그 모든 것이 무슨 상관이겠냐는 냉소적인 마음이 들었다. 게다가 딱히 얘기를 꺼낼 분위기는 아닌 터라 침묵을 지켰다.

몇 걸음 가지 않아 저 멀리서 마차가 보였다. 그것을 확인하자마자 멈춰 서서 라하트에게 인사를 한 엘로라는 미련 없이 등을 돌렸다. 등 뒤가 따끔거렸지만 뒤돌아보지 않았다.

뒤를 돌아보게 되면 자신을 바라보고 있을 라하트를 볼 수밖에 없으니까.

한 번도 돌아보지 않고 왔던 길을 그대로 되돌아와서 정원이 아닌 방으로 걸음을 옮긴 엘로라는 머리를 묶고, 모자를 두 개 챙겼다. 하나는 여성용이고, 다른 하나는 남성용이었다.

그러던 중 마주친 히나에게는 루도비쿠스를 직접 데려다 주겠다고 하며 정원으로 갔다.

"데려다줄게."

라하트는 떠났지만 그와의 만남으로 인해 오랫동안 이곳에 있어서는 안 된다는 걸 깨달은 루도비쿠스는 다른 말을 덧붙이지 않았다.

대신 순순히 천으로 시야를 가리고, 엘로라가 건네준 모자를 썼다. 어째서 엘로라가 모자를 주었는지 이해하지 못하는 표정을 지어 보였지만 이 또한 묻지 않았다.

앞이 보이지 않기 때문에 루도비쿠스의 손을 잡은 엘로라는 비밀 통로를 통해서 황궁을 빠져나갔다.

아무것도 보이지 않는 상태에서 오롯이 엘로라에게 의지하며 걸어간다는 것이 두려웠는지 루도비쿠스가 긴장하고 있음을 맞잡은 손을 통해 느낄 수 있었다. 그가 안심할 수 있도록 말을 걸기보다는 아주 느릿한 걸음으로 조금씩 나아갔다.

두 사람은 비밀 통로를 빠져나온 후에 바로 헤어지지 않고 걸었다. 비밀 통로 근처에서 보내 주는 것보다 멀찍이 떨어진 곳에서 눈을 가린 천을 벗기고 헤어지는 것이 낫다고 생각한 엘로라의 판단이었다. 루도비쿠스에게 조금이라도 비밀을 알아챌 만한 힌트를 주고 싶지 않았다.

루도비쿠스는 고개를 숙였다. 그러자 눈을 가린 천이 티가 나지 않았다.

눈을 가린 채로 돌아다닌다면 누가 봐도 수상한 사람 같았기 때문에 모자를 씌운 것이었다.

"이제 만나기 힘들겠지."

"응, 곤란하지."

"그래도 혹시, 아주 혹시 이번 주 안에 다시 만날 수 있을까?"

루도비쿠스가 잡은 손에 힘을 주었다. 본인은 그 사실을 의식하지 못하는 듯했다.

절박함이 느껴지는 루도비쿠스의 행동에 엘로라는 살짝 마음이 흔들렸지만 아무 말도 하지 못했다. 그와의 만남으로 실이 되면 되었지 득이 될 것은 없다는 걸 알았기 때문이었다. 과거의 추억을 돌이켜 보는 것도 하루면 충분했다.

"곧 크리센즈로 돌아가. 그 전에 한 번이라도 널 만나고 싶어."

"돌아가는구나."

질문에 대한 답은 하지 못하고 애매하게 대답하자 루도비쿠스는 엘로라가 난처해하고 있음을 곧장 눈치챘다. 하지만 그렇다고 물러서기에는 시간이 없었다.

그는 엘로라와 마주하며 직접 얘기하고 싶었다. 그러나 묻지 않아도 지금 엘로라의 머릿속에는 라하트가 가득 차 있음을 알 수 있었다. 이럴 때에 얘기를 꺼내 봤자 좋은 답을 듣지 못한다는 걸 아는 루도비쿠스는 다음 만남을 기약

할 수밖에 없었다.

그마저도 쉽지 않아서 이렇게 헤어지면 끝이 아닐까 하는 불안이 있었다. 만약 화려한 언변을 터득했더라면 더 그럴 듯한 말로 얘기를 꺼냈을 텐데 전혀 그러지 못하는 자신을 탓하게 되었다.

"……널 만나면 어떻게 행동하고 말해야 할지 몇 번이나 연습했는데 생각보다 잘 되지 않아. 솔직하게 말하면 지금도 어둠이 두려워. 강한 척하려고 노력하고 있지만 너라면 벌써 알고 있겠지. 내가 겁쟁이라는 사실을."

"……."

"어제 오늘로 한심한 꼴만 보여 주게 되어서 미안해."

"괜찮아, 한심하지 않은걸."

"너는 괜찮다고 해도 나는 그게 용서가 안 돼. 네게는 항상 당당한 모습을 보여 주고 싶었는데 한 번도 그러지 못했잖아."

루도비쿠스가 짓이기듯이 말을 내뱉었다. 한 번도 빠짐없이 라하트의 페이스에 밀렸다는 사실에 화가 나는 듯했다.

"네 앞에 서면 한없이 작아지는 기분이야."

한숨 같은 루도비쿠스의 고백에 엘로라는 멈춰 섰다. 루도비쿠스 또한 엘로라를 따라 멈췄다.

"이제 벗어도 돼."

루도비쿠스의 머리에 씌워진 모자를 벗기며 말했다. 말이 떨어지자마자 그가 천을 풀었다. 빛 한 점 들어오지 않도록 꽁꽁 싸맨 터라 갑자기 쏟아지는 빛에 곧장 적응하지 못하고 미약하게 눈살을 찌푸렸다.

빠르게 두 눈을 깜빡이는 그를 잠자코 지켜보던 엘로라가 물었다.

"밝지?"

"으, 응."

"네가 밝은 곳에서만 있었다면 밝다는 것을 인지하지 못했을 거야. 하지만 어둠에 있었기 때문에 빛이 더욱 강렬하게 느껴진 거지."

챙이 넓은 모자를 쓴 탓에 엘로라의 얼굴은 짙게 그늘져 있었다. 하지만 시선만큼은 또렷하게 어릴 적 그대로 자라버린 소꿉친구를 바라보았다.

"빛이 있기에 어둠이 있고, 어둠이 있기에 빛이 있는 거야. 그러니 두려워하지 않아도 돼. 네 생각보다 어둠은 그다지 두려운 존재가 아니야."

눈이 마주쳤다. 동시에 불에 덴 것처럼 루도비쿠스가 황급히 시선을 돌렸다.

어쩐지 그 모습을 보고 있자니 실마리를 잡은 것 같았다. 잠시 뜸을 들이던 엘로라는 그에게서 한 걸음 멀어지며 말했다.

"네가 떠나기 전에 시간을 내 볼게. 긴 공백이 있고 현재는 사정이 많이 달라졌다 하더라도 넌 내 소중한 소꿉친구였고, 작별 인사는 해야 하니까."

"고마워."
"천만에. 그럼 다음에 보자. 안녕."
짧게 작별 인사를 한 엘로라가 등을 돌렸다.
햇살이 따사로운 오후였다.

그날 이후로 라하트는 아모몬 궁을 방문하지 않았기 때문에 혼자만의 시간을 가진 엘로라는 차곡차곡 마음을 정리할 수 있었다. 해야 할 것과 해서는 안 될 것. 그리고 솔직한 마음까지.

타인에게 건넬 언어마저 정리하고 나니 시간은 빠르게 지났다.

스스로 납득할 수 있는 상태가 된 엘로라는 루도비쿠스와 약속을 잡고 만났다. 작별 인사만 할 생각이므로 그리 오래 있을 수 없다는 말을 덧붙이자 루도비쿠스는 딱히 그것을 개의치 않아 했다. 만날 수 있다는 것만으로 기뻐하는 듯했다.

"크리센즈에는 내일 간다고 했지?"
"응, 내일 아침에 돌아가."
"일찍 떠나네."

"더는 이곳에 있을 이유가 없어서 그렇게 됐어."

루도비쿠스의 말을 듣고 있자니 어째서 그가 볼흐라스에 다시 오게 됐는지 물어보지 않았다는 걸 새삼 깨달았다. 아버지의 기일 탓에 방문했다고 지레짐작하고 있었는데 오로지 기일이 이유라기에는 제법 길게 체류하고 있었다.

"저, 잠시 걸을까?"

혹시 다른 이유가 있는지 물어보려다가 그대로 입술을 다문 엘로라는 고개를 끄덕였다. 루도비쿠스는 할 얘기가 있는지 몇 번 입술을 달싹이다가 도로 입을 다물었다.

검은 옷에 검은 베일을 쓰고 있던 엘로라는 힐끔힐끔 루도비쿠스를 보면서 그가 하고 싶은 말이 있음을 눈치챘지만 먼저 얘기를 꺼내지는 않았다.

제법 오래 걸었을 때, 드디어 얘기할 용기가 생겼는지 루도비쿠스가 걸음을 멈췄다. 덩달아 멈춰 선 엘로라는 익숙한 얼굴을 발견할 수 있었다.

"사실 네게 하고픈 얘기가 있었어."

처음에는 어째서 익숙하다고 느끼는지 알지 못했던 엘로라는 그녀를 뚫어져라 쳐다봤다. 그러다가 머릿속에 불현듯 한 가지 기억이 스쳐 지나갔다.

"엘리?"

"잠시, 잠시만."

루도비쿠스의 목소리는 거의 들리지 않았다. 그녀에게 집중하던 엘로라는 그 하나의 기억 때문에 앞뒤 가리지 않고 무작정 달려갔다. 지금이 아니라면 다시 그녀를 잡지 못할 거라는 생각이 들었던 탓이었다.

'네가 계속 오페라를 보러 가자고 했잖아.'

'분명 마음에 드실 거예요.'

'난 그런 고상한 거 싫어해.'

라하트와 오페라를 보러 왔던 여자. 바로 그녀였다.

빠르게 뒤를 쫓은 엘로라는 그녀의 옷자락을 잡았다. 그리고 얼떨떨한 표정으로 그녀가 뒤를 돌아보자마자 말을 쏟아 냈다.

"혹시 그쪽은 라하트……. 아, 아니에요."

"라하트 전하요?"

"죄송해요. 제가 사람을 착각했어요."

라하트를 언급하다가 자신이 충동적으로 무슨 짓을 저질렀는지 깨달은 엘로라는 마른세수를 했다.

미친 것 같았다. 왜 이렇게 분별력 없이 행동했는지 스스로도 이해할 수 없었다. 너무 충동적이라 뒷수습도 힘들었다.

이제 와서 라하트와 아는 사이냐고 물어봐서 무엇 하겠는가.

그녀가 라하트의 여자가 아니고, 단순히 비즈니스 관계라는 라하트의 말이 맞다 하더라도 변하는 건 없었다.

여자는 일행을 먼저 보내고 엘로라를 아래위로 훑어봤다. 엘로라가 베일을 쓰고 있었기 때문에 무엇을 하는 사람인지 찬찬히 살펴보는 듯했다.

"차림새를 보아하니 기자는 아닌 것 같고, 그렇다고 한몫 잡고 싶어서 그 사람을 언급한 것 같지는 않은데……. 혹시 그런 거예요? 사생아?"

"예?"

"성벽 나쁜 늙은이한테 팔려 갈 운명이라거나 도와줄 사람은 다 죽어서 삶을 비관적으로만 바라보고 있어요?"

"……어째서 그렇게 생각하신 거죠?"

"평범한 귀족이라면 그 사람의 이름을 입에 담을 생각도 하지 않죠. 어떻게 귀족인 줄 알았냐고요? 옷차림 보면 딱 각이 나오잖아요. 같은 검은 옷이라도 비싼 옷은 그 값어치를 해요."

그렇게 말하며 여자는 베일에 숨겨진 엘로라의 얼굴을 보기 위함인지 뚫어져라 얼굴을 쳐다봤다. 혹 정체가 들킬까 봐 엘로라는 한 걸음 뒤로 물러섰다. 조심성이 많은 성격이라고 생각한 건지 여자는 별다른 지적을 하지 않았다.

"어디서 소문 들었어요? 아니지. 소문이 돌 리 없으니 그 사람이 또 오지랖 넓게 얘기해 준 거예요? 참, 대책이 안 선다니까. 우리는 추천제가 아니라 지극히 능력제니까 그것만 알아 둬요. 다들 열심히 일하니까 동료가 된다면 어쩌면 지금보다 더 힘들지도 몰라요."

"아, 아니. 저는……."

여자는 엘로라가 말을 잇기를 참을성 있게 기다려 주었다. 그 눈동자에 자신의 모습을 투영하던 엘로라는 끝끝내 숨겨 왔던 언어를 꺼내고 말았다.

"만나고 싶어요."

말이 끝남과 동시에 손으로 입을 막았다.

다른 말을 했어야 했다. 만나고 싶다는 말이 아닌, 라하트와 아무 관련이 없는 사람이라는 말을.

하지만 입 밖에 나온 말은 직접 그 얘기를 한 엘로라에게도 충격적이었다. 여자를 발견한 이후로 너무나 충동적이라서 스스로를 감당할 수가 없었다. 마치 어딘가가 고장난 것만 같았다.

심장이 빠르게 뜀을 느끼며 슬쩍 여자를 보았다. 여자는 엘로라의 돌발 발언에 잠깐 놀란 듯했으나 딱히 그렇게 신경 쓰는 기색은 아니었다.

"혹시 다른 감정이 있어서 만나고 싶다고 한 건 아니죠?"

"저, 그게……."

"멀쩡한 얼굴에 넘어간 거면 일찍이 단념해요. 얼굴 하나만으로 좋아할 사람도 아니거니와 믿어지지 않겠지만 지금의 아내를 지극히 사랑하고 있어요."

"……."

"그녀에 대해 얘기할 때 세상에서 제일가는 바보 같은 얼굴이 됐다니까요. 사랑에 빠진 남자만큼 멍청이는 또 없을 거예요. 그러니 직접 만난다고 해서 그 사람을 뭐 어찌해 볼 생각은 하지 말아요. 물론 어찌 한다고 해서 넘어갈 사람은 아니지만."

타인에게 듣는 라하트의 진심이 낯설었다.

엘로라는 아무 말도 하지 않고 그냥 멍하니 여자의 말을 들을 수밖에 없었다.

“만나고 싶다고 했죠? 그와 따로 얘기를 나누고 싶은 거라면 여기 있어요. 결혼 후에는 우리와 만나지 않겠다고 아득바득 우기긴 하는데 인연을 끊으면 그쪽이 훨씬 아쉬울 입장이니 금방 데려올 수 있을 거예요.”

“아니에요. 굳이 그러지 않아도 돼요.”

“만나고 싶다고 했잖아요. 그쪽대로 사정이 있는 거 아니에요?”

“라하트 전하를 언급했을 뿐인데 제게 너무 친절하신 거 아니에요? 제가 이상한 사람이면 어쩌려고 그러세요?”

“세상에 여자의 말만큼 믿음직한 말은 또 없잖아요. 그리고 이상한 사람이면 또 어때요. 어려운 사람들끼리 도우며 살아가는 거죠.”

뒤늦게 정신을 차리고 반문하는 엘로라에게 대수롭지 않게 대답한 여자가 방긋 웃고는 자리를 떠났다.

그녀를 붙잡아야 한다는 생각은 들었으나 막상 몸이 움직이지 않았다.

여자의 옷자락을 잡기 위해 손을 들었으나 허공에 멈춰 있었다. 멀어지는 그녀의 뒷모습을 지켜보던 엘로라는 한참이나 그 자리에 가만히 서 있었다. 만약 루도비쿠스가 오지 않았더라면 계속 그렇게 서 있었을 것이었다.

"엘리!"

"미안, 내가 갑자기 뛰어가서. 우리 무슨 얘기를 나누고 있었지?"

스스로 생각해 보아도 고장 난 것 같았다.

몸도, 마음도.

반사적으로 다정한 음성을 짜낸 엘로라가 루도비쿠스가 보지 않을 미소를 지었다.

"무엇을 보고 그리 급하게 뛰어간 거야?"

"사람을 착각했나 봐. 아는 사람이라고 생각했어."

엘로라의 대답에 루도비쿠스는 라하트를 봐서 급하게 뛰어간 것이냐고 물으려다가 말았다. 만약 그렇다고 한다면 비참해지는 건 루도비쿠스뿐이었다.

라하트 때문이라도 엘로라라면 아니라고 할 가능성 또한 높았기 때문에 잠깐 입을 닫았다가 마른침을 삼켰다. 그러고는 용기를 짜내어 그동안 하고자 했던 얘기를 꺼냈다.

지금이 아니라면 더는 기회가 없었다.

"내가 이번에 볼흐라스에 온 이유는 페르니트 가문 때문이야."

"너희 아버지 가문이잖아. 아니, 이제는 네 사촌이 가문을 잇게 되었으니 너와는 상관없으려나."

"맞아, 그랬지. 그런데 지병을 앓고 있어서 얼마 전에 이 세상을 떠났어."

"아, 저런."

갑작스러운 소식에 엘로라는 당황을 금치 못했다. 장례를 조용히 치른 건지 페르니트 가주의 죽음에 대한 얘기를 들은 기억이 없었다.

“장례식에 참여하기 위해 볼흐라스에 온 거야?”

“아니, 아니야. 내가 이곳에 온 이유는…….”

잔뜩 마른 입술을 달싹이던 루도비쿠스가 제 머리칼을 잔뜩 헝클었다. 아버지의 기일과 그리 멀지 않은 날에 사촌까지 죽었으니 심경이 복잡할 만도 했기에 엘로라는 잠자코 그가 다음 얘기를 하길 기다렸다.

“사촌이 죽음으로 인해 가주 자리가 공석이 되었어. 적장자는 나밖에 없기 때문에 다들 내가 가문을 맡길 바라게 되었지. 필담으로 나눌 만한 얘기는 아니라서 어머니와 함께 직접 볼흐라스에 온 거야.”

“그랬구나. 기일이라서 찾아왔다고 하기에는 어딘가 이상하긴 했어. 그러면 이제부터 볼흐라스에 남게 되는 거야?”

“아직 고민 중이야.”

“네 인생에 큰 분기점이 될 만한 일이니 깊게 고민해야 하는 것이 옳지.”

여전히 다정한 엘로라의 음성에 힘을 얻은 듯, 루도비쿠스가 속내를 털어놨다.

“크리센즈에서 지내면서 가장 많이 들은 얘기는 내가 남자이기 때문에 어머니의 뒤를 이을 수 없다는 거야. 어머니는 내가 어떤 삶을 살든 신경 쓰지 않았지만 주위 반응은 달랐지. 다들 어머니의 자식이 그 명성을 잇지 못한다는 것에 대해 아쉬워했어."

볼흐라스가 전쟁 없는 평화 시대를 즐기고 있는 것에 반해 크리센즈는 북부에 인접해 있는 국가에게 지속적으로 침공을 당하고 있었다. 그들의 대외적인 전쟁 명분은 여성이 통치하는 국가를 볼 수 없다는 것이었다.

계속되는 전쟁에서 프란체는 소수의 인원으로 적군을 격파하여 크리센즈의 국가적 영웅이 되었다.

프란체라는 성씨 또한 승전한 공으로 받은 것이었다. 그랬기 때문에 볼흐라스의 외교관이었던 페르니트와의 결혼이 양국에게는 충격적이었고, 프란체의 임신 소식에 크리센즈 사람들은 많은 기대를 했을 것이었다. 무려 그 프란체의 자식이니.

그러나 루도비쿠스가 아들로 태어난 탓에 여성 위주의 사회인 크리센즈에서는 많은 안타까움을 산 듯했다.

"그 탓에 데릴사위가 되라는 제안을 받거나 자신이 프란체가 되겠다고 하는 사람이 많았어. 모두 결혼으로 엮이는 관계였지. 하지만 그 어떤 제안에도 승낙할 수 없었어."

루도비쿠스가 엘로라의 베일을 바라보았다.

눈빛만큼은 올곧았다.

"내가 사랑하는 사람은 너야."

"……."

"나와 함께 크리센즈로 가자. 난 널 위해서라면 모든 걸 포기할 수 있어."

"루디."

"더는 프란체가 아니어도 좋아. 너만 행복할 수 있다면 프란체도, 페르니트도 다 버릴 수 있어."

루도비쿠스는 지금 엘로라를 위해 모든 명예를 버리겠다고 말하고 있었다. 프란체도 페르니트도 선택하지 않은 채 오로지 엘로라만을.

만약 엘로라가 혼인하기 전이었다면 그 마음은 기쁘게 받아들였겠지만 현재 그녀는 이미 결혼한 몸이었다. 그것도 무려 황족과. 빈말로도 그 제안을 기꺼워할 수 없었다.

"루디, 내가 말했잖아. 네 마음은 알겠지만 난 이미 결혼한 몸이야. 사랑의 도피라도 하자는 거야? 그랬다가는 우리 가문뿐만 아니라 페르니트 또한 풍비박산 날걸."

"어차피 이혼할 거잖아."

"단정 짓지 마. 미래 일은 아무도 몰라."

기억 속 루도비쿠스는 이렇게 막무가내로 밀어붙이는 남자가 아니었다. 성인이 되었으면 책임감이라는 것을 느낄 법한데 그 모든 것을 벗어던지고 오로지 달콤한 로맨스만을 꿈꾸는 루도비쿠스는 감당이 되지 않았다.

"봤어."

"무엇을?"

"계약서."

"……뭐?"

"보려고 했던 건 아니야. 방을 구경하다가 어쩌다 보니 책상 위에 있는 걸 읽게 되었어."

루도비쿠스의 충격적인 발언에 엘로라는 멍하니 그를 바라보았다. 거짓말을 하는 얼굴은 아니었다. 누가 농담으로라도 계약서라는 단어를 이 상황에서 언급할까.

라하트가 왔다는 소식에 다급하게 나오느라 채 정리하지 못한 계약서를 본 것이다. 요제프와 대화를 나눈다고 루도비쿠스를 잠시 아무 방에나 두었다는 것이 이렇게 될 줄은 엘로라는 예상조차 하지 못했다.

끝이 정해진 결혼. 그 누구에게도 알려져서는 안 될 계약의 내용이 밝혀지고 말았다. 명백한 엘로라의 실수였다.

변명을 할 수 있는 상황이 아닌 터라 말 없이 관자놀이를 꾹꾹 누르던 엘로라는 "이 근처예요."라고 하는 여자의 목소리를 들었다.

이어지는 라하트의 목소리에 너무 라하트 생각만 하여 환청을 들은 건가, 하는 생각이 잠깐 들었지만 환청이 아니었다.

"난 누구 영업한 적 없다니까."

"아, 예."

"심지어 검은 옷에 검은 베일이라니. 그런 정체불명의 여자는……."

"어차피 이혼할 거라면 나와 크리센즈로 가자. 볼흐라스에 있으면 계속 조롱당할 뿐이야. 네게 있어서 크리센즈에서 사는 게 더 행복할 거야."

라하트의 목소리가 들렸다. 루도비쿠스의 말을 듣던 중 엘로라는 빠르게 고개를 돌렸다.

그리고 눈이 마주쳤다. 항상 자신을 바라봐 주는 보랏빛 눈동자와.

"가자."

"예?"

"돌아가자."

"하지만 저기에……."

라하트가 여자를 이끌고 빠르게 사라졌다.

분명 그 또한 들은 것이다. 루도비쿠스의 고백을.

엘로라의 머릿속은 뒤죽박죽이었다. 그 와중에 오해하고 있는 라하트를 쫓아가야 한다는 생각이 가득 들어찼다. 혼란스러워하던 엘로라는 라하트가 사라진 방향으로 몸을 돌렸다.

"엘리."

곧장 달려가려는 엘로라를 루도비쿠스가 붙잡았다. 자리에 우뚝 선 엘로라는 그런 그를 보았다.

"가지 마."

"루디, 미안하지만 나는 그럴 수 없어."

"너라면 무엇이 옳은 선택인지 알고 있잖아. 곧장 떠나자고 하는 게 아니야. 이혼 후 같이 떠나자는 거지. 네가 내게 확신만 준다면 널 위해서라면 크리센즈에 계속 살 거야. 가주가 되지 않더라도, 크리센즈에서 차별받으면서 살게 되더라도 날 사랑해 주는 너만 있으면 행복할 수 있어."

루도비쿠스의 말대로였다. 무엇이 옳은 선택인지 엘로라는 알고 있었다. 라하트도 루도비쿠스도 선택하지 않고 홀로 살아가는 것.

그것이 엘로라가 선택할 수 있는 가장 옳은 선택지였다.

엘로라가 그린 미래에는 엘로라의 원래 얼굴과 이름을 알고 있는 사람은 없었다. 가족도, 친구도, 히나도.

그 누구도 남지 않았다.

자유를 얻고자 한다면 '엘로라 아르미트'로서의 모든 것을 버려야 했다. 폐허였다.

"물어보고 싶은 게 있어."

스스로 듣기에도 차분한 음성이었다. 꼭 낯선 이의 목소리 같았다.

"어째서 나를 사랑해?"

"그야 넌 내 첫사랑이잖아."

한 치의 망설임도 없는 단호한 대답이었다. 그 말을 들은 엘로라는 저도 모르게 피식 웃음을 터트렸다.

웃음의 의미를 알지 못한 루도비쿠스가 움찔했다.

"그거 알아? 우리가 만난 이후로 넌 한 번도 내 얼굴을 제대로 본 적 없어."

엘로라는 얼굴을 가려 주는 베일을 걷었다. 최악이라고 불리는 얼굴이 가감 없이 모습을 드러내자 얼굴을 미약하게 찡그린 루도비쿠스가 살짝 고개를 놀렸다.

"너는 추억을 간직하기 위해 변함없는 모습을 간직하고 있는 거야. 그래서 과거와 비교하면 확연히 변해 버린 내 얼굴을 보지 못하는 것이고."

"아니, 나는……."

"루도비쿠스."

더는 남자를 애칭으로 불러 주지 않았다.

어린 시절의 꿈에서부터 깨어날 시간이었다. 동화 같은 추억을 되새김질할 시간은 끝이 났다.

"인정해. 우린 더 이상 그날의 어린아이가 아니야."

"……."

"넌 네가 만들어 낸 허상인 나에게 기대어 지내 왔을 뿐이야."

어릴 적과 별반 다를 것 없는 외양을 하고 있는 남자가 그때의 이야기를 생생하게 해 주는 것도 모자라 그때의 감정을 오롯이 안고 있다고 했다. 마치 꿈같은 이야기였다. 그래서 꿈에서 살고 있지 않은 엘로라는 알고 있었다.

그가 사랑한 이는 과거의 자신이었음을.

과거를 놓지 못하여 본인마저 과거에 갇혀 있음을.

"계속 보았잖아. 난 과거와도 같지 않고 네가 만든 허상과도 같지 않아. 만약 너를 따라서 크리센즈에 가게 된다면 네 상상처럼 좋은 결말을 맞지 못할 거야. 넌 실망할 거고, 나는 떠날 테니까."

루도비쿠스가 믿어지지 않는다는 표정으로 엘로라를 보았다. 그는 모든 것을 버리면서 엘로라를 택하겠다고 했는데 정작 돌아오는 대답은 냉혹하기 그지없다는 것이 믿어지지 않는 듯했다.

"같이 지내다 보면 예전처럼 지낼 수 있을 거야."

"시간이 모든 것을 해결해 준다고 생각한다면 오만이야. 난 널 사랑하지 못할 거야. 평생토록."

엘로라는 과거가 아닌 현재에 머무르고 있었다. 미래를 향해 달리고 있는 그녀가 과거에 머무르고 있는 루도비쿠스를 사랑하게 될 리 없었다.

"기억 나? 내가 기르던 개가 죽은 날. 그때 넌 그 시체마저도 무서워하면서 날 위로해 주었지."

곧장 그날의 기억이 떠올랐는지 루도비쿠스가 고개를 끄덕였다.

"너에게는 두려움을 극복할 용기가 있어. 그러니 더는 그 자리에만 머무르지 않고 앞으로 나아갈 수 있을 거야."

엘로라는 루도비쿠스에게 하는 말임과 동시에 자신에게 하는 얘기라고 생각했다.

거짓을 걷어 내고 오롯이 진실만을 드러내는 것이 두렵지만 앞으로 나아가기 위해서는 필요한 과정이었다. 언제까지나 숨어 있을 수만은 없었다.

'나를 숨긴 채 살아가다 보면 진짜 내가 어떤 사람인지 잊고 살게 돼. 그럴 때 편하게 얘기할 수 있는 상대가 있다

면 내가 어떤 사람인지 자각할 수 있게 되지. 마치 꿈에서 깨듯이.'

라하트의 말이 옳았다. 오랫동안 엘로라는 거짓에 자신을 숨겨 왔다. 솔직함이 항상 올바른 선택은 되어 주지 않았기 때문에 얼굴을, 이름을, 감정을 거짓으로 만들어 내었다.

거짓에 길들여져 솔직하다는 건 엘로라에게 있어 고장났다고 생각하게 될 만큼 어색하고, 부자연스러운 현상이었다.

타인으로 있는 시간이 너무 오래되어 스스로를 지워 버리고 있던 것이었다.

그러나 라하트만은 언제나 올곧게 엘로라를 봐 주었다.

그는 어떤 거짓도 통하지 않는 유일한 사람이었다.

유일하기에 익숙지 않았다. 그에게 느끼는 감정 또한 마찬가지였다. 모르는 데다 처음부터 좋지 않은 것이라고 생각해 온 탓에 꾸준히 부정했다.

거짓으로 진심을 덮은 것이었다.

하지만 이마저도 라하트에게는 통하지 않았다. 그는 엘로라와는 다르게 솔직하게 제 마음을 표현했다. 계속해서 부딪쳐 오는 라하트의 존재로 인해 거짓 위에 굳건히 서 있을 거라 생각했던 엘로라는 흔들릴 수밖에 없었다.

진심 앞에서 거짓은 빛을 바랬다.

더는 거짓 위에 서 있을 수 없어서 긴 시간 묻어 놨던 감정을 꺼내려 했지만 너무나 오랫동안 숨겨져 있었기에 이름이 없었다.

그러다가 라하트와 마찬가지로 추악한 자신에게 사랑을 고백하는 루도비쿠스를 보며 감정에 대한 정의를 내릴 수 있을 거라 믿었다. 두 사람이 말하는 사랑이 같은 종류의 것이라고 판단한 것이었다.

그건 오만이었다. 추억에 기대어 사랑을 속삭이는 그와 같을 수 없었다. 눈앞에 있는 남자는 라하트가 아니었다.

엘로라가 꼭꼭 숨겨 왔던 이 알 수 없는 감정을 표현할 수 있는 사람은 라하트가 유일했다.

비록 이별이 정해졌다 하더라도 그에게만은 솔직하게 얘기하고 싶었다. 거짓이라는 베일을 걷어 내고 민낯을 마주해 준 것은 그가 유일하기에.

루도비쿠스와 마찬가지로 꿈에서 깨어날 시간이었다.

흘러 넘쳐 버려 저도 모르게 나온 진심을 조심스럽게 꺼낼 순간이기도 했다.

“그 남자에게로 갈 거야?”

엘로라가 고개를 끄덕였다. 그러자 루도비쿠스는 이해하지 못한다는 표정을 지었다.

“무려 계약서까지 쓴 관계잖아. 네 결혼은 사기라고! 그런데도 그를 쫓아갈 거야? 그 남자를 사랑해?”

“모르겠어.”

가장 솔직한 대답이었다. 엘로라는 아직 라하트를 사랑

하느냐는 질문에 명확히 답할 수 없었다.

"하지만 한 가지는 확신할 수 있게 되었어."

엘로라가 두 눈을 빛냈다. 그 확신이 있기에 달릴 수 있는 것이었다.

"그 남자를 선택해서 볼흐라스에 남게 되면 너는 후회하게 될 거야."

라하트는 볼흐라스의 황자였다. 라하트를 선택하겠다는 것은 볼흐라스에 영원히 남겠다는 의미와 같았다. 루도비쿠스를 선택하게 되면 크리센즈로 갈 수 있다는 선택지가 생기듯이. 적어도 루도비쿠스는 그렇게 받아들였다.

"루도비쿠스. 나는 지금 내 인생을 의탁할 사람을 고르는 게 아니야. 내 감정이 무엇이 되었든 나는 나고, 그는 그일 거야."

엘로라의 말에 루도비쿠스는 뒤통수를 얻어맞은 듯한 표정을 지었다. 이제야 깨달은 것이다. 엘로라가 누구를 선택하든 그가 엘로라의 인생을 좌지우지할 권리는 없다는 것을. 사랑이 종속을 뜻하는 건 아니었다.

"엘리!"

라하트가 사라진 방향으로 달려가려다가 몇 걸음 가지 않아서 루도비쿠스의 부름에 멈춰 선 엘로라는 뒤를 돌아봤다. 만약 또 막무가내로 붙잡으려고 한다면 무시하고 달려갈 생각이었다.

"내가 만약 널 똑바로 쳐다봤다면 네가 지금 향하고 있는 사람은 그 남자가 아니라 나였을까?”

“너는 이 제국에서 소문난 망나니가 아니잖아. 그러니 같을 수 없어.”

망설임 없이 대답한 엘로라가 싱긋 웃었다. 처음으로 엘로라의 얼굴을 보게 된 루도비쿠스가 멍하니 쳐다보았다. 세상에서 제일 못생긴 얼굴로 세상에서 제일 행복한 미소를 짓고 있는 그녀를.

루도비쿠스의 반응으로 뒤늦게 자신이 베일을 쓰고 있지 않음을 깨달은 엘로라는 누가 보기 전에 다시 베일을 썼다. 그리고 완벽하게 얼굴을 가린 채 달렸다.

발걸음이 가벼웠다.

라하트를 만나게 된다면 해 주고 싶은 얘기가 있었다.

한참을 뛰어가던 엘로라는 운 좋게도 라하트를 데리고 왔던 여성을 만날 수 있었다. 남들이 한 번쯤은 돌아볼 만큼 빠르게 뛰어간 엘로라가 그녀를 붙잡았다.

어딜 가나 눈에 띄는 금발은 보이지 않았다.

“전하는……, 전하께서는 어디에 계세요?”

“또 어디서 술이나 마시고 있겠죠. 그런데 대체 무슨 일이 벌어지고 있는 거예요? 당신은 누구고, 아까 옆에 있던 남자는 또 뭐예요?"

라하트의 반응으로 인해 자신이 착각했음을 알게 된 여성이 질문했다. 제대로 된 답이 돌아올 수 없는 질문이었다. 실은 그 유명한 엘로라가 자신이라는 얘기를 제정신으로 할 수 있을 리 없었다.

"볼흐라스에서 내가 모르는 일이 벌어지다니! 믿을 수 없어요."

"그가 주점에 간다고 했나요?"

"음, 잠시 실례할게요."

당장 따라간다 하더라도 찾아봐야 할 곳이 많았기 때문에 되도록 수색 범위를 좁히고 싶은 엘로라가 물었지만 놀라워하던 여자는 대답 대신 엘로라에게 손을 뻗었다.

어서 라하트의 뒤를 쫓아야 한다는 생각에 빠져 그녀를 저지하지 못한 엘로라가 아차 하는 사이에 베일이 걷혔다.

"어머."

엘로라의 얼굴이 드러났다. 너무 못생긴 얼굴을 확인하자마자 두 눈을 동그랗게 뜬 여자는 상대가 누구인지 곧장 떠오른 것인지 확신을 담아 말했다.

"혹시 당신……."

정신을 차린 엘로라가 재빠르게 여자의 입을 막았다. 때문에 정체가 그녀의 입 밖으로 나오지 않았다.

다시 베일로 얼굴을 가리고 혹 다른 누군가가 얼굴을 보지 않았는가 싶어서 주위를 살폈다. 운 좋게도 아무도 엘로라의 얼굴을 보지 못한 듯했다.

안도의 한숨을 내쉰 엘로라는 여자의 입술을 막고 있던 손을 떼어 냈다.

못난이 엘로라는 행동에 제약이 있었다. 지금 바깥에 있을 것이 아니라 아모몬 궁에 얌전히 지내고 있어야 했다.

이름도, 정체도 알지 못하는 낯선 이에게 버젓이 바깥을 돌아다니고 있다는 사실이 드러났으니 상황이 좋다고 할 수 없었다.

만약 예전이었다면 잔뜩 당황하여 어쩔 줄 몰라 했을 것이었다. 그러나 지금은 아니었다. 짧게 대화를 나눈 상대일 뿐인데 믿음이 있었다. 엘로라는 자신의 감정을 믿었다.

"비밀로 해 줄 수 있죠?"

차분한 목소리였다. 낮게, 속삭이는 듯한 엘로라의 말에 동그랗게 뜬 눈을 천천히 깜빡이던 여자가 고개를 끄덕였다.

"여자는 비밀을 가질 때 가장 아름답죠. 당신의 비밀, 평생 간직할게요. 물론 그 남자를 위해서가 아니라 당신을 위해서예요."

그 못난이 엘로라라는 것을 알아낸 사람의 반응치고는 덤덤했다. 필시 못난이 엘로라에 대한 악명을 귀 따갑게 들었을 텐데 평범한 사람처럼 대하고 있었다.

얼마 전까지만 해도 무투 대회에서 하품이 나올 정도로 무수히 많은 험담을 들었던 엘로라는 그것이 색다르면서도 라하트와 관련이 있을 거라고 지레짐작했다.

“어딜 간다고 확실하게 말하지는 않았어요. 살짝 넋이 나간 표정이었거든요. 원래 자주 넋이 나가기는 한데 진짜로 얼빠진 모습 알죠? 상태가 심각해 보여서 따져 묻지는 않았는데 일단 저쪽으로 갔으니 찾아봐요.”

“감사합니다.”

감사의 인사를 전한 엘로라가 여자가 가리킨 방향으로 빠르게 달려갔다. 그러고는 주점이 보일 때마다 무작정 들어가서 금발부터 찾았다.

하지만 없었다. 혹 바닥에 누워 있는 것은 아닐까 하여 바닥을 보며 걷기까지 했으나 흔적조차 발견할 수 없었다.

그 어디에도 라하트는 존재하지 않았다.

돌이켜 보면 결혼 발표 이후 엘로라는 라하트와 자주 마주쳤다. 어디에나 있을 것 같던 남자가 어디에도 있지 않으니 미약한 불안감이 싹 트기 시작했다.

해가 지고 있었다. 어두워지면 바깥에서 찾기 힘들었다.

주위를 서성이던 엘로라는 혹시나 하는 마음으로 황궁으로 돌아갔다. 다소 경황이 없어 보이는 엘로라의 상태 탓에 히나가 걱정했지만 엘로라는 히나의 얼굴을 보자마자 라하트의 궁에 연락을 넣어 보라고 했다.

곧장 라하트를 찾는 엘로라의 행동을 이상하게 여겼으나 굳이 이유를 묻지 않은 히나가 금세 갔다가 돌아왔다. 그녀는 라하트가 황궁 근처에 오지도 않았다고 알려 주었다.

아직 바깥에 있다는 의미였다.

그러나 쥐 잡듯이 주위를 살폈던 엘로라는 라하트의 머리칼 한 올 보지 못했다. 그가 방문할 확률이 가장 높은 주점은 닥치는 대로 들어갔었다.

거리와 주점. 라하트가 있을 만한 곳은 다 돌아다닌 후였기에 지금쯤 어디에 있는 것인지 짐작이 가지 않았다.

굳이 오늘이 아닌 내일 얘기를 해도 되었지만 갑자기 자취를 감춘 라하트를 이대로 내버려 둘 수 없었다. 그가 마지막에 보여 줬던 표정을 생각한다면 더더욱.

해가 졌다. 엘로라는 어둠이 내리는 하늘을 가만히 올려다보았다. 어둠이 짙어질수록 하늘에 걸린 별이 강렬히 빛났다. 여명이 밝아 올 때까지 계속될 빛의 행진을 지켜보던 엘로라는 벌떡 일어났다. 그리고 달렸다.

곧장 서재로 가서 서랍 깊숙이 숨겨 둔 계약서를 꺼내고는 비밀 통로로 향했다.

“아가씨, 어디 가세요!”

“금방 다녀올게!”

다급히 뛰어가는 엘로라의 뒷모습을 보며 히나가 물어봤지만 자세히 설명해 줄 시간이 없었다. 엘로라의 머릿속에는 어서 그를 만나야 한다는 생각뿐이었다.

익숙하게 비밀 통로를 통해 밖으로 나온 엘로라는 다시 달렸다. 하지만 이번에는 목적지가 있었다. 예측이 맞을 거라는 보장은 없었으나 엘로라는 믿었다.

그가 그곳에 있을 것이라고.

무작정 달렸다. 주위를 신경 쓰지 않아서 몇 번이나 지나가던 사람과 부딪쳤지만 잠시도 멈추거나 속도를 늦추지 않았다.

검은 옷을 입고 검은 베일을 쓴 채로 달리는 엘로라를 이상하게 바라보는 시선이 있었지만 그것 또한 신경 쓰지 않았다.

한참을 그렇게 달리자 목적지가 보였다.

멀리서도 보이는 그것에 가까워지자 속도를 늦췄다.

주위에는 많은 사람들이 있었다. 그들 사이에 낀 엘로라는 고개를 들어 그것을 올려다보았다.

높이 솟아오른 기둥의 끝에 걸린 시계가 보였다.

시계탑이었다.

너무 높아, 여기서는 라하트가 있는지 확인할 수 없었다.

굳게 닫힌 문 앞에 선 엘로라는 어쩌면 잠겨 있을지도 모른다고 생각하며 조심스레 손잡이를 잡고 밀어냈다. 그러자 부드럽게 문이 열리고, 나선형의 계단이 모습을 드러냈다.

마른침을 삼킨 엘로라는 나선형 계단을 타고 올라갔다. 마치 회중시계를 든 토끼를 쫓아서 이상한 나라로 가게 된 앨리스가 된 기분이었다.

시계탑이 높은 만큼 계단을 올라가고, 또 올라가도 끝이 보이지 않았다. 이러다 영원히 계단에 갇혀서 라하트를 만나지 못하는 것은 아닐까, 하는 생각이 들 때쯤 바람이 뺨을 간질였다.

그리고 몇 걸음 더 올라간 엘로라는 그토록 보고 싶어 했던 찬란한 금발을 목도할 수 있었다.

"크리센즈로 가는 거 아니었어?"

목소리를 낸 적도 없건만 라하트는 등에 눈이 달린 것처럼 방문객이 엘로라임을 확신하고 있었다. 여전히 등을 보인 채로 능청스럽게 물어보는 그의 금발에 시선을 고정한 엘로라는 숨을 가다듬었다.

베일을 벗고 남은 계단을 밟고 올라가 평평한 바닥을 밟았다. 라하트와 일정 거리를 유지한 채였다. 더는 거리를 좁히지도, 벌리지도 않은 상태로 입술을 열었다.

"항상 물어보고 싶었어요."

"무엇을?"

"전하께서는 어째서 저를 사랑하나요?"

"이유야 많지."

그렇게 대답한 라하트가 뒤를 돌아봤다. 흐리멍덩하지 않은 보랏빛 눈동자가 엘로라의 푸른 눈동자를 직시했다.

"딱 하나만 꼽으라고 한다면 열정에 가득 찬 네 눈동자를 가장 좋아해. 비록 나를 보지 않는다 하더라도."

라하트가 웃었다. 눈꼬리가 접히는 예쁜 웃음이었다.

엘로라는 익히 알고 있는 그 미소가 기쁨보다 슬픔에 젖어 있다고 생각했다.

"전하."

"응?"

"저희 이혼해요."

품에서 들고 온 계약서를 꺼낸 엘로라가 망설임 없이 그것을 찢었다. 두 조각이 난 계약서를 다시 한번 찢었다.

죽음 같은 고요를 비집고 엘로라가 계약서를 찢는 소리만이 울렸다.

라하트는 충격적인 그 행동을 예상한 것처럼 덤덤한 반응을 보였다. 엘로라와 눈을 마주한 채였다.

라하트도, 엘로라도. 두 사람 중 누구도 시선을 피하지 않았다.

"그리고 지금 고백에 대한 답을 하고 싶어요."

"듣고 싶지 않아."

"들어 주세요."

"듣고 싶지 않아!"

라하트가 처음으로 엘로라 앞에서 버럭 소리를 쳤다. 엘로라는 분노가 담긴 그의 고함에 꿈쩍도 하지 않았다. 언제 그를 향해 뛰어왔냐는 듯이 감정 없는 인형처럼 냉정하게 라하트를 대했다.

"제발, 하지 말아 줘."

"듣고 싶지 않더라도 들어 주세요."

항상 여유로웠던 남자였다. 적어도 엘로라의 기억 속에서는 그러했다. 하지만 지금 라하트는 꼭 눈물을 흘릴 것만 같았다.

애원하는 목소리가 구슬프다.

엘로라가 루도비쿠스를 따라서 크리센즈로 떠난다고 착각하고 있는 그는 마지막 작별 인사를 하기 위해 그녀가 찾아왔다고 생각하고 있었다.

그의 오해를 알고 있었기 때문에 엘로라는 물러서지 않았다.

"두 번 다시 말하지 않을 테니 들어 주세요."

여지를 주지 않는 냉정한 엘로라의 목소리에 라하트가 체념한 듯이 고개를 떨구었다. 사형 선고를 앞둔 죄수처럼 다가올 이별을 기다리고 있는 그의 머리꼭지를 본 엘로라가 느릿하게 운을 띄웠다.

그가 사랑하는 이유를 알았으니 이제는 답해 줘야 할 차례였다.

"저는 사랑을 알지 못해요."

"……."

"전하께서 말하는 사랑을 해 보기는커녕 항상 제 본심을 숨기기 급급해서 드러내는 것보다 숨는 것이 익숙해요. 무지하기 때문에 타인에게서 배우려고 했지만 쉽지 않았어요."

엘로라는 루도비쿠스뿐만이 아니라 다양한 종류의 사랑을 목격했다. 모두의 감정에 '사랑'이라는 이름이 붙는다 하더라도 그 종류는 조금씩 달랐다.

"누군가의 사랑은 고통스럽고, 누군가의 사랑은 고결하며, 또 다른 누군가의 사랑은 추억이었어요. 그중 제 사랑은 없었죠. 저와 비슷한 사랑을 찾지 못했기 때문에 아직까지도 제가 전하를 좋아하는 건지 확신이 들지 않아요."

엘로라가 조금씩 앞으로 나아갔다.

라하트를 향해.

"하지만 오늘 이후로 한 가지는 확신할 수 있어요."

이미 결정을 내렸으나 막상 말하려니 잠깐의 망설임이 있었다. 이성적으로 판단한다면 그가 오해하도록 내버려 두고 남남인 채 지내는 게 옳았다.

하지만 상대는 라하트였다. 그이기에 말하고 싶었다.

"이대로 전하의 곁을 떠나고 싶지 않다는 거예요. 그것 하나만큼은 꾸며 낸 거짓이 아닌 솔직한 제 마음이에요."

라하트가 고개를 들었다. 그의 얼굴에는 놀람과 경악이 뒤섞여 있었다. 헤어짐을 종용할 줄 알았는데 그와 반대되는 말이 엘로라의 입에서 나와 믿을 수 없다는 반응이었다.

"크리센즈에서 온 남자를 좋아하는 거 아니었어?"

"꾸며 낸 말이었어요. 우연히 조건에 부합한 사람이 나타난 거지 저의 일방적인 사랑 같은 건 애초에 존재하지 않아요."

"그렇다면 떠나지 않을 거야?"

"떠나지 않아요."

"목걸이는?"

엘로라가 목걸이를 풀었다. 옆면을 눌러 푸른 보석 아래에 숨겨져 있는 가족의 모습을 라하트가 잘 볼 수 있도록 눈앞에 갖다 대었다.

"처음으로 소개할게요. 저희 어머니예요."

단란한 가족이었다. 어머니와 아버지 그리고 네 아이.

제일 나이가 적은 여자아이는 엘로라였으며 지금의 엘로라와 비슷하게 생긴 여인은 그녀의 어머니였다. 그 외에도 지금에 비하면 꼬꼬마라고 할 수 있는 어린 에곤, 라엘, 요제프 그리고 젊은 아르미트 후작이 있었다.

"영원토록 소중히 간직할 제 보물이에요."

그림을 보자마자 라하트는 할 말을 잃은 듯이 살짝 입술을 벌린 채로 가만히 있었다. 아무런 반응이 없는 남자의 얼굴을 본 엘로라는 목걸이를 흔들었다.

다소 정신 사납게 빠르게 흔들었지만 라하트는 눈을 뜬 채로 잔다고 해도 믿을 정도로 넋이 나가 있었다.

가만히 내버려 두기에는 상태가 조금 심각해 보여서 검지를 세워서 살짝 그의 뺨을 건드렸다. 아주 살짝.

라하트의 뺨이 살짝 눌려졌다가 원래대로 돌아왔다. 동시에 엘로라가 스위치를 누르기라도 한 것처럼 죽은 듯이 반응이 없던 라하트가 크게 소리 내어 웃기 시작했다.

실성한 사람처럼 웃다가 사레가 들려 기침을 쏟아 내면서도 웃는 걸 멈추지 않았다.

그 모습을 지켜보던 엘로라는 라하트를 찌른 검지로 시선을 옮겼다. 평범한 손가락이었다. 이상한 점은 없었다. 그리 강한 힘도 아니었기 때문에 엘로라의 손가락에는 문제가 없었다. 그렇다면 문제는 라하트에게 있었다.

머리를 다친 걸까? 저렇게 미친 사람처럼 웃는 라하트를 처음 보는 건 아니었으나 근래 들어 '정상인'이라고 부를 법한 상태였기에 살짝 걱정이 들었다.

라하트의 웃음 포인트를 이해하지 못한 엘로라가 웃는 얼굴을 빤히 쳐다보고 있으니 웃음을 멈추려고 노력은 하는지 점차 라하트의 웃음소리가 잦아들었다.

"난 바보였구나."

"네, 맞아요."

아직 웃긴 건지 라하트가 실실 웃으면서 말했다.

실컷 웃다가 처음으로 한 말이 다소 가학적이었으나 딱히 틀린 말도 아닌 것 같아서 엘로라는 덤덤히 긍정해 주었다. 그 냉정함에 짧게 소리 내어 웃은 라하트가 엘로라를 올려다보았다.

"난 바보고, 내 신부님은 헛똑똑이야."

"네?"

라하트는 엘로라의 물음에 답하는 대신 그대로 그녀를 끌어안았다. 목걸이를 보여 주느라 상체를 숙이고 있던 엘로라는 얼떨결에 라하트 품에 안기게 되었다.

"네 감정은 모르겠지만 내 곁에 있다고 싶다고 했지?"

조금 전까지만 해도 침울해 있던 보랏빛 눈동자가 보석처럼 반짝였다. 평소의 라하트였다.

그 눈동자와 마주 보고 있으니 엘로라는 심장이 빠르게

뜀을 느낄 수 있었다.

“그게 좋아한다는 거야.”

그렇게 말하며 라하트가 엘로라의 손을 꼭 잡았다. 맞닿은 온기가 따스했다. 어정쩡한 자세로 안긴 채 반짝이는 눈동자에서 시선을 떼지 못하던 엘로라가 퍼뜩 정신을 차렸다.

“하지만 이혼은 할 거예요.”

“좋아.”

“흔쾌히 받아들이시네요.”

“이혼한다고 하더라도 네 마음은 변치 않을 테니까.”

라하트는 엘로라가 어떤 생각으로 이혼하자고 한 것인지 모두 이해하고 있었다.

이혼하자는 발언은 뒷전이 되었는지 고백을 들은 이후로 옅은 흥분을 감추지 못하는 그 얼굴을 보고 있자니 엘로라는 헛웃음이 절로 나왔다. 어째서 라하트에게 남들과는 다른 감정을 느끼는지 어렴풋이 알 것 같았다.

“결혼이 네 인생을 방해한다고 생각하는 거지? 게다가 난 사회적 지위 탓에 지켜보는 눈도 많으니까 같이 지내다 보면 네가 곤란해질 거야.”

“여러 문제가 있죠.”

처음에는 결혼을 마냥 부정적으로만 보았다. 동화 속에서 볼 법한 아름다운 관계는 현실에 존재하지 않기 때문이었다.

결혼하게 된다면 한 사람이 아닌 누군가의 부인이라고 불리는 것도 싫었고, 삶이 내 삶이 아니게 되는 것 또한 싫었다.

라하트라면 적어도 자신이 달고 다니는 액세서리 취급은 하지 않겠지만 원치 않더라도 '결혼'이라는 하나의 관계성은 많은 것을 제약하고 구속했다. 그래서 라하트에 대한 감정이 사랑이라 하더라도 이혼만은 해야 한다고 생각했다.

"네 마음만 그대로라면 돼. 그거면 된 거야."

맞잡은 손에 힘을 준 라하트가 속삭였다. 가슴께가 간질거렸다. 그가 진심으로 좋아한다는 것이 느껴졌다.

행복에 가득 찬 눈동자를 빤히 바라보던 엘로라는 저도 모르게 솔직한 속내를 고백하게 되었다. 진심이 흘러넘친 것이었다.

"그동안 전하께서는 제가 짝사랑을 하고 있다고 오해하고 계셨죠. 실은 영원히 오해하게 되더라도 상관없다고 생각했어요."

"어째서?"

"이혼하면 남이 될 거잖아요. 어차피 헤어질 사이인데 가까워질 바에 지금부터 이별 준비를 하는 것이 나을 것 같았어요."

"하지만 넌 끝까지 그러지 않았지."

어쩌면 영원히 사장될 진심이었다. 먼지가 잔뜩 쌓여 케케묵어질 때까지 외면할 그것을 꺼낸 데에는 많은 계기와 깨달음이 있었다.

"이혼이 곧 이별은 아니라는 것을 깨닫게 되었거든요.

사랑의 결말이 꼭 결혼일 필요는 없듯이 말이에요."

동화 속, 해피엔딩을 알리는 장면은 항상 결혼이었다. 대부분의 인생 또한 마찬가지였다. 서로의 사랑을 인정하게 되면 끝내 결혼하게 되었다.

인생은 동화보다 조금 더 잔혹했기에 만약 쌍방의 사랑이 아니더라도 결혼을 하게 되면 하나의 막이 내리는 것과 같았다.

엘로라 또한 자연스럽게 이 감정을 사랑이라고 부르게 된다면 결혼을 유지할지도 모른다고 잠깐 생각한 적이 있었다. 그것만이 길이 아님에도 불구하고.

"이상하게 들릴 수 있겠지만 저는 그다지 오래 살 생각이 없어요. 애초에 이름 외에는 모두 거짓으로 구성된 삶이니 유통 기한이 정해진 건 당연한 일이죠. 계약서대로 이혼을 하게 되고 시간이 지나면 모든 것을 없애고 다른 곳에서 아예 처음부터 시작할 생각이었어요. 나이가 들면 들수록 '엘로라 아르미트'라는 여자가 설 자리는 없으니까요."

엘로라는 항상 떠날 준비를 하고 있었다. 아르미트 가문으로부터, 엘로라 자신으로부터.

"그런데 제가 이 세상에서 완전히 사라지고, 다른 얼굴과 이름을 갖고 살더라도 전하만은 저를 알아볼 거라는 믿음이, 그 믿음 하나가 저를 이렇게 비상식적이고 비합리적으로 만든 것 같아요."

말이란 신기했다. 막연히 머릿속을 맴돌던 생각이 입을

통해 목소리로 형체를 가지니 구체화됐다.

맹목적으로 이렇게 행동을 해야 한다고 생각만 하던 엘로라는 말하면서 스스로를 납득시켰다. 행동에 근거를 붙일 수 있었다.

홀로 납득하는 엘로라를 바라보던 라하트가 웃음기를 지우지 않은 낯으로 부드럽게 속삭였다.

"다른 이유가 있잖아. 솔직하게 얘기해 봐."

"다른 이유 같은 건 없어요."

"정말?"

"예, 정말로요."

"아닌 것 같은데."

빙긋, 장난스럽게 입꼬리를 올리면서 맞잡지 않은 손으로 엘로라의 머리칼을 귀 뒤로 넘겨 주었다. 간지러운 기분이었다. 머리칼을 귀 뒤로 넘긴 후 자연스럽게 뺨을 쓸어내리는 손길에 점점 더 낯선 기분이 되었다.

"듣고 싶어. 얘기해 줘."

입을 꾹 다문 채 라하트의 다정한 목소리를 듣던 엘로가 느릿하게 눈을 깜빡였다. 짙은 보랏빛 눈동자를 시야에 담은 채였다.

보라색은 황족의 색이라 일컫지만 종종 마법과도 연관이 있었다. 그리고 엘로라는 꼭 마법에 걸린 듯이 진심을 털어놓았다.

진심이 흘러넘치는 데에는 엄청난 조건은 필요치 않았다.

"만나고 싶었어요. 헤어지고 싶지 않아요."

말을 하고 나서야 자신이 무슨 말을 했는지 깨달은 엘로라는 이렇게까지 적나라하게 본심을 드러낸 적이 없었기 때문에 수치심에 살짝 얼굴을 붉혔다.

그 얼굴을 빤히 바라보던 라하트가 불쑥 물었다.

"키스해도 돼?"

"그건 조금 곤란……."

"미안."

엘로라의 말을 끊은 라하트가 입을 맞췄다.

순식간에 벌어진 일이었다.

이제껏 라하트가 뺨이나 이마에 입을 맞춘 적은 있어도 입술에 한 적은 없었기 때문에 엘로라는 잔뜩 당황했다. 당황해서 석상처럼 굳어 버리고 말았다.

밀어내야 하는데 밀어내지 못하고 경직된 엘로라의 아랫입술을 살짝 깨문 라하트가 입술을 떼어 냈다. 그리고 뻔뻔하게 거짓말을 했다.

"못 들었어."

"……너무 뻔뻔한 거 아니에요?"

"그래서 좋아하는 거 아냐?"

"좋아한다고 한 적 없어요."

"그게 바로 좋아하는 거지."

염치 몰수한 라하트의 발언을 듣고 있자니 제대로 덫에 걸린 듯한 기분이라서 엘로라가 관자놀이를 지그시 눌렀다. 모든 것을 되돌리기에는 이미 늦었고, 엘로라는 이 뻔뻔한 작자가 싫지 않았다.

어떤 반응을 보여도 좋아서 웃는 라하트의 얼굴을 보고 있자면 그 행복이 전염되는 기분이었다. 라하트의 입꼬리는 엘로라의 고백 이후 내려갈 때가 없었다.

“드디어 닿았다.”

라하트가 엘로라를 끌어안았다. 그의 품 안에서 가만히 기대고 있던 엘로라는 바보처럼 기뻐하는 남자에 대해 많은 것을 알지만 또한 많은 것을 모르고 있다는 것을 깨달았다.

라하트는 엘로라의 모든 비밀을 알고 있기에 저런 말을 하는 거지만 엘로라는 달랐다. 자신의 감정에서 솔직해졌을 뿐이지, 아직 라하트는 해독되지 않은 암호였다.

“저는 아직 전하를 몰라요.”

엘로라는 살짝 라하트를 밀어냈다. 명백한 거부 의사에 라하트가 순순히 밀려 나갔다.

“저는 제 모든 비밀을 들켰지만 전하께서는 아니잖아요. 그래서 물어보고 싶은 것도 많고, 궁금한 점도 많아요. 가끔 보면 전하께서는 세간에 알려진 것과 반대로 행동해요. 멍청하지도 않고, 술과 담배는 좋아하는 것 같지만 여자는 즐기지 않죠. 지극히 쾌락주의적인 모습을 보이면서 가끔은 소름 돋을 정도로 날카로워요. 왜 그러는지, 어떤 모습이 진짜 전하인지 알고 싶어요.”

"네가 본 모든 모습이 진짜야."

"거짓 속에 산다 하여도 진실은 헷갈리면 안 되죠."

엘로라는 라하트가 한 말을 똑똑히 기억하고 있었다.

그는 엘로라처럼 거짓 속에서 사는 사람이었다.

단순히 공감 능력이 높아서 할 수 있는 말이 아니었다.

"전하께서 말씀하셨죠. 숨긴 채 살아가다 보면 본인이 누구인지 헷갈릴 때가 있다고. 그러다가 편히 얘기할 수 있는 사람이 있으면 꿈에서 깨듯이 본인이 누군지 자각한다고 했어요. 저는 편하게 얘기할 수 있는 상대가 아닌가요?"

따져 묻는 엘로라 앞에서 퇴로는 없었다. 어떤 거짓과 농담으로도 엘로라를 충족시킬 수 없다는 걸 알고 있는 라하트가 조금 난처한 기색을 보이다가 물었다.

"알고 싶어?"

"알려 주세요."

한 치의 물러섬이 없는 대답이었다. 그 올곧은 푸른 눈동자와 마주한 라하트가 힘없이 말했다.

고백 이후 처음으로 라하트의 입꼬리가 내려가 있었다.

"재미없을 거야."

"따지고 보면 제 얘기도 재미없는걸요."

"그렇다면 내 신부님이 지루하지 않도록 재미있게 각색해야겠네. 아주 먼 과거부터 시작해서 조금 고리타분하거든."

할 말을 고르는 것인지 눈을 내리깐 라하트가 잠시 고민했다. 엘로라는 숨을 죽인 채 조용히 보랏빛 눈동자를 가린 금색 속눈썹을 바라보았다.

“옛날 옛날에 아주 잘생긴 왕자님이 한 명 살고 있었어.”

라하트가 진짜 동화책을 읽듯이 다소 과장된 어조로 서두를 뗐다.

누가 들어도 그가 말한 아주 잘생긴 왕자님은 라하트, 본인을 지칭하고 있는 터라 엘로라가 인상을 살짝 찡그렸다.

그가 잘생긴 건 인정하는 바이지만 로이스였을 적에도 느꼈지만 과한 자기애였다. 굳이 ‘아주’를 붙일 필요는 없지 않은가.

엘로라의 미간이 좁아지자 라하트는 자연스럽게 그곳에 입을 맞추었다. 인상을 펴라는 의미였다. 갑작스러운 스킨십에 항의를 하려던 엘로라는 이어지는 라하트의 이야기에 자연스럽게 입을 다물었다.

“늦둥이로 태어난 왕자님에게는 나이 차가 많이 나는 형이 한 명 있었는데 아주 성실한 사람이었어요. 잘생긴 데다 똑똑한 어린 왕자님의 등장으로 성실한 형은 아닌 척했지만 몹시 불안했어요. 동생에게 왕위를 빼앗길지도 모른다고 생각했기 때문이죠.”

사정을 모르고 듣는다면 진짜 동화 같은 시작이었다.

“불안한 건 형뿐만이 아니었어요. 날이 갈수록 더더욱 아름다워지고 총명한 왕자의 존재에 귀족들 사이에서는 비밀스럽게 파벌이 갈렸죠. 그러던 어느 날이었어요.”

그러던 어느 날이 되면 동화에서는 항상 안 좋은 일이 벌어졌다.

"현자라 불리던 늙은이가 왕자님을 가르쳤는데 어느 날 왕께 가서 고했어요. '왕이 될 재목입니다!' 그 한마디에 난리가 났죠. 노망난 늙은이가 성군이 될 재목이니 뭐니 하고 떠들면 다들 들은 체도 하지 않았겠지만 그는 권위 있는 늙은이였죠."

사적인 감정이 섞인 건지 현자에 대해서는 라하트가 심드렁하게 언급했다.

"가장 먼저 움직인 건 형의 약혼녀의 아버지였죠. 다소 뜬금없는 등장이긴 했지만 그에게는 명분이 충분했어요. 그는 왕인 사위를 갖고 싶어 한 거지 그 아래를 원한 건 아니었거든요, 아주 잘생기고 총명한 데다 어려서 장래가 기대되는 왕자의 존재로 인해 분위기가 심상치 않으니 손써야 되겠다고 생각했어요."

상황이 심각하게 흘러가는 듯한데 농담처럼 본인에 대한 수식어를 필요 이상으로 붙이니 엘로라의 인상이 다시 한 번 구겨졌다.

이번에도 라하트는 거리낌 없이 그 얼굴에 새가 쪼는 듯한 키스를 하고는 이야기를 계속했다.

"그는 남몰래 왕자를 납치했어요. 왕자는 두 손과 발이 꽁꽁 묶여서 옴짝달싹하지 못하는 데다 앞이 보이지 않았어요. 완벽한 어둠이었죠. 남자는 불안해하는 왕자를 직접 죽이려다가 제 손을 더럽히는 건 찝찝해서 굶겨 죽이기로 했어요. 그리고 떠나기 전, 그는 왕자한테 속삭였죠. 넌 태어나지 말아야 했어. 네가 태어났기 때문에 내가 이럴 수밖에 없는 거야."

엘로라는 헛숨을 들이켰다.

납치범은 라하트에게 해서는 안 될 말을 했다.

자신의 범죄를 정당화하며 피해자인 라하트에게 모든 것을 뒤집어씌우고 있었다. 죄를 저지른 것을 라하트가 아님에도.

"집으로 돌아온 그는 원래라면 누구에게도 왕자를 납치했다는 걸 얘기해서는 안 되지만 창창한 자신의 미래에 너무 들뜬 나머지 딸에게 지나가듯이 말했어요. '딸아, 모든 건 내가 다 처리했단다.'라고요. 약혼녀가 깜짝 놀라서 아버지를 추궁했어요. 그리고 진실을 알게 되었죠. 그녀는 아버지와는 다르게 착하고 인간적인 사람이었기 때문에 형에게 사실을 알렸어요. 그 소식을 들은 형은 곧장 왕자를 찾으러 갔죠. 그리고 일이 심상치 않게 흐른다는 걸 알게 된 약혼녀의 아버지는 왕자를 포함한 모든 증거를 없애기 위해 왕자가 갇힌 집을 불태웠어요. 불은 사람을 가리지 않으니까요."

엘로라 또한 익히 썼던 방법이었다.

불만큼 증거를 남기지 않고 손쉽게 없앨 방법은 없었다.

불에 탄 모든 것은 재가 되었다.

그리고 로즈가 그러했다.

"왕자는 뜨거운데도 아무것도 할 수 없어요. 말도 못했죠. 그냥 뜨거우니까 곧 죽겠구나, 하고 생각할 뿐이었어요. 납치당한 순간부터 어느 정도 짐작은 했기 때문에 그다지 놀랍지는 않았어요. 믿는 신이 없어서 신을 찾지 않고 제 운명을 수긍한 왕자는 극적으로 형에게 구해져서 다행히 목숨은 구했답니다. 그 뒤로 형은 자신이 조금만 더 잘났다면 이런 일은 일어나지 않았을 거라며 자책했고, 죄를 받을 거라는 망상에 붙잡힌 약혼녀의 아버지는 며칠 뒤 자살했어요. 하루아침에 아버지를 잃은 형의 약혼녀는 죽은 아비의 죄가 제 죄라도 되는 듯 죄책감에 시달렸고, 이 일의 시발점이 된 현자는 늙어서 죽었어요."

만약 이것이 진짜 동화였다면 비극이었다. 그럼에도 라하트의 어조는 산뜻하기 그지없었다. 마치 한 편의 희극을 멀찍이 관람하는 듯했다.

그 미묘한 간극에 엘로라는 묘한 표정으로 라하트를 보았다. 자신의 아픈 과거를 들추고 있는 것인데도 라하트는 표정 한 번 바꾸지 않고 있었다.

"왕자는 범인이 누군지 밝힐 생각이 없었는데 그냥 죽어 버렸으니 참으로 안타까운 일이죠. 뭐, 살았어도 왕자의 눈치를 보다가 일찍 죽었을 거예요. 이익을 탐하길 좋아하는 주제에 제 손을 더럽히는 건 끔찍하게 싫어했거든요. 왕자를 곧장 죽이지 않은 것만 보아도 그렇죠. 어쨌든 죽을 사람은 다 죽고, 산 사람은 왕자의 곁에 남았는데 다들 슬픈 사람들뿐이었어요. 그들의 눈물을 보다가 왕자는 그냥 광대가 되었답니다. 이야기 끝. 해피엔딩."

라하트가 박수를 쳤다. 훌륭한 연극을 보았다는 듯한 반응이었다. 그런 라하트와 반대로 엘로라는 혼란스러운 표정으로 라하트를 보았다. 동화처럼 간결하고 단순하게 얘기했기 때문인지 더욱더 잔혹하게 느껴지는 얘기였다.

짧은 시간 납치를 당했던 엘로라는 어린 시절 그가 당했을 고통이 가히 상상이 가지 않았다.

다 자란 데다 강한 척하는 자신마저 종종 무너지고는 하는데 어린 시절의 그에게는 큰 트라우마로 남았을 것이 분명했다. 딱히 그 부분은 짚고 넘어가지 않았어도 알 수 있었다.

"죽음이란 참 덧없고, 죄책감은 마치 도미노 같지? 하나가 무너지면 다들 무너져 버리잖아. 훌륭한 교훈이야."

충격이 가시기도 전에 라하트가 냉소적인 미소를 머금으며 말했다. 그 모습이 예전에 한 대화를 떠올리게 했다.

'가끔 나조차도 놀랄 정도로 특정 감정에 무딜 때가 있지만 기본적으로 너와 같은 사람이지.'

'예를 들면 어떤 감정이요?'

'죽음.'

너무 어린 나이에 벼랑 끝에 내몰린 남자는 죽음이라는 공포 앞에서 무뎌졌다. 더불어 자신의 죄에 대한 도피처럼 이어진 죽음이 그를 무감하게 만들도록 부추겼을 것이다.

엘로라는 어지러운 머릿속을 정리했다.

"……한 번도 들어 본 적 없어요. 납치나 황태자비에 대한 얘기 모두요."

"당시에 그 일을 철저히 함구시켰고, 후에는 내 불행을 전시하고 싶지 않아서 얘기를 꺼내지 않았지. 굳이 타인이 내 과거를 소비할 필요는 없잖아?"

"무려 한 나라의 황자가 사라졌잖아요! 어떻게 아무 말이 없을 수가 있어요?"

"황궁에 있다가 사라진 탓에 황실의 명성이 떨어질 것을 고려하여 비밀리에 수색했어. 치안과 보안을 자랑하는 볼흐라스의 가장 중심에서 황족이 사라지다니. 외부에 알려지면 비웃음거리가 될 얘기지. 그리고 이삼일 만에 찾아내서 다들 대수롭지 않게 넘어갔어."

"대수롭지 않다고요?"

"나는 아무것도 모르겠다고 잡아뗐고, 형은 내가 갇혀 있던 폐가에서 불타 죽어 가는 사람을 봤다고 증언했거든. 그래서 이름도 얼굴도 모르는 누군가가 잘생긴 나를 노리고 동반 자살을 꾀했다, 라고 형이랑 짜 맞췄지. 정신병은 어딜 가나 개연성이 생기는 데다가 말했잖아. 불은 사람을 가리지 않는다고."

납치범이 증거를 남기지 않았을 테니 남은 것은 증인뿐인데 증인과 피해자가 바득바득 우긴다면 뒤가 찝찝하더라도 그렇게 넘어갈 수밖에 없었다.

애초에 황제와 황후는 황실의 위신을 최우선으로 여겼지 않은가. 범인이 죽어서 처벌할 필요가 없다는 건 사건을 조용히 덮을 수 있다는 뜻이니 집요하게 따지지 않았을 것이었다.

"납치당했던 건 어머니와 아버지, 형 그리고 황실 직속 기사단 몇몇 정도만 알아. 아, 이제 내 신부님도 알게 되었구나. 그러고 보니 뒷사정을 아는 사람은 이제 셋만 살아 있네. 나랑 너랑 형."

"어째서 얘기하지 않았어요?"

"무엇을?"

"진범이요. 애초에 밝힐 생각이 없다고 말했잖아요."

"만약 내가 진범을 밝힌다고 치자. 그러면 어떻게 되지?"

"어떻게 되긴요. 죄에 대한 합당한 벌을 받겠죠."

"맞아, 가문은 멸문당하고 형의 약혼은 없던 것이 되겠지. 하지만 그건 내가 원치 않았어."

이해하지 못하겠다는 듯한 표정으로 엘로라가 라하트를 바라보자 라하트가 고저 없는 목소리로 말했다.

"넌 태어나지 말았어야 했어."

엘로라는 입을 다물었다.

납치범이 라하트에게 했던 말이었다. 공포로 벼랑 끝에 몰린 그에게는 그 말이 저주와도 같았을 것이었다.

"딱히 그 말에 공감하거나 깨달음을 얻은 건 아니지만 대충 눈치채고 있었어. 뒤늦게 태어난 나의 존재가 어떤 영향을 끼치는지. 형은 아닌 척했지만 내게 열등감을 느끼고 있었고, 어머니는 내가 딸이었으면 더 좋았을 거라고 종종 지나가듯이 말했지. 내가 딸이었으면 내 신부님과 결혼도 못했을 텐데 참 너무한 말이야."

뒷말은 분위기를 띄우기 위한 농담이었다. 하지만 엘로라는 웃지 않았다. 앞선 얘기는 어떤 농담을 듣더라도 웃을 수 있는 얘기가 아니었기 때문이었다.

엘로라의 웃음기 없는 진지한 얼굴에 라하트가 표정 풀라는 듯이 한쪽 입꼬리를 올려 주었다. 무표정한 얼굴에 한쪽 입꼬리만 억지로 올라가니 퍽 웃긴 꼴이 되었으나 웃는 사람은 없었다.

어떤 노력도 가라앉은 엘로라의 기분을 띄울 수 없었으나 여전히 가벼운 태도를 유지한 라하트는 이내 자신의 입꼬리도 올리는 장난을 치다가 하던 얘기를 계속했다.

"태어나지 말았어야 한다는 건 비약이 심했고, 내 존재가 균형을 깨뜨렸다는 건 맞아. 워낙 내가 뛰어난 존재이기 때문에 잔에 물이 넘쳐 버린 거지. 내가 황제 자리를 노린다거나 거창한 야망을 꿈꾸고 있지 않더라도 존재 자체만으로 많은 이들을 불안하게 만든 거야. 누가 황제가 되느냐에 따라 이 땅을 밟고 있는 백성들의 운명이 좌우되니 그럴 만도 해."

내용과는 다르게 무게감 없는 말투였다. 시종일관 장난스러운 라하트의 태도가 정말 별일이 아니기 때문에 그러는 것이 아니라는 걸 알고 있었다. 일종의 방어 기제일 것이었다. 그의 가벼운 태도는.

라하트는 자신의 불행을 전시하고, 누군가가 소비하지 않길 바랐지만 그 얘기를 하는 라하트의 태도가 엘로라에게는 목에 무언가가 걸린 듯이 신경 쓰였다. 억지로 웃고 아무렇지 않은 척하는 건 엘로라 또한 자주 하기 때문일지도 몰랐다.

"이래나 저래나 균형을 깨뜨린 건 나이니 그것을 되돌리는 것 또한 내가 해야겠지. 그렇다고 자살할 수는 없는 노릇이니 하나씩 바꿔 가기로 했어. 납치 사건을 묵인한 건 그중 하나지."

라하트는 스스로를 광대라고 칭했다.

그날 이후로 라하트의 인생은 많은 것이 변했을 것이었다. 죄를 눈감아 준다는 선택을 한 것은 그냥 스쳐 지나가는 일처럼 얘기할 정도로.

"나만 변하면 완벽한 관계야."

"그런 건……."

말을 잇지 못하고 헛숨을 들이켠 엘로라는 입술을 꽉 깨물었다.

"그런 건 완벽하다고 부르지 않아요."

"세상에 완벽한 건 없기 때문에 완벽에 가까운 걸 완벽이라고 부르고는 해."

"……."

"생각해 봐. 진실을 알기 전까지 네가 보아도 완벽한 균형이었잖아. 차후 성군이 될 거라 칭송받는 형과 비교할 가치조차 없는 동생. 굳이 편 가르기를 하는 것도 시간이 아까울 정도이지."

"그렇다고 스스로를 버릴 필요는 없잖아요."

"내 선택이 잘못됐다고 생각해?"

나긋나긋한 라하트의 목소리에 엘로라는 선뜻 '그렇다.'라고 답할 수 없었다. 말을 내뱉은 후에 깨달았기 때문이었다. 본인도 스스로를 버리면서까지 살고 있다는 사실을.

라하트와 엘로라는 서로 다른 방식으로 자신을 버렸다.

라하트는 모든 것을 놓았지만 엘로라는 그 모든 것을 쥐기 위해 치열하게 살아왔다. 본인을 이 세상에서 지워 버릴 계획까지 짜고 있던 엘로라가 라하트의 선택을 부정한다는 것은 곧 자신의 선택을 부정하는 것과 같았다.

그 사실을 익히 알고 있는 라하트가 굳어 버린 엘로라를 보며 웃었다.

"날 동정할 필요는 없어. 생각보다 쉬우니까. 타의 모범이 되는 행동에 반대로만 하면 되는걸. 재미있지. 재미없어도 재미있어야지. 의무도, 책임도 모두 벗어던지면서 살아가는 건데. 미치광이처럼 사는 것도 나쁘지 않아."

라하트가 가면을 쓰듯, 단숨에 미친 사람처럼 떠들었다. 한 편의 연극을 보는 듯한 기분이었다.

연기를 하고 있었던 건 엘로라뿐만이 아니었던 것이었다.

답답한 마음에 머리칼을 쓸어 올리던 엘로라는 오기 선에 만났던 여자를 떠올렸다. 그동안 그녀를 단순히 라하트의 연인으로만 생각했었는데 그녀와 라하트가 했던 말을 종합해 보자면 그런 관계는 아닌 듯했다.

라하트는 모리카와의 관계를 빗대어 예전 연인이 아님을 극구 부정했는데 막상 이런저런 이야기를 듣고 있으니 더욱 머릿속이 복잡했다.

정확히 관계를 정의할 단어가 필요했다. 게다가 라하트가 루도비쿠스와의 관계를 오해했듯, 엘로라 또한 그녀와의 관계를 오해하고 있었다.

얼마 전에 처음이 아니니 금방 극복할 수 있을 거라는 실언까지 했으니 짚고 넘어가야 할 것 같았다.

"그 광대놀음에 그녀가 포함되는 거예요? 정확히는 그녀들?"

"내게는 소문을 부추길 증거가 필요했으니까 어쩔 수 없었지. 혹시 네가 오해할까 봐 확실히 못 박아 놓자면 단순한 협력 관계야. 나는 내가 할 수 있는 선에서 그녀들을 지원해 주고, 그녀들은 내가 원하는 것들을 제공하니까."

"전하께서 원하는 것들이요?"

"예를 들자면 소문을 부추길 사소한 스캔들이나 볼흐라스의 비밀스러운 정보 같은 것들. 그리고 그녀들을 중간다리 삼아서 모리카 같은 크리센즈인과 교류하기도 해."

대충 들어도 가벼이 여길 사람들이 아니었다. 특히 '비밀스러운 정보 같은 것들'이 제일 의문스러웠다.
그간 라하트가 도박 같은 위험한 놀이에 미쳐 있는 줄 알았는데 아무래도 다른 의미로 위험한 일을 하는 것 같았다. 엘로라는 라하트가 저가 접한 적 없는 세계에 맞닿아 있다는 것만은 똑똑히 알 수 있었다.
"대체 뭐하는 사람들이에요?"
"나? 그녀들? 아니면 모두?"
또 농담처럼 묻는 라하트를 보고 있자니 헛웃음밖에 나오지 않았다. 엘로라가 가리키는 사람이 누구인지 알면서 당장 대답하지 않는다는 건 살짝 곤란하다는 걸 의미했다. 만약 예전이라면 대충 얼버무렸겠지만 이제는 아니었다.
"직업을 묻는다면 정확하게 지칭하는 단어가 없으니 곤란하고, 하는 일을 말하자면 겉으로는 합법적인 일을 하지만 실제로는 그와 반대되는 일을 많이 하지."
"수상한 불법적인 조직이네요."
"그거 멋진 이름인걸. 매우 자랑스럽게 여길 거야."
"그 얘기를 들으니 더 수상하게 느껴지네요."
"네가 궁금해하는 것 같으니 한 번쯤은 소개해 주고 싶지만 그녀들이 널 너무 좋아할 것 같아서 지금 살짝 위기감을 느끼고 있어."
"보통 동성 사이는 질투 안 하지 않아요?"
"사랑은 성별을 가리지 않아. 그거 알아? 네가 나 외의 사람과 있는 걸 목격하게 될 때, 종종 끔찍할 정도로 추악한 감정을 느껴. 성별은 상관없이."

그렇게 말하며 라하트가 엘로라의 머리칼을 정리해 주었다. 조금 전에 답답한 마음에 머리칼을 만진 탓에 엉망이 되어 있던 것이 제자리로 돌아가고 있었다.

라하트의 솔직한 고백을 들은 탓인지 단순히 머리칼을 만져 주는 것뿐인데도 그 손길이 낯간지러웠다. 귓가에 대고 속삭이는 듯한 목소리도, 그 내용도, 손길도.

그 모든 것이 엘로라를 옭아매는 듯했다. 한 번도 라하트에게서 느낀 적 없는 분위기에 솜털이 쭈뼛 섰다. 이런 엘로라의 상태를 알아챈 라하트는 분위기를 환기시켰다.

"그래도 언젠가는 만나게 될지 모르니 앞으로 마주칠 일이 있다면 차근차근 설명해 줄게. 하는 일이 제법 많거든. 일단은 나의 큰 조력자라고 생각하면 돼. 영원히 철부지 황자로 살아갈 수 없는 내가 마냥 아무것도 안 하고 살기에는 넘쳐나는 것이 시간이잖아."

덧붙인 뒷말에 엘로라는 살짝 당황했다. 그 말은 곧 언제까지나 광대 역할을 자처하지 않겠다는 의미였기 때문이었다.

엘로라가 자신을 없앨 계획을 짜고 있었듯, 라하트 또한 어떤 계획을 짜고 있었음을 눈치챌 수 있었다.

하지만 엘로라의 당황을 다른 의미로 오해한 라하트가 다급하게 설명했다.

"거듭 말하지만 단순 이해관계이기 때문에 그들과 나 사이에 아무 일도 없었어. 사적인 감정은 일절 없었고, 애인 같은 것도 아니야. 내게 있어 누군가를 좋아하게 된 건 네가 처음이야."

"굳이 설명하지 않아도 그건 저 또한 충분히 인지하고 있어요. 어딜 가나 전하의 취급은 좋지 않더라고요."

다급하게 해명하는 라하트를 보고 있자니 엘로라는 곧 침착함을 되찾았다. 냉정한 그녀의 대답을 들은 라하트는 취급에 대해서는 본인이 가장 잘 알고 있는지 유쾌하게 웃었다. 그 모습이 즐거워 보였다.

"또 궁금한 거 있어? 잔뜩 물어봐 줘."

자신에 대해 더 알아 달라고 눈을 반짝이는 라하트는 꼭 오랜만에 주인을 만난 강아지가 꼬리를 흔드는 모양새였다. 그간 가끔씩 보여 줬던 모습을 이제는 마음 놓고 드러내는 것이었다.

"……앞으로 시간은 많으니까 차차 알아보도록 할게요."

당장 내일 엘로라가 사라질지도 모른다고 생각했던 라하트에게 있어 앞으로 시간이 많다는 말은 가슴께를 간질거리게 해 주었다. 그 한마디에 누군가와 함께할 미래가 있다는 것이 이토록 기쁜 일이라는 것을 깨닫게 되었다.

너무 행복하여 현실이 아닌 꿈인 것 같았다. 이대로 엘로라를 놓아 버리면 사라질 것만 같아서 라하트는 맞잡은 손에 살짝 힘을 주었다가 풀었다.

"널 바라보고 있으면 나는……."

라하트가 불현듯 입을 다물었다. 아무런 감정이 담기지 않은 얼굴로 빤히 바라보는 그의 행동에 당황한 엘로라가 의문을 표했다. 하지만 이내 그것이 환상이었다는 듯이 싱긋 웃었다.

"좋아해. 너를."

진심을 고백하며 해사하게 웃는 것은 반칙이었다.

찰나의 순간을 사진처럼 찍은 엘로라는 마음속 깊은 곳에 그것을 숨겨 놨다. 소중히 여겨야 할 보물이 하나 더 추가되는 순간이었다.

19. 해피 엔딩을 알리는 웨딩 벨

19. 해피 엔딩을 알리는 웨딩 벨

꾸준히 공을 들인 만큼 한동안 많은 사람의 입에 오르내렸던 아히발트의 결혼식 당일이었다.

오래 준비한 만큼 성대하게 치러지는 결혼식은 꼭 축제 같았다.

화려한 마차를 탄 오늘의 주인공들은 황실 기사단의 호위를 받으며 수많은 사람들에게 축복을 받았다. 같이 황제의 피를 이어받았음에도 불구하고 시작부터 엘로라와 라하트의 결혼식과는 대조되었다. 그들이 얼마나 초라한 식을 치렀는지 피부에 와닿는 현장이었다.

식을 진행하는 성당에 모인 하객 또한 하나같이 볼흐라스와 신부 측 국가의 유명 인사들이었다. 이름 좀 알려진 사람이라면 결혼식을 보기 위해 수도에 왔다고 보면 되었다.

결혼식에 무조건적으로 참여할 수밖에 없었던 엘로라는 라하트 옆에 앉아서 멍하니 레드 카펫을 밟는 신부를 바라보았다. 당장 머리를 복잡하게 할 만한 일도 없는 데다 딱히 결혼식 자체에 감흥이 없는 그녀로서는 신부 한 명 세워 놓는 데 얼마나 많은 공을 들였는지에 대해 절로 생각하게 되었다.

"부러워?"

엘로라의 시선이 신부에게로 가 있는 것을 확인한 라하트가 물었다. 그러자 엘로라는 주위 사람이 듣지 못하도록 작은 목소리로 속삭였다.

"아니요."

"부러워하는 눈빛인데. 원하면 우리도 할까?"

"부러워한 적 없어요. 그리고 식을 두 번이나 올릴 필요는 없잖아요."

"저번은 리허설이었고, 이번이 진짜라고 치면 되지."

"막 갖다 붙이지 마세요. 차라리 이혼식이라고 부르는 게 더 말이 돼요."

아무 말이나 막 하는 라하트에게 엘로라가 심드렁한 반응을 보였다.

세간에 아히발트와 라하트의 결혼식이 비교되는 것도 알고, 라하트가 그 때문에 엘로라가 속이 상하지 않았을까 걱정하는 것 또한 알았다.

하지만 그건 그들의 입장이었다. 당사자인 엘로라는 아

무렇지 않았다.

애초에 결혼식에 대한 로망이 없으니 성대한 것이나 조촐한 것이나 큰 차이를 느끼지 못했다. 거기다 결혼할 당시 특수했던 상황을 고려한다면 조용히 치러졌던 결혼식은 득이 되면 득이 되었지 실이 될 것은 없었다.

엘로라는 지나간 일에 만족하고 있었다.

"가만히 있으면 또 네가 무수히 많은 사람들에게 조롱을 듣게 되잖아. 난 그게 싫어."

"다 제가 자초한 일이니 애쓰지 않아도 돼요. 누군가 전하 보고 무능한 사람이라고 욕해도 아무런 감정이 들지 않잖아요. 똑같아요. 그렇게 불리길 바랐으니 어쩔 수 없죠."

조곤조곤한 엘로라의 대답이 썩 마음에 들지 않은 건지 라하트는 불퉁한 표정을 지었다.

그 얼굴을 보고 있자니 가만히 내버려 뒀다간 무투 대회 때 손수건을 요청했던 것처럼 돌발 행동을 하게 될 것 같아서 다급하게 말을 덧붙였다.

"저는 어떻게 식을 진행하느냐보다는 누구와 하느냐가 더 중요하다고 생각해요. 그러니 또 식을 올리자는 말은 하지 마세요. 생각도요."

그 말을 들은 라하트의 눈빛이 순식간에 바뀌었다. 대화를 나누지 않은 척하느라 다시 신부에게로 시선을 옮긴 엘로라는 보지 못한 눈빛이었다.

"일부러 그러는 거야?"

"네?"

"누구와 하는지가 중요하다는 말."

라하트가 무슨 말을 하는지 곧장 이해하지 못한 엘로라가 살짝 인상을 찡그리며 고민했다.

일부러 말하긴 했다. 가만히 있으면 어떤 방식으로든 결혼식을 다시 치르려고 할 테니 아예 싹부터 잘랐으니. 그것이 티가 나서 묻는 것일까.

그런데 그런 것치고는 뉘앙스가 이상했다. 딱히 이상한 말을 한 것 같지 않아서 1분 전으로 돌아가, 라하트와의 대화를 되짚은 엘로라는 여전히 아무 문제가 없다고 결론을 내리고는 한 박자 늦게 대답했다.

"……아닌데요."

일부러 한 건 맞는데 분위기상 부정해야 할 것 같았다.

본인의 감을 믿은 엘로라는 누구와 결혼하는지가 중요하다는 말이 라하트와 결혼해서 좋았다는 식의 대답이었다는 걸 깨닫지 못했다.

워낙 사랑 없이, 가문을 위해 진행하는 결혼이 많아서 자연스럽게 나온 말이었는데 듣는 사람이 다르게 받아들일 만한 여지가 있었다.

"키스하고 싶어."

엘로라의 입장에서 보자면 한창 결혼식이 진행되는 와중에 갑자기 키스 타령을 하니 뜬금없게 느껴졌다. 이런 식으로 키스한 적이 한두 번은 아니었지만 때와 장소를 구분

해야 했다.

저만 들을 수 있는 작은 소리로 키스하고 싶다고 말하는 라하트를 보지 않은 채, 당황스러움을 숨긴 엘로라는 침착하게 대응했다.

"더 가까이 다가오면 저도 모르게 전하를 기절시킬 수도 있어요."

그러나 그것이 통할 라하트가 아니었다.

"몰래 할게."

"남의 결혼식은 망치지 말아요."

"그래도 심술이 나는데."

"심술인 거 알면 자제해요. 저들은 화풀이할 상대가 아니에요."

"내 신부님은 냉정해."

"바른말을 하는 거죠. 그리고 식 시작했으니까 저한테 말 걸지 말아요."

가차 없는 엘로라의 말에 라하트는 곧바로 풀이 죽었다. 엘로라는 일부러 고개를 돌려서 라하트의 얼굴을 보지 않았지만 그가 침울해하고 있는 걸 느낄 수 있었다.

몹시 신경 쓰였다. 그러나 이미 주례사가 시작되었다. 라하트와 한가롭게 잡담을 나눌 시간이 아니었다.

라하트가 가끔 어린아이처럼 군다고 하더라도 그는 정말 어린아이가 아니었다. 말은 심술이 났다고 했지만 하나뿐인 형의 결혼식을 망칠 생각은 없는지 가만히 앉아 있었다.

그리고 그도 알고 있을 것이었다.

엘로라의 말대로 아히발트는 화풀이할 상대가 아니라는 것을.

당시에 여러 이해관계가 복잡하게 얽혀 있었다. 단순히 엘로라의 평판이 바닥이라는 이유 하나만으로 식이 축소된 건 아니었다. 따지자면 라하트 본인의 책임이 아예 없는 것은 아니었기에 더는 말을 붙이지 않았다.

식은 엄숙한 분위기 속에서 진행되었다.

순백의 드레스를 입은 신부와 검은 정장을 입은 아히발트는 마치 한 폭의 그림 같았으며, 하나부터 열까지 흠잡을 데 없는 완벽한 결혼식이었다.

엘로라는 비교적 가까이서 그것을 구경하다가 식이 끝난 후 연회에 참여하기 위해 이동했다.

노래와 함께 사람들의 말소리로 가득 찬 연회장에서는 다들 오늘의 결혼을 축하하기 바빴다. 신부는 초야를 준비하기 위해 연회에 참석하지 않았기 때문에 아히발트만이 바쁘게 움직였다. 여기저기 끌려다니는 그는 몸이 열 개라도 모자라 보였다.

다들 웃고, 떠들고, 춤을 추었다.

사교계에서 엘로라와 라하트의 위치는 바닥을 기다 못해 무저갱으로 떨어져 버렸다. 그 사실을 모두가 알았기 때문에 그들 주위에는 방어막이 쳐져 있는 것처럼 사람들이 다가오지 않았다.

대신 워낙 공식 석상에서 두 사람이 함께 있는 모습을 보기 어려운 터라 거리를 유지한 채 저들끼리 입방아를 찧었다.

한쪽은 미남, 다른 한쪽은 추녀.

판이한 외모인데 놀랍게도 미남이 추녀를 쫓아다닌다는 건 한동안 사람들의 입에서 자주 언급되었던 주제였다. 당시 사람들은 그것이 라하트가 완전히 돌아 버렸다는 증거라고 생각하고는 했다.

주위가 아무리 시끄럽다고 한들 대놓고 하는 험담이 들리지 않는 것은 아니었지만 두 사람은 아무것도 듣지 못한 것처럼 두 사람만의 시간을 즐겼다.

사람들은 두 사람과 대화하기를 꺼려 했고, 두 사람 또한 먼저 다가가서 살갑게 인사를 해야 할 위치는 아니었기에 한 공간에 있지만 분리된 것 같았다.

다가올 이혼을 수월하게 진행하기 위해 엘로라와 라하트는 친한 티를 내지 않았기 때문에 가볍게 칵테일을 홀짝이며 되도록 짧게 대화를 나누었다. 표정은 잔뜩 굳힌 채였다.

불화설이 나는 건 이제 시간문제였다. 오늘도 잘 짜인 계획을 실행하기 위해 성실히 움직이는 엘로라였다.

라하트는 다른 것보다 엘로라와 일정 거리 이상 가까워지지 못하는 것이 불만스러운 듯했다. 그러나 서로의 사정을 알고 있으니 협조적으로 나왔다.

엘로라는 적당히 시간을 때우다가 돌아갈 생각이었다. 환영받지 못하는 자리를 오래 지키고 있을 이유가 없었다.

그렇게 지루하게 흘러가는 시간을 보내고 있는데 머릿속 한구석을 차지한 근심 탓에 라하트와의 대화가 끊어질 때마다 자연스레 아히발트에게로 시선이 갔다. 그 시선을 무시하고 싶어도 한두 번이 아니니 차마 외면할 수 없어진 라하트가 먼저 말을 꺼내게 되었다.

"계속 형을 신경 쓰네. 질투 나게."

"그런 거 아니에요."

"알아, 하지만 머리와 마음이 따로 놀게 되는걸."

너무 노골적으로 바라본 것 같아 스스로를 반성하게 된 엘로라가 깊은 한숨을 내쉬었다.

엘로라라고 아히발트를 보고 싶어서 보는 것이 아니었다. 그와 짧게라도 얘기를 나누고 싶은데 기회가 전혀 보이지 않아서 어떻게 해야 하나 걱정하던 참이었다.

"그날, 그녀에게 부탁받았잖아. 형한테 할 말이 있지?"

'나 대신 축하한다고 전해 줘.'

엘로라는 이 자리에 있었다면 좋았을 친구를 떠올렸다. 그녀가 마지막에 남긴 부탁은 잊지 않았다. 어찌 잊을 수 있을까. 마지막 부탁인데.

아몬과 헤어질 당시 그 자리에 있었던 라하트는 엘로라가 무엇을 하고 싶어 하는지 이해했다.

"내 신부님이 오롯이 나만 바라보도록 어서 형과의 만남을 주선해 줘야겠는걸."

계속 눈치만 보고 있어 봤자 차례는 돌아오지 않았다. 엘로라가 직접 황태자와 접촉하여 따로 얘기를 나누기에는 보는 눈이 많았기 때문에 라하트가 자리를 만들어 주기 위해 나서려 했다.

잠깐 고민하던 엘로라는 다급히 그런 그의 옷자락을 붙잡았다.

"혹시 아히발트 전하께서 그녀의 정체를 아세요?"

"구체적으로 얘기한 적은 없지만 짐작하고 있지 않을까. 사람의 감이라는 건 무시할 수 없는 거니까."

원래라면 아히발트는 아몬이 타국에서 온 사신 중 하나라고 굳게 믿어야 했다. 하지만 아몬이 워낙 제 자신을 감추려 하지 않았고, 무투 대회에서 클라우디아의 팔찌가 상품으로 걸리는 데에 아히발트의 협조가 있었다는 것이 '혹시나' 하는 생각을 들게 했다.

라하트와 아히발트의 사이가 생각보다 훨씬 좋다는 것과 라하트가 아몬의 정체를 알고 있는 것까지 모두 고려하여 물어봤건만 돌아오는 대답은 애매했다.

아몬이 실제로는 다신 만날 수 없는 곳으로 갔다는 걸 알면 어떤 반응을 보일지 상상조차 되지 않았다.

아몬의 존재를 알고 있는 몇 되지 않는 사람으로서 이번 기회에 진실을 알려 줘야 할지 아니면 침묵을 지켜야 할지 결혼식 당일까지 고민하게 되었다.

"완벽을 추구하는 내 신부님과는 다르게 그녀는 너무 많은 증거를 남기고 떠났었지."

아히발트와 아몬 사이에 있었던 일을 구체적으로 알고 있는 건지 라하트가 그에 대해 덤덤히 언급했다. 언뜻 냉정하게까지 들리는 라하트의 목소리를 들은 후에도 엘로라는 선뜻 결정을 내리지 못했다.

그 고민이 겉으로 드러나는 터라 미약한 힘으로 붙잡은 옷자락을 놓지 못하는 엘로라를 내려다보던 라하트는 살짝 허리를 숙여, 엘로라의 귓가에 대고 다정하게 "괜찮아."라고 속삭였다.

무엇이 괜찮은 거냐고 물어보기 전에 라하트가 조심스럽게 엘로라의 손을 떼어 냈다. 그러고는 아히발트에게로 향했다.

가만히 서서 그의 뒷모습을 지켜볼 수밖에 없는 엘로라는 기적을 목격했다.

말 그대로 기적 같은 상황이었다.

라하트가 한 발자국 내디딜 때마다 무슨 역병이라도 옮는 것처럼 사람들은 슬슬 그와 거리를 두었다. 라하트의 주변에 보이지 않는 막이라도 형성돼 있는 듯했다.

문제는 아히발트 주변이었다. 그곳은 라하트의 주변과는 다르게 아히발트와 한마디라도 말을 나누기 위해 사람들이 북적거렸다.

하지만 이를 비웃듯, 라하트가 가까워지니 썰물 빠지듯이 사람들이 사라졌다. 흡사 바다가 갈라지는 기적을 목격한 듯했다.

곁에 있을 때 슬슬 피하는 사람을 느끼긴 했지만 제삼자의 시선으로 일련의 상황을 지켜보게 된 엘로라는 자신과 라하트의 위치를 다시금 깨닫게 되었다. 괜히 최악의 부부라고 불리는 게 아니었다.

남들이 어찌 되었든 라하트는 신경 쓰지 않았다. 그저 특유의 나사 빠진 미소를 지으며 아히발트와 가볍게 한두 마디 나누었다. 멀찍이서 본다면 평범한 형제였다. 형의 결혼식을 축하하는 동생.

별다른 위화감 없이 축하 인사만 주고받은 것처럼 짧게 대화를 나눈 그들은 헤어졌다. 라하트가 멀어지자 언제 뒷걸음질 쳤냐는 듯이 사람들이 다시 아히발트 곁으로 모여들었다.

제법 재밌는 광경이라서 그곳에 시선을 두고 있으니 라하트가 돌아와서 은밀하게 경과를 보고 했다.

"저쪽 발코니로 먼저 가 있으면 돼."

"감사해요."

"기다리고 있을게."

엘로라가 고개를 끄덕였다. 그리고 라하트의 얼굴이 가까워졌다가 멀어졌다. 뺨에 남은 온기로 그가 지나간 자리를 알 수 있었다.

예고 없는 키스에 당황한 엘로라는 황급히 주위를 둘러봤다. 다행히 두 사람의 친근한 스킨십을 목격한 사람은 없는지 동요하거나 경악 어린 표정으로 이쪽을 바라보는 사람은 없었다.

엘로라는 난처한 얼굴로 라하트를 올려다보았지만 그는 뻔뻔했다. 아무것도 하지 않았다는 듯이 빙긋 웃고 있었다.

타박해 봤자 소용없었다. 상대는 다섯 살짜리 어린아이가 아니었다. 다 알고 하는 짓이었고, 아마 지켜보는 시선이 없음을 확인한 후에 일을 저질렀을 것이었다.

나중에 둘만 있으면 저 얄미운 얼굴을 어떻게 해야겠다고 생각한 엘로라는 아무 말 하지 않고 라하트가 가리킨 발코니로 갔다.

발코니에는 아무도 없었다. 커다랗게 울리던 노랫소리와 말소리가 멀어졌다.

조용히 아히발트를 기다리고 있으니 얼마 지나지 않아 기척이 느껴졌다. 곧장 뒤를 돌아본 엘로라는 다가오는 아히발트를 발견할 수 있었다. 종일 사람들에게 시달린 탓인지 다소 피곤해 보이는 얼굴이었다.

하지만 엘로라가 이미 와 있음을 확인하자마자 그것을 깔끔이 지워 버렸다. 피곤한 아히발트의 얼굴이 신기루처럼 사라졌다.

단숨에 변하는 표정으로 엘로라는 그가 굉장히 노련한 사람이라고 생각했다. 괜히 황태자가 아니었다.

“결혼 축하드려요.”

“축하해 줘서 고맙군.”

“제 친구 몫까지 축하 인사를 전하려고 왔어요.”

가까이 다가오는 아히발트의 얼굴을 보며 엘로라가 평이한 어조로 축하 인사를 전했다. 첫인사는 그가 수천 번 들었던 말인지 정해진 반응을 보였지만 이어지는 '친구'라는 대목에 동요했다.

"부득이한 사정으로 못 오게 되었거든요. 아마 이 자리에 있었다면 좋아했을 거예요. 그 말씀을 드리려고 실례를 무릅쓰고 일부러 불러냈어요."

"그 친구를 직접 만날 수 없어서 유감이군."

"저 또한 그렇게 생각해요."

그들 사이에 침묵이 깊게 내려앉았다.

아히발트는 엘로라의 친구가 누구인지 물어보지 않았다.

엘로라에게 친구가 존재하지 않는다는 건 다들 익히 아는 사실이었다. 사람들이 알고 있는 엘로라는 혼자였다. 결혼식에 부를 지인조차 없는 혼자.

그런 그녀가 친구를 입에 담고 있으니 이상하게 여겨질 법도 한데 아히발트는 무언가를 골똘히 생각할 뿐이었다.

짐작 가는 부분이 있는데 그것을 확신할 수 없어서 고민하는 것 같았다.

수많은 추측이 있을 것이었다. 그가 생각을 정리하도록 기다려 주던 엘로라는 용기를 내어 먼저 침묵을 깨뜨렸다.

"한 가지 여쭤봐도 될까요?"

아히발트가 선뜻 고개를 끄덕였다. 곤란한 질문만 아니라면 웬만해서는 다 대답해 줄 것 같았다.

"어째서 결혼을 결심하게 되셨나요?"

"때가 되면 다들 하는 혼인인데 결심이라는 거창한 단어를 쓸 필요는 없지."

"하지만 아히발트 전하께서는 전 부인을 잊지 못하셨잖아요. 그 때문에 재혼은 하지 않을 거라고 다들 말했었죠."

아히발트의 갑작스러운 심정 변화는 결혼식 당일인 오늘까지도 엘로라에게 의문으로 남아 있었다. 그리고 아히발트와 헤어지기 전, 아몬이 했던 말이 걸렸다.

그가 재혼을 하지 않는 이유가 그리움 때문이 아니라는 말.

아히발트는 곤란해하면서 아몬의 의견에 대해 긍정했다.

이제껏 아히발트가 재혼하지 않는 이유는 전 부인에 대한 그리움 때문이라고 판단했다. 또한 건국제 때만 하더라도 아몬을 진실로 사랑하는 것처럼 느껴졌기에 엘로라로서는 전혀 이해가 되지 않은 행동이었다.

모든 행동에는 인과가 있었는데 아히발트는 그것이 어색했다.

"좋은 냄새가 나는군."

"예?"

"풀 내음이야. 정확히 말하자면 나무 냄새지."

대답하기 어려운 질문이라서 일부러 주제를 기피하는 줄 알았다. 하지만 나무 냄새라는 말에 엘로라는 그가 많은 가능성을 고려하고 있음을 깨달았다. 아몬이 인간이 아니라는 것마저.

냄새를 자세히 맡기 위함인 듯, 아히발트가 살포시 눈을 감았다.

"아주 예전부터 알고 있던 향이지. 최근에 아는 사람이 이와 똑같은 향이 났는데 헤어지게 되어 다신 맡지 못하리라 믿었건만 자네에게서도 나는군."

엘로라는 아히발트가 말하는 예전이 언제인지 알 것 같았다. 라하트가 수업을 듣지 않고 땡땡이를 칠 때마다 아모몬 나무 밑에 숨었다고 한 적이 있었다.

그만의 비밀 기지라고 표현했으니 관련이 있는 듯했다.

"아히발트 전하께서도 땡땡이를 치신 건가요?"

"안타깝게도 나는 모범생이었기 때문에 라하트를 찾으러 다니는 입장이었지. 물론 어디 있는지 알았기 때문에 너무 걱정할 만한 시간이 되면 돌아가자고 데려가는 역할이긴 했지만."

"형으로서 귀찮은 일을 도맡아 하셨네요."

"귀찮지 않았어. 오히려 좋아하는 시간이었지."

그때를 떠올렸는지 아히발트가 빙그레 웃었다.

"바람이 불면 풍경이 흔들리듯 나뭇잎이 부딪치면서 소리를 내었지. 그리고 내가 있는 곳까지 짙게 향이 났어. 그럴 때면 어서 라하트를 데려가야 하는 걸 알면서도 가만히 지켜보고만 있었지."

"항상 모범생이었던 건 아니었군요."

"남들 앞에서만 모범을 보이는 것만으로도 충분했으니

까. 그러고 보니 라하트는 종종 그곳에서 누군가의 목소리를 들었다면서 날 이끌었지만 아무 소리도 듣지 못했지. 대신 그때 맡았던 향이 아직까지 잊히질 않는군."

그렇게 말하는 아히발트의 목소리가 쓸쓸하게 느껴졌다.

그러나 엘로라는 위로해 주기 위해 이 자리에 있는 것이 아니었기에 입술을 다물었다.

"유령이라고 했던가?"

"요정이에요. 나무 요정."

단호한 엘로라의 대답에 아히발트가 소리 내어 웃었다.

유쾌한 웃음이었다.

"라하트는 항상 상식을 뛰어넘는 황당한 일에 엮이고는 하지. 마치 모두를 놀라게 하기 위해 태어난 것처럼."

어렴풋이 알고 있던 아몬의 존재에 대해 확신을 받은 그는 믿어지지 않는 현실을 받아들이고 있었다. 아예 짐작하지 못했던 일이 아니었기 때문에 수긍이 쉬운 듯했다.

그 와중에 그들의 과거 얘기를 알고 난 후인 터라 엘로라는 아히발트가 라하트에 대해 언급하자마자 느낄 수 있었다. 숨기고 싶지만 숨길 수 없는 열등감과 죄책감을.

라하트의 평판이 바닥을 찍는 지금까지도 아히발트는 해묵은 감정을 버리지 못하고 있었다.

"얘기를 듣고 있자니 라하트 전하를 찾으러 갈 때만 그 향을 맡으신 것 같네요. 그토록 좋아하는 향인데 어째서 직접 가서 맡지 않으신 건가요?"

아모몬 나무가 심어져 있는 곳은 황궁 안이었다.

아무리 사람의 발길이 끊긴 곳이라 해도 아히발트가 원한다면 충분히 갈 수 있는 곳이었다. 그런데 아주 오랜 추억만이 다였다는 듯이 말하여 위화감이 들었다.

그리고 위화감은 정확히 들어맞았다.

“내 행동 하나하나에 책임이 따르는 것이 지금 이 자리네. 원한다는 이유 하나만으로 마음대로 움직여서는 안 된다는 것쯤은 자네 또한 알고 있을 텐데.”

“……그렇게 해서까지 지킬 가치가 있는 자리인가요?”

많은 의미가 내포된 물음이었다.

과거에는 향기일 뿐이었다. 그러나 이제는 사람이었다. 좋아하는 사람의 정체를 알았음에도, 그녀가 어떤 결말을 맺었는지 짐작하고 있으면서도 찾아갈 수 없었다. 황태자라는 지위를 위해 욕망을 거세해야 했다.

그뿐만이 아니었다. 라하트의 인생을 희생시키면서 그 자리를 지키고 있었다. 아히발트는.

수많은 희생을 시체처럼 쌓아 놓은 채 가장 높은 곳에 서 있는 것이었다.

“원래 내 자리인데 가치가 무슨 상관이지?”

“…….”

“라고 대답했겠지. 십 년 전쯤이었다면.”

아히발트가 쓴 미소를 지었다.

“예전에는 이 자리에 서 있는 게 나이기에 의미가 있는 것이라고 생각했는데 요즘은 반대가 아닐까 싶더군.”

아히발트는 지금 미래에 황제가 될 것이라는, 황태자라는 지위가 자신을 지탱해 주고 있다고 말하고 있었다.

그는 라하트가 태어나기 전까지 아주 오랜 시간을 황제가 되리라 믿어 오며 살아온 사람이었기 때문에 그의 인생에 있어서 그것이 다였다.

그라는 사람이 특별해서 황제가 되리라 믿어 왔지만 실제로는 자신이 황제라는 지위에 붙잡혀 있음을 깨달은 것이다.

“그 때문에 라하트가 수업을 듣지 않고 도망친 것처럼 나 또한 도피처를 만들고 싶어 했는데 결국은 한여름 밤의 꿈 같은 존재였지.”

“꿈이 아니에요.”

아몬의 존재를 단순 꿈으로 치부하는 것이 화가 난 엘로라가 불쑥 말했다. 일말의 여지를 주지 않는 단호함이 깃든 목소리였다.

“그녀는 존재했어요.”

항상 엘로라의 얼굴을 보지 못하고 슬쩍 시선을 빗겼던 아히발트가 그제야 엘로라와 눈을 마주쳤다. 살짝 넋이 나간 표정이었다.

“……언젠가 그녀에게 인사하러 찾아가도 되는가? 직접 축하 인사를 받도록 하겠네.”

“네, 몹시 기뻐할 거예요.”

뒤늦게 정신을 차리고 다시 평소처럼 엘로라의 얼굴을 보지 않은 채 아히발트가 말했다.

선뜻 긍정한 엘로라는 그때가 되면 아히발트가 향기뿐만 아니라 목소리를 들을 수 있기를 바랐다. 비록 아몬은 떠났으나 그의 마음속에는 살아 있으니.

입꼬리를 살짝 올린 엘로라는 오늘의 주인공인 아히발트를 오래 붙잡아 두었다는 걸 깨달았다. 그의 오랜 부재는 논란이 될 만했다.

슬슬 돌아갈 시간이라는 걸 아히발트 또한 깨달았는지 그가 먼저 입을 열었다.

"나는 이곳에 조금 더 있다가 가도록 하지."

함께 나가게 되면 구설수에 오르게 되리라는 걸 익히 알고 하는 말이었다. 이의 없이 발코니를 빠져나가려던 엘로라는 문득 걸음을 멈추고 뒤를 돌아봤다.

"실례가 되지 않는다면 한 가지 더 여쭤봐도 될까요?"

"실례될 것 없네."

아히발트가 고개를 끄덕였다.

충분히 아히발트에게 상처가 될 수도 있는 질문이었기에 양해를 구한 후에도 선뜻 말하지 못하고 입술을 달싹이던 엘로라는 끝내 목소리를 내었다.

"전하께서는 전 부인을 사랑했나요?"

"좋은 사람이었지."

"좋은 사람이라고 해서 사랑을 느끼는 건 아니죠."

"마지막 숨을 내뱉는 순간까지 내게 미안해했으니 말로 표현하기 복잡한 관계겠지. 우리는."

긴 시간 동안 아히발트가 버텨 온 이유가 단순히 그리움이라고 정의하기에는 그들 사이에 골이 깊었다.

겉으로는 아무렇지 않은 척하여 그와 가장 친한 에곤마저 스스럼없이 아히발트가 사랑하는 사람을 만나도록 엘로라의 계획에 참여했다.

엘로라는 자신의 계획이 제대로 실행되지 않아서, 그가 만난 사람이 아몬이어서 다행이라고 생각했다.

"솔직하게 대답해 주셔서 감사합니다."

거짓 없이 모든 얘기를 해 준 아히발트에게 정중히 인사했다.

오늘 엘로라와의 대화로 그녀에 대한 인식이 많이 바뀐 아히발트가 그 모습을 잠자코 보다가 엘로라에게 사과했다.

"그간 자네를 과소평가해서 미안하게 되었군."

"사람은 눈에 보이는 걸로 판단하니까요. 속이는 것 또한 쉽죠. 속이는 입장조차 쉽게 속아 넘어가고는 하니 사과하실 필요는 없어요."

불필요한 사과였다. 딱 잘라서 말한 엘로라가 발코니를 빠져나갔다. 아히발트의 작은 중얼거림은 듣지 못한 채로.

"확실히 닮았군."

그동안 아히발트는 엘로라가 소문과 다를 것 없다고 생각했다. 하지만 그녀의 뒷모습을 보고 있자니 라하트와 닮았다는 걸 부정할 수 없었다. 겉이 아닌 알맹이가.

아히발트가 홀로 부부는 닮는다는 말이 맞는 것인지에 대해 고민하는 사이 연회장으로 돌아온 엘로라는 라하트를 찾았다.

기다리겠다는 그는 헤어진 장소를 둘러봤지만 코빼기도 보이지 않았다.

어딘가에서 또 술을 마시고 있지 않을까 싶었다.

엘로라가 아히발트와 대화를 나누는 사이 라하트는 제 역할을 충실히 수행하고 있는 것이었다. 마시고, 마시고 또 마시고.

보는 눈이 많은 장소이니만큼 습관처럼 술을 마시고 있을 라하트가 머릿속에 훤히 그려졌다.

그가 진짜 알코올 중독자가 아니라는 사실을 알게 되었지만 너무 많이 마시면 건강에 좋지 않으니 살짝 걱정이 될 수밖에 없었다.

엘로라가 옆에 있으면 자제하는 그이지만 반대로 엘로라가 없으면 평소처럼 굴었다. '적당히'라는 단어를 모르는 모습으로.

엘로라 또한 변장과 연기를 그만두지 않고 있으니 라하트에게 무어라 참견하지 않았다. 서로 그만두라고 하여도 그만두지 않으리라는 걸 너무 잘 알았다. 그저 둘만 있으면 솔직해질 수 있다는 것을 유일한 위안으로 삼고 있었다.

목적도 이뤘으니 잔뜩 술을 마셨을 그를 데리고 연회장

을 나가야겠다고 생각한 엘로라는 라하트가 있을 법한 곳으로 걸어가며 주위를 둘러봤다.

어딜 가나 눈에 띄는 황금빛 머리통은 곧바로 시야에 잡히지 않았다. 워낙 규모가 큰 결혼식이니만큼 사람도 많았기 때문에 이 인파에서 라하트를 찾기란 쉽지 않았다.

잠시 걸음을 멈춘 엘로라가 혹 라하트가 있을까 싶어서 근처를 살피는데 찾고 있는 라하트가 아닌 낯익은 얼굴이 비장한 표정을 지으며 이쪽으로 다가오고 있었다.

로렌츠 영애였다.

무투 대회 이후 오랜만에 보는 그녀의 모습을 확인하고 다시 고개를 돌리려던 엘로라는 갑자기 얼굴에 쏟아지는 붉은 액체에 반사적으로 두 눈을 질끈 감아야 했다.

와인 향이 훅 끼쳤다. 그리고 세수한 것처럼 얼굴이 축축했다.

단번에 상황을 파악하지 못한 엘로라는 화장 탓에 차마 세게 눈가를 문지르지 못하고 눈을 떴다. 눈앞에는 살짝 균형을 잃었다가 돌아온 로렌츠 영애가 서 있었다. 빈 잔을 든 채로.

“어머, 죄송해요.”

소란이 일어나자 사람들의 시선이 저절로 엘로라와 로렌츠 영애에게 모아졌다. 제 발에 걸려 넘어진 것인지 어쩔 줄 몰라 하는 얼굴을 한 로렌츠 영애가 사과했다.

엘로라의 얼굴은 와인 범벅이었다. 목을 타고 흘러, 드레스를 천천히 물들이고 있었다. 드레스도 드레스였지만 문제는 화장이었다.

화장이란 결국 얼굴이란 도화지에 그림을 그린 것뿐이었다. 이렇게 잔뜩 젖었으니 흘러내릴 수밖에 없었다.

이목이 집중되는 지금, 엘로라가 할 수 있는 행동은 단 한 가지밖에 없었다.

서둘러 도망치려 했다. 자리를 벗어나려는 엘로라를 로렌츠 영애가 붙잡았다.

"저 때문에 홀딱 젖어 버렸네요! 드레스가 더 젖기 전에 닦아 드릴게요."

"아, 아니. 괜찮아."

"황자비 전하께서는 참 배려심이 넘치시네요. 소문과는 다르게."

소문과는 다르게.

모든 것을 알고 있는 듯한 그녀의 말이 엘로라의 발목을 붙잡았다. 꼭 엘로라의 사정을 알고 있는 채로 하는 말 같았다.

따지고 보면 얼굴만을 겨냥하여 쏟아 낸 듯한 와인은 우연치고는 교묘했다. 게다가 이쪽으로 다가올 때 무언가를 결심한 얼굴이지 않았던가.

위화감이 드는 점이 한두 가지가 아니었다.

그러나 당장 급한 것은 그게 아니었다. 로렌츠 영애가 무엇을 알고, 무슨 마음을 먹었든 당장 모여드는 시선은 엘로라가 피해야 할 것이었다.

로렌츠 영애를 밀어냈다. 제법 힘을 주어 밀어냈건만 꿈쩍도 하지 않았다. 도리어 엘로라와의 거리를 훅 좁힌 그녀가 귓가에 대고 속삭였다.

"저, 봤어요. 다른 사람의 모습을 한 채 에곤 님과 싸우는 당신을."

헛소리하지 말라며 화를 내고는 이곳을 벗어나면 되었다. 그러나 엘로라는 로렌츠 영애의 말을 듣자마자 일순 사고가 정지했다. 절대 꾸며 낼 수 없는 말이었다. 정말로 목격한 것이었다. 에곤과 있던 그 모습을.

그날, 에곤과 헤어질 때 다른 누군가가 있는 것 같다고 느끼긴 했지만 경황이 없어서 살피지 못했다. 길고양이가 아닌 로렌츠 영애였던 것일까? 그녀는 어째서 그 자리에 있었던 것일까.

평소에 사람이 다니지 않는 골목이었다. 그렇기에 에곤도 엘로라도 안심하고 대화를 나누었다.

당황으로 머릿속이 백지장처럼 하얘진 엘로라는 황급히 에곤과 나눴던 대화를 되짚어 보려고 애썼다. 남이 들어서는 안 될 얘기를 나눴을지도 모른다는 생각이 불쑥 들었기 때문이었다.

손끝이 떨렸다. 그날 있었던 일을 떠올리려고 애쓰는 것 외에는 아무것도 할 수 없었다.

어서 움직여야 한다고 이성이 외치고 있었지만 몸이 따

라 주지 않았다.

분명 이제까지 의지대로 움직여 주었던 육체건만 통제를 아예 벗어난 것 같았다.

엘로라가 와인을 뒤집어쓴 채 잔뜩 경직되어 있는 동안 기회를 놓치지 않은 로렌츠 영애가 억센 손길로 주근깨투성이인 뺨을 닦아 냈다. 그녀의 손길 아래에 공들여서 만든 주근깨가 사라졌다.

"화장을 지워 내니 훨씬 아름다우시네요. 주근깨도 사라진 것 같은데…… 이 기회에 화장법을 바꾸시는 건 어때요?"

로렌츠 영애는 웃고 있었다.

아주 화사하게.

본인이 어떻게 웃어야 가장 예쁜지 아는 사람처럼 웃고 있었다. 그러나 엘로라에게는 그 모습이 꼭 악에 받친 것처럼 느껴졌다.

"잘 지워지네요. 너무나도 쉽게."

뒤늦게 정신을 차린 엘로라가 움직이려고 애썼지만 이미 늦었다. 로렌츠 영애는 이제라도 도망치기 위해 등을 돌리려는 엘로라의 손목을 꽉 잡았다.

손목에서 미미한 통증을 호소했다. 하지만 엘로라는 느끼지 못한 통증이었다.

도망쳐야 해, 도망쳐야 해, 도망쳐야 해, 도망쳐야 해.

공포에 사로잡혔다. 시선이 바늘처럼 따끔하게 뺨을 찔렀다. 로렌츠 영애의 손길이 닿은 곳에 닿는 공기가 유독

서늘했다.

한쪽 뺨을 긁어내고 싶었다. 손에 힘이 들어갔다면 손톱으로 힘껏 긁어냈을 것이었다.

"원래 얼굴에 자신을 가져도 될 것 같아요. 화장 후보다 훨씬 나으시거든요. 자, 보세요."

로렌츠 영애가 손거울을 갖다 댔다.

작은 세계는 가감 없이 엘로라를 비추었다. 얼굴 반쪽은 여전히 못난이 엘로라였지만 다른 한쪽은 아니었다.

엉망진창으로 화장이 지워진 한쪽 얼굴은 그녀의 민낯을 짐작할 수 있게 했다. 거기다 화장이 고스란히 남아 있는 한쪽 탓에 다른 한쪽이 더욱 도드라졌다.

가면이 벗겨진 것이었다.

"제 의견에 동의하시죠?"

로렌츠 영애의 물음에 대한 답은 돌아오지 않았다.

시선을 손거울에 고정한 채 엘로라는 그대로 공황 상태가 되었다.

타인의 시선이, 목소리가 느껴지지 않았다. 오로지 민낯이 반쯤 드러난 엘로라뿐이었다. 시간이 멈춘 듯했다.

엘로라는 이대로 시간이 영원히 멈췄으면 좋겠다고 생각했다. 그렇다면 이 뒤로 일어날 일을 겪지 않아도 되니까.

멈춰 버린 엘로라의 시간을 다시 가게 한 것은 어둠이었다. 반은 허물어진 엘로라의 얼굴이 시야에서 사라졌다.

암전이었다.

엘로라가 어떤 조치를 취하기 전에 누군가에게 공주님 안기 자세로 안겼다. 갑작스러운 상황에 버둥거리려던 엘로라는 익숙한 향을 맡았다. 라하트였다.

자신을 안고 있는 것이 라하트라는 것을 깨닫자마자 온몸에 힘이 빠져나갔다. 라하트에게 안긴 엘로라는 얼굴이 드러나지 않도록 겉옷을 덮은 채 옮겨졌다.

눈을 떠도, 감아도 아무것도 보이지 않으나 거울 속에 박제된 제 모습은 계속 떠올랐다.

그것을 지워 내기 위해 에곤과 어떤 대화를 나눴는지 되짚어 보는 데에 매달렸다. 별 효과가 없더라도.

체감상 긴 시간이 지났다.

라하트는 품에 안은 엘로라를 조심스럽게 앉혀 주었다. 그리고 겉옷을 걷어 내자 엘로라의 시야가 다시 밝아졌다. 동시에 시원한 바람이 뺨을 간지럽혔다. 연회장이 아닌 바깥이었다.

누군가의 기척도 느껴지지 않는 정원의 분수대에 걸터앉은 그녀는 라하트를 올려다보았다.

그런 일이 벌어졌음에도 불구하고 라하트는 여전히 장난꾸러기 같은 얼굴을 하고 있었다. 만약 그가 지금까지 일어났던 일은 전부 꿈이었다고 속삭였다면 믿을 것만 같았다.

"항상 내게서만 나는 냄새였는데 오늘은 내 신부님이 술통에 빠졌네."

"……농담할 기분 아니에요."

"꼭 피를 뒤집어쓴 것 같아."

빙긋 웃은 라하트가 엘로라의 목덜미를 손가락으로 훑었다. 느릿한 손길이었다. 와인 탓에 끈적대는 쇄골을 훑고 지나가는 그의 손길을 느낀 엘로라는 순간 화를 이기지 못하고 소리쳤다.

"그만하세요!"

생각보다 큰 소리로 나왔다. 커다랗게 울리는 제 목소리를 듣고 나서야 애꿎은 라하트에게 화풀이한다는 걸 깨닫고는 정신을 차렸다.

혼란스러웠다. 로렌츠 영애와 마주한 이후 일어난 모든 일이. 감당이 되지 않았다.

착잡한 마음에 손바닥으로 얼굴을 덮었다. 그런다고 하여 지워진 화장이 원래대로 돌아오는 것은 아니었다.

화장이 지워진 뺨을 긁어내고 싶은 충동을 억눌렀다. 차분히 냉정을 유지하고 싶은데 그럴 수 없었다. 냉정해져야 한다고 스스로 몇 번이나 되뇌어도 제자리걸음이었다.

결국 혼란스러운 마음을 어찌 못한 엘로라가 손바닥에 얼굴을 묻은 채로 중얼거렸다.

"제 얼굴, 봤죠?"

"언제나 보는 얼굴인데 뭘."

"다른 사람도 봤겠죠?"

라하트는 대답하지 못했다. 불안정한 엘로라 앞에서 차마 긍정할 수 없는 것이었다. 대신 옆에 앉았다.

"저는……."

찬찬히 단어를 골랐다. 조금 전에 일어난 일에 휩쓸려서 떠내려갈 것만 같았다. 그대로 침몰해 버릴 것만 같은 기분에 겨우 균형을 유지한 엘로라가 말했다.

"가만히 넋을 놓고 있어서는 안 되는 거였는데. 제가 너무 멍청한 것 같아요."

숨 쉬기가 어려웠다. 커다란 돌멩이가 가슴을 짓누르는 것 같았다.

"괜찮아."

"전혀 안 괜찮아요. 모두 제 잘못이에요."

자책한 엘로라는 숨 쉬지 않고 말을 쏟아 냈다.

"제가, 제가 조금 더 현명하게 행동했어야 하는데 안일했어요."

"……."

"그녀의 말을 못 들은 셈 치고 곧장 도망쳤더라면 최악의 상황은 아니었을 거예요. 그러니까 제가……."

가만히 엘로라의 말을 듣던 라하트가 끝내 모든 말을 듣지 않은 채로 그녀를 끌어안았다. 라하트의 가슴팍에 얼굴을 묻게 된 엘로라는 무수히 많은 말을 목구멍으로 삼킬 수밖에 없었다.

그러나 아직 입 안에 고인 언어가 있었다. 마른침을 삼킨 엘로라는 언어까지 삼키려고 애썼다. 그런 엘로라의 등을 라하트가 다정한 손길로 쓸어 주었다.

"내 신부님은 너무 완벽주의자야."

"아니에요, 그냥 제가 잘못한 것뿐이에요."

"넌 잘못하지 않았어."

"명백히 제 잘못이었어요."

"어째서 그렇게 생각해?"

"제 일인데 처신을 잘 못했으니까요."

"네 잘못이 아니야."

연거푸 잘못이 아니라는 라하트의 말은 위안이 되어 주지 않았다. 엘로라를 더욱 불안하게 만들 뿐이었다.

라하트의 품에서 벗어난 엘로라는 그를 밀어냈다.

"감싸 주지 않으셔도 돼요."

"감싸는 거 아니야."

고개를 저은 라하트가 말했다.

"나는 네가 스스로를 숨기지 않은 채 살아갔으면 좋겠어."

"……."

"타인과 자신을 속이지 않으면서."

"전하께서 할 말은 아니죠."

"맞아, 숨어 있는 내가 할 말은 아니지."

라하트 역시 타인에게 거짓된 모습을 보이고 있었다. 가끔은 스스로를 속여 가면서. 서로의 입장을 이해하고 있는 상태에서 섣불리 거짓된 삶을 그만두라고 할 수 없었다.

"하지만 너는 나와 다르잖아."

"……."

"모든 걸 포기한 나와 다르게 너는 쉽게 포기하지 않아. 부서지는 걸 두려워하지 않지. 너의 그런 점이 좋아. 그리고 타인에 의해 그런 모습을 저버리지 않았으면 해."

"……저버린 적 없어요."

"정말?"

되물은 라하트가 엘로라의 뺨을 어루만졌다.

화장이 지워진 순간부터 긁어내고 싶은 충동을 억눌러야 했던 부분이었다.

"네 화장은 방패야. 타인의 시선에서 벗어나기 위한 방패. 그것이 사라지니 지금 두려워하고 있잖아. 네가 지금 떨고 있는 이유가, 진실로 두려워하는 것이 무엇이라고 생각해?"

라하트의 물음이 차갑게 내리꽂혔다.

이토록 두려워하는 이유.

세상이 붕괴된 것처럼 굴고 있는 이유.

화장이 벗겨지는 순간 엘로라의 세계는 무너지고 있었다. 그 이유 때문에.

"모든 걸 네 탓으로 돌리지 말고 나를 조금 더 의지해도 좋아."

"혼자서도 이제까지 잘해 왔어요."

"사람은 항상 홀로 설 수 없어. 결국 타인과 함께 살아가잖아."

"타인에게 의지해서 바뀌는 건 없어요."

여전히 냉정하지만 힘없는 엘로라의 대꾸에 라하트가 쓰게 웃었다.

"조금 더 좋은 분위기와 장소에서 얘기하려고 했는데 상황이 따라 주지를 않네."

벌떡 일어난 라하트가 엘로라 앞에 섰다. 라하트를 올려다보기 위해 고개를 들려고 했지만 그럴 필요는 없었다. 그가 무릎을 꿇었으니.

"좋아해."

한쪽 무릎을 꿇은 라하트가 조심스럽게 엘로라의 왼쪽 손을 잡았다. 다정한 온기가 덧대어졌다.

"나와 결혼해 줘."

별을 담은 것처럼 반짝이는 보랏빛 눈동자로 엘로라를 쳐다본 라하트가 고개를 숙였다. 그의 입술은 네 번째 손가락에 끼워진 반지 위에 살포시 앉았다.

그가 하는 행동의 의미를 모르지 않는 엘로라는 당황하여 살짝 말을 더듬고 말았다.

"하지만 저희는……."

"이혼할 거지. 그러니 지금 정식으로 청혼하는 거야."

이해가 되지 않았다. 라하트는 이미 이혼에 대해 동의한 상태였다. 그런데 청혼이라니? 앞뒤가 맞지 않았다.

안 그래도 제대로 된 사고가 힘든 머릿속인데 라하트의 돌발 행동까지 합쳐져서 포화될 것만 같았다.

"나와 결혼해서 공작이 되어 줘."

"네?"

"공작 부인이 아닌 공작."

라하트의 제안에 엘로라가 느릿하게 두 눈을 깜빡였다.

순간 민낯을 들켰다는 것을 잊을 정도의 발언이었다.

"누군가의 부속품이 되는 게 싫어서 도망치려고 하는 거잖아. 그러니 내가 너의 것이 될게."

엘로라의 왼손을 끌어당긴 라하트가 손바닥이 제 뺨에 닿게 했다. 엘로라의 창백한 손이 라하트의 뺨에 갖다 대어졌다. 그에 기댄 라하트가 속삭였다.

"더는 타인의 시선을 신경 쓸 필요 없어. 보다 높은 자리에서 네가 원하는 걸 이뤄 내는 거야."

농담이 아니었다. 진심으로 하는 소리였다. 라하트는.

할 말을 잃어서 입술을 달싹이던 엘로라는 필사적으로 라하트의 말을 부정했다. 상식적으로 불가능한 일이었기 때문이었다.

"불가능해요. 그 작위는 제가 아닌 전하를 위한 것이잖아요."

"네게 양도하면 되지."

"전례 없는 일이에요. 안 될 거예요. 그리고 말이 안 되잖아요. 농담은 집어치워요."

"내 신부님은 아직 나를 과소평가하고 있구나. 내게 있어 안 되는 일은 없어."

장난기 어린 미소를 지으며 라하트가 일어났다.

"대신 조건이 있겠지."

의문이 어린 시선으로 라하트를 올려다보았다. 고개를 숙인 그는 엘로라의 목덜미에 입을 맞추었다. 입술이 닿는 순간 반사적으로 밀어내려 했으나 오히려 라하트가 끌어안아서 밀어지기는커녕 더욱 가까워졌다.

"내 곁을 떠나지 못해. 떠나보내지도 않을 거고."

지척에서 들리는 목소리가 낮았다. 한두 번 가볍게 입술을 맞춘 그는 예고 없이 목덜미를 깨물었다. 갑작스런 통증에 엘로라는 신음을 삼켰다.

"와인을 바꾸라고 해야겠는걸. 내 신부님보다 맛이 없잖아."

고개를 든 라하트가 입맛을 다셨다. 불한당 같은 그의 행동에 엘로라는 더욱 힘을 주어 라하트를 밀어냈다. 이번에는 그가 뒤로 밀려가 주었다.

"대체 어째서……."

"내 제안이 영 탐탁지 않지? 알아. 네 손으로 이뤄 낸 것이 아니니 그럴 만도 하지. 게다가 원래 이런 제의는 황제쯤 돼야 혹하는데 고작 공작이니 더더욱 그럴 테고."

황당해서 말이 나오지 않았다. 공작이라는 지위를 마치 옆집 이웃 부르듯이 언급하는데 전혀 그런 취급을 받을 자리가 아니었다.

황제 또한 마찬가지였다. 제국의 통치자라는 호칭을 쉬이 얻을 수 있는 것처럼 말하는 라하트의 행동에 어이가 없어졌다.

"네가 원한다면 황제가 되게 해 줄게."

"공작도 충격적인데 황제라니요. 당장 머리가 터져서 죽을지도 몰라요."

미미하게 인상을 찡그리는 엘로라를 보며 라하트가 소리 내어 웃었다. 살짝 미친 것 같지만 그가 지극히 정상이라는 걸 엘로라는 알고 있었다.

"네가 원한다면 그 무엇이든 줄 거야."

"……전하께서 혼자 결정할 일은 아니죠."

"가능해. 언제까지 고리타분하게 역할을 나눌 수는 없잖아. 그런 건 재미없어."

"재미의 문제가 아니잖아요."

"작위란 결국 정통성 확보야. 너와 결혼해서 아이를 낳게 된다면 결국 그 아이는 내 아이이자 네 아이인데 무슨 문제가 있어? 생각해 봐. 바뀐 건 내가 공작 남편이 되고 네가 공작이 되는 것뿐이야. 유능한 사람이 마땅한 지위를 얻는 건 당연한 이치지."

궤변이었다. 그러나 라하트의 말을 가만히 듣다 보면 또 말이 되는 것 같아서 문제였다.

"굳이 지위 얻는 것이 남자일 필요는 없어. 법으로 재정돼 있지만 왜 그래야만 할까? 의문을 가진 적 있어? 모든 일은 사소한 의문으로 시작되지. 크리센즈를 봐. 여성이 통치해도 잘만 굴러가잖아. 그런데 볼흐라스는 어째서일까. 남성의 혈통이 더 우수해서? 말도 안 되는 소리지."

궤변은 그만 늘어놓으라고 딱 잘라 말해야 하는데 반박할 수가 없었다. 하나같이 맞는 말을 하고 있었다. 작은 의문. 엘로라 또한 가졌던 의문은 라하트의 입을 통해 나오고 있었다.

"인간은 동등해. 성별로 가치를 깎아내려서는 안 돼."

"……."

"너를 이렇게까지 몰아세운 건 이 땅이겠지."

라하트의 시선이 화장한 엘로라의 반쪽 얼굴로 향했다.

"비록 나는 어찌할 수 없는 구제 불능이지만 내 신부님만은 자신을 숨기지 않았으면 좋겠어. 숨어야 할 이유도, 쫓겨야 할 이유도 없으니까."

다정한 라하트의 속삭임에 복잡하게 얽혔던 생각이 정리되었다.

그의 목소리를 듣고 있자니 어째서 불안해했는지 그 근본적인 이유를 알아낼 수 있었다. 불안이 종식되고 있었다.

"네가 정상에 선다면 그간 숨겨 왔던 얼굴이 드러난 것은 전혀 문제가 되지 않을 거야."

라하트의 말에 엘로라는 헛숨을 들이켰다. 이혼이라는 결말을 단정 지어 버린 엘로라와는 다르게 라하트는 꾸준히 더 나은 미래를 생각하고 있던 것이었다.

서로가 인정할 수 있는 해피 엔딩을.

정말 이상한 남자였다.

엘로라는 선뜻 자신을 내어 주는 남자를 바라보았다.

"잘못 말하셨어요."

"무엇을?"

"저희가 결혼한 지 시간이 제법 흘렀어요. 저는 더 이상 전하의 신부가 아니에요."

라하트는 항상 엘로라를 '내 신부님'이라고 불렀다.

그러나 엘로라는 더는 신부가 아니었다.

"엘로라."

엘로라는 용기 내어 자신의 이름을 어색하게 발음했다. 타인의 이름은 자주 부르지만 반대로 자신의 이름을 부를 때는 몇 없었다.

"엘로라라고 불러 주세요."

애칭을 부르라는 것도 아니건만 라하트의 얼굴이 일순 붉어졌다. 단순히 이름을 불러 달라고 청한 것뿐인데 언제나 여유롭던 남자가 바뀌는 게 신기했다.

"이름은 건너뛰고 애칭을 불렀잖아요. 여러 번."

"……그때는 특수한 상황이었어."

질투에 눈이 먼 남자는 앞뒤를 가리지 않는 듯했다. 이름을 불러 주지도 않으면서 애칭은 연거푸 언급했으니.

"어째서 저를 이름으로 부르지 않는 거예요? 저는 꼬박꼬박 불러드리고 있는데."

"……."

"예전에는 부르지 말라고 해도 아무렇지 않게 불렀잖아요."

"어, 언제?"

"납치당했을 때요."

"그때는 경황이 없어서 어쩌다 보니……."

"그래서 제 이름을 부르기 싫으세요?"

"아니, 아니야."

격하게 부정한 라하트가 머뭇머뭇 망설였다.

조금 전에 대범하게 목덜미까지 깨물었으면서 이상한 데에서 조심스러운 남자였다.

"싫으면 말아요."

라하트가 무엇이라고 부르든 상관없었으나 이름을 불러주었으면 하는 작은 소망은 있었다. 그것을 억지로 강요한다 하여 이루어지지 않았기 때문에 쉽게 포기하자 그가 앞뒤 가리지 않고 다급하게 외쳤다.

"엘로라."

라하트의 목이 붉게 달아오르기 시작했다. 지금 목덜미에 손을 갖다 댄다면 화상을 입을 것처럼 뜨거울 것만 같다고 생각한 엘로라는 차분하게 보랏빛 눈동자를 응시했다.

기다리고 있었다는 듯이 눈이 마주쳤다.

"내가 네 이름을 불러도 될까?"

"언제든지요."

이름이 허락을 받아야 부를 수 있는 것이었던가.

정말 이상한 남자였다. 무례한 행동을 수도 없이 저질러놓고 전혀 예상치 못한 포인트에서 정중했다.

그 모습이 싫지만은 않아서 엘로라가 살짝 입꼬리를 올

리자 그것을 목격한 라하트가 입을 맞추었다.

"키스하고 싶어졌어."

"……하고 나서 말하는 게 무슨 의미가 있어요?"

"사후 통보도 통보의 일종이지."

억지였다. 제 페이스로 돌아온 라하트를 보며 미미하게 인상을 찌푸리니 미간에 가볍게 입을 맞추었다. 너무나 자연스러운 행동이었다. 엘로라 또한 그에게 입맞춤을 당하는 게 점점 익숙해져서 이상하다고 느끼지 못했다.

"청혼에 대한 답은 천천히 생각해 줘."

엘로라는 조금 전까지 불안해했던 것이 먼 나라의 이야기처럼 느껴졌다. 라하트와 함께 있으면 이렇듯 스스로도 놀라워할 일이 자주 벌어졌다.

평생 숨겨 왔던 얼굴이 드러났는데 이토록 평온하다니. 예전의 엘로라였다면 농담이라고 생각했을 일이었다.

"돌아갈까?"

라하트가 손을 내밀었다. 가만히 그 손을 내려다보던 엘로라는 제 것보다 큰 손을 잡고 일어났다.

"겉옷 빌려줄까?"

"아뇨, 그쪽이 더 시선을 끌걸요."

연회장을 빠져나올 때처럼 얼굴 위에 겉옷을 덮어 줄까 말까 고민하고 있는 라하트의 제안을 거절한 엘로라가 묶고 있던 머리를 풀었다.

가는 길에 얼마나 많은 사람을 만날지 모르겠으나 라하

트의 겉옷을 뒤집어쓰고 걸어 다니는 것보다는 이러는 편이 이목이 덜 집중되었다.

머리칼로 붉은 자국이 남은 드레스도 일부분 가리고 나니 어서 씻고 싶다는 생각만이 들었다. 와인으로 샤워를 한 것이나 마찬가지라 찝찝했다.

"그러고 보니 망쳐 버렸네요."

"망치다니?"

"결혼식이요. 연회에 그런 소란이 일어났으니 완벽한 결혼식이라고 부를 수 없잖아요."

"그 정도로 결혼식을 망쳤다고 할 수 없지."

식이 진행될 때부터 결혼식을 망쳐서 화풀이를 하려는 야망을 키웠던 라하트는 그것을 아직 저버리지 못했는지 무심하게 대답했다.

"결혼식은 걱정하지 마. 형의 몫이니까."

아히발트의 결혼식이 아닌 엘로라 자신의 마음을 잘 추스르길 바라는 것이 느껴지는 말이었다.

라하트에게 있어 최우선은 언제나 엘로라였다. 그는 이 일이 일어나게 된 원인인 로렌츠 영애에 관해 묻고 싶어 하는 눈치였으나 일부러 언급하지 않았다. 대신 연회장이 아닌 궁으로 돌아가기 위해 걸음을 옮겼다.

빛이 있는 곳으로 가던 그들은 맞은편에 우뚝 서 있는 형체를 발견할 수 있었다.

로렌츠 영애였다. 그녀는 엘로라를 기다렸다는 듯이 가

는 길목에 서 있었다. 사과하러 온 얼굴은 아니었다. 그녀를 보자마자 라하트가 인상을 와락 찡그렸다.

로렌츠 영애는 엘로라를 주시했다. 먼저 말을 걸 것 같지는 않아서 그냥 지나치려고 하는데 그녀의 목소리가 고요한 사위를 울렸다.

"위선자."

뒤를 돌아봤다. 그녀는 입술을 꽉 깨문 채 엘로라를 노려보고 있었다. 에곤과 싸우는 것을 들었다고 했으니 그것만으로 엘로라는 그녀와 할 얘기가 있었다.

딱히 오늘 얘기할 기분은 아닌 것 같아 보이는 데다 엘로라 또한 꼴이 영 좋지 못했기 때문에 잠시 뒤로 미뤄 두려 했는데 그래서는 안 될 것 같았다.

"먼저 가서 기다려 주실래요? 할 얘기가 남은 것 같아서요."

"괜찮겠어?"

"덕분에 괜찮아요."

은은하게 미소를 짓는 엘로라를 걱정스러운 표정으로 내려다본 라하트가 한숨을 내쉬더니 이내 자리를 비켜 주었다. 사라지는 그의 뒷모습을 보며 로렌츠 영애는 비웃었다.

엘로라는 일순 자신이 잘못 본 것이라고 생각했지만 착각이 아니었다. 그녀는 지금 엘로라를 비웃고 있었다.

"모든 것을 다 가졌으면서 아닌 척하는 것이 즐거웠나요?"

역시 의도적으로 와인을 쏟은 것이었다.

엘로라는 의미 모를 말을 하는 그녀에게 한 걸음 다가갔다.

"더 끔찍한 얼굴이 숨겨져 있을 거라고 믿었어요. 그렇다면 조금이라도 동정할 수 있으니까."

"동정?"

헛웃음이 나왔다. 그녀 입에서 동정이라는 단어가 나온 것이 어이가 없었기 때문이었다.

"하지만 당신은 동정할 가치도 없는 사람이에요."

"동정하라고 한 적 없어. 그리고 무례한 짓을 저지른 것은 영애인데 동정이라니. 너무 뻔뻔하지 않은가 싶은데."

그녀는 엘로라와 관계없는 사람이었다.

인연이라고 해 봤자 무투 대회에서 몇 번 기억도 나지 않는 대화를 나눈 것뿐이었다. 그것을 인연이라고 부른다면 인연이겠지만 그 짧은 만남으로 동정을 운운하는 건 웃기지도 않는 일이었다.

평범한 귀족 영애인 그녀가 어떻게 그 시간에 사람이 잘 다니지 않는 골목에 있어서 에곤과 싸우는 장면을 목격하게 됐는지 자세한 사정은 알 수 없었다.

그러나 한 가지는 확실했다. 어떤 경우에서라도 그녀의 무례는 정당성을 갖출 수 없었다.

게다가 에곤과 화해한 지 오래였다. 제삼자가 불쑥 나와서 소중히 지켜 왔던 비밀을 들추는 것도 모자라 제 잘못을 인정하지 않고 도리어 비난하고 있으니 엘로라는 살짝 화가 났다.

"먼저 잘못한 건 당신이에요!"

"잘못? 내가?"

"어째서 에곤 님에게 화를 낸 거죠? 그 뒤로 따지러 간 저를 무시하기만 한 데다 화장을 지워 보니 못생기기는커녕 잘난 얼굴이라니. 못생긴 척하면서 다른 사람을 기만하는 게 즐거웠나요?"

"남의 가족 문제에 참견하는 것은 아니라고 배웠을 텐데 영애는 지금 본인이 도를 넘고 있다는 것을 모르는 건가?"

"알아요. 하지만 에곤 님은 제게 소중한 사람이에요. 언제까지 그가 당한 일을 묵인할 수 없어요."

에곤과 로렌츠 영애.

엘로라가 알기로 두 사람은 접점이 없었다. 에곤과 싸웠다는 건 알면서 화해했다는 건 모르니 친근한 사이가 아니라는 것은 확신할 수 있었다.

"제가 수도에 올라온 이후로 유일하게 불순한 의도 없이 친절을 베풀어 주신 분이에요. 동생이라는 명목으로 그렇게 좋은 분과 쉽게 접촉할 수 있는 당신이 일방적으로 비난할 사람이 아니라는 말이에요! 이제는 제 말이 들리시나요? 무투 대회 때는 저를 계속 피하시더니 이렇게까지 해야 제대로 저와 대화를 나눠 주시네요. 무시당한 이후 제가 얼마나 당신을 만나고 싶어 했는지 모를 거예요."

울분을 터뜨리는 그녀의 말을 듣고 있자니 엘로라는 확신할 수 있었다.

그녀는 에곤의 추종자 중 하나였다.

무투 대회 당시에 경황이 없어서 그녀의 말을 대충 흘려들은 게 화근이었다. 엘로라가 제대로 상대해 주지 않아서 잔뜩 약이 올라 있었던 듯했다.

그 후에 사교 활동이 거의 전무한 엘로라를 만날 방법이 있는 것도 아니니 아히발트의 결혼식만을 손꼽아 기다려 온 듯한 어조였다.

"로렌츠 영애. 타인에게 가족사를 일일이 얘기하는 것도 웃기지만 오라버니와 화해한 지 오래야. 아니, 애초에 친절을 베풀었다고 해서 오라버니와 나 사이에서 일어난 일에 영애가 참견할 권리는 없다는 것쯤은 제대로 된 사고를 가진 사람이라면 충분히 이해하고 있을 텐데."

이런 사람으로 인해 단숨에 모든 진실이 드러나서 혼란스러워하다니. 엘로라는 새삼 자신이 쓰고 있었던 것이 얄팍한 가면이었음을 깨닫게 되었다.

"제가 미친 사람처럼 보이죠?"

솔직한 심정으로는 고개를 끄덕이고 싶었다.

와인을 얼굴에 쏟고, 억지로 화장을 지운 이유를 듣고 있자니 제정신이 아닌 것 같아 보였다.

에곤은 잘생기고 유능한 데다 장차 후작가의 후계자였기 때문에 미혼인 그를 선망하는 여성들이 있었다. 그중 극성인 사람이 몇 있다는 얘기를 지나가듯이 들어 본 적이 있었지만 직접 만나 본 건 처음이었다.

그들이 에곤에게 느끼는 감정은 사랑보다는 집착에 가까

웠다.

"저도 알아요. 제가 이상하다는걸. 하지만 어떻게 미치지 않을 수가 있어요."

"영애의 사정이 어떻든 그걸 내가 알고 이해할 이유는 없어."

"맞아요, 모든 것을 다 가지고 태어난 당신은 절 이해하지 못할 테니 얘기해 봐야 알 수 없겠죠. 못생긴 얼굴을 핑계로 모임에 한 번도 나온 적 없는 당신은 신체가 조각조각 나눠져서 가치가 매겨지는 끔찍한 시선 따위는 받은 적 없을 테니까요."

로렌츠 영애가 말하는 끔찍한 시선이 무엇인지 엘로라는 알고 있었다.

알고 있었기 때문에 도망친 것이었다.

엘로라의 가면이 벗겨지자 그 사실을 알아챈 로렌츠 영애는 홀로 도피한 엘로라를 비난했다.

"모두가 절 아름답다고 칭송해요. 또래마저 제 아름다움은 권력이니 가장 괜찮은 남자를 만날 수 있을 거라며 부러워하죠. 아버지는 저를 가장 높은 값에 팔 남자를 찾아 셈을 하고 있고요."

볼흐라스 귀족에게라면 하품이 나올 정도로 흔한 얘기였다. 적당히 괜찮은 가문에 팔리듯이 결혼하게 되는 영애들. 가문의 이해를 위한 그들의 결혼에 사랑은 너무나 거창한 감정이었다.

"권력이라면서요. 제가 또래 중에서 가장 아름다우니 가장 힘이 있다는 뜻이잖아요. 그런데 어째서 아무도 절 두려워하지 않는 거죠?"

"……높은 등급이 매겨진 고깃덩어리를 무서워하지 않는 것과 같은 이치겠지."

엘로라의 대답에 로렌츠 영애가 참아 왔던 눈물을 터뜨렸다. 그녀의 뺨을 타고 흐르는 눈물을 바라보던 엘로라가 한숨을 내쉬었다.

"비참해요. 당신의 얼굴을 보니 더 비참해졌어요."

독기 어린 눈빛으로 로렌츠 영애가 엘로라를 노려보았다.

"아름다우면서 끔찍한 시선 따위 받지 않고 편안하게 살아온 당신이, 에곤 님과 아무 이유 없이 가까이 지낼 수 있는 당신이 부러워요. 당신 곁에 에곤 님이 있는 건 당연하니 특별한 시선이라고 느낀 적도 없겠죠. 게다가 로렌츠와 다르게 아르미트는 명망 높아서 결혼도 아무 가문이나 하지 않잖아요. 정말 당신은 태어날 때부터 다 가졌네요."

그녀의 한마디, 한마디가 비수가 되어 돌아왔다.

엘로라 또한 알고 있었다. 자신이 무엇을 가졌는지.

지금의 가족이 있었기에 편하게 변장을 하고 다닐 수 있었다. 만약 가족의 동의가 없었더라면 타인으로 위장한 삶은 쉽지 않았을 것이었다.

재능 또한 마찬가지였다. 자본이 있어야 재능은 꽃필 수 있다. 가난한 예술가가 능력 있다 한들 그는 결국 가난한 예술가일 뿐이었다. 삶이라는 거대한 괴물에 쫓겨서 그 괴물을 피하는 것만으로도 벅찬 사람.

가난 앞에서는 숭고한 인간이라 한들 바뀌기 마련이었다.

제아무리 엘로라의 피나는 노력이 있다 하더라도 기본적으로 주변의 지원이 있기에 가능한 일이라는 건 부정할 수 없었다.

“제가 유일하게 가진 권력은 좋아하는 사람을 돌아보게 하지도 못하니 필요 없어요. 지금 이 자리에서 죽는다면 당신으로 태어날 수 있을까요?”

로렌츠 영애가 진짜 죽을 생각인지 목을 조르는 시늉을 했다. 엘로라는 서둘러 팔을 뻗어 그녀를 말렸다.

다행히 혼자만의 힘으로 그녀의 자살 시도를 미수에 그치게 할 수 있었다. 엘로라에게 양팔이 붙잡힌 채 버둥거리던 그녀는 이내 힘없이 축 늘어졌다.

로렌츠 영애는 미쳤다. 그녀의 주장대로 제정신이 아니었다.

에곤에 대한 집착은 오로지 그만이 영애를 동등한 인간으로 봐 줬기 때문이었다.

엘로라가 어떤 인생을 사는지 곁에서 지켜본 에곤으로서는 당연한 행동이었지만 로렌츠 영애에게는 특별한 의미를 갖게 했다.

분명 처음 로렌츠 영애 얘기를 들었을 때만 하더라도 어이가 없고 화가 났는데 지금은 놀라울 정도로 차분했다.

현실을 더 늦게 깨달았다면 그녀와 비슷한 처지가 되지 않았을까 하는 생각이 들었기 때문일 수도 있었다. 동정이라기보다는 동질감이었다.

지그시 그녀의 얼굴을 보던 엘로라는 못난이 엘로라의 가면을 벗었다. 화장이 반쯤 벗겨졌듯이 절반 정도는 못난이 엘로라로서 그녀를 대하고 있었다.

“알아요, 좋은 사람인거. 제게 과분한 혈육이죠.”

에곤뿐만이 아니었다. 아버지도, 라엘도, 요제프도. 그리고 아르미트가의 모든 사람이 엘로라에게 있어 과분한 사람들이었다.

그들이 있었기에 지금의 엘로라가 있을 수 있었다.

“제가 많은 것을 가지고 태어났다는 건 인정해요. 하지만 제 원래 얼굴대로 살았더라면 영애와 똑같은 삶을 살고, 비슷한 취급을 받았을 거예요. 다가올 정략결혼을 자조하면서 기다리고 있었겠죠. 영애는 그런 결말을 원하는 건가요? 그렇게 된다면 영애의 마음이 편해지나요?”

자신이 바라는 것이 엘로라의 추락이 아님을 깨닫고 입술을 살짝 벌린 채 넋을 놓은 로렌츠 영애가 고개를 저었다.

“영애는 그 누구도 자신을 이해하려 들지 않으니 애꿎은 저에게 화풀이를 하고 있는 거예요. 하지만 저를 비난한다고 해도 변하는 건 없어요.”

“그래도 당신이 부러워요.”

태엽이 덜 감긴 인형처럼 그녀가 힘없이 대답했다.

부럽고 바라기에 닿고 싶다. 언뜻 완벽해 보이는 엘로리처럼 되고 싶다. 그것이 그녀의 솔직한 심정이었다.

착잡한 심정으로 그녀를 바라보던 엘로라가 차분하게 물었다.

“영애는 미래에 무엇이 돼 있나요?”

“배 나오고 냄새나는 늙은 남자의 다섯 번째 부인이요.”

“약혼자가 있는 모양이네요.”

“아직 공식적으로 발표되지 않았지만 구혼자 중 그가 제일 돈이 많으니 이미 정해진 일이죠.”

“그러면 살면서 한 번이라도 아버지를 이어서 로렌츠 남작이 되리라고 생각한 적 있나요?”

엘로라의 물음에 로렌츠 영애가 당황한 기색을 보였다. 그녀는 저가 잘못 들은 건 아닌지 생각하고 있는 듯했다.

그런 그녀를 보며 엘로라가 쐐기를 박았다.

“영애가 아닌 가주 말이에요.”

“……없어요.”

“황제나 공작 같은 지위는요?”

본인이 미쳤음을 인정하고, 미친 사람처럼 굴었던 로렌츠 영애는 이제 엘로라를 미친 사람 보듯이 바라보고 있었다. 그러나 엘로라는 물러서지 않았다.

그 단호한 푸른 눈동자와 마주한 로렌츠 영애는 솔직하게 대답할 수밖에 없었다.

“황후나 공작비라면 한 번쯤 꿈꿔 볼 만한 지위죠.”

"영애는 어릴 적에 무엇이 되고 싶었나요?"

"몰라요."

"분명 동화를 보며 꿈꿔 왔던 미래가 있었을 거예요. 용사나 마법사 그도 아니라면 말하는 고양이 또한 매력적이었죠."

"……공주가 되고 싶었어요."

"공주요?"

"그리고 왕자님처럼 근사한 남자를 만나고 싶었어요. 저는 아름다우니 불가능한 일은 아니라고 믿어왔죠."

'원래 내 자리인데 가치가 무슨 상관이지?'

엘로라는 문득 아히발트가 했던 말을 떠올렸다.

자신이 가진 것을 당연시 여겼던 그를.

"누군가 제게 당장 하고 싶은 일을 묻는다면 씻고 싶다고 대답할 거예요. 어서 씻으러 가요."

혹 다시 자살 시도를 할까 봐 꽉 붙잡고 있던 손목을 조심스럽게 놓아주며 말했다.

화장이 반쯤 지워진 데다 드레스에 와인을 적신 엘로라뿐만 아니라 울음을 터뜨린 로렌츠 영애 또한 연회장으로 돌아갈 수 있는 모습이 아니었다.

"저희 둘 다 꼴이 말이 아니에요."

다정한 엘로라의 제안에 로렌츠 영애가 푸른 눈동자를 빤히 바라보았다. 믿어지지 않는 듯한 표정이었다.

"어째서 화내지 않는 거예요?"

"영애 말대로 제 주변에는 좋은 사람이 있어서 영향을

받았나 봐요. 그리고 화를 내고 타박한다고 해서 바뀌는 건 없잖아요."

민낯이 드러나서 공황 속에 빠진 자신을 달래 주고 터무니없는 제안을 한 라하트를 떠올렸다.

만약 그가 없었더라면 여전히 공황 속에 빠진 그 상태 그대로 있었을 거였다. 그렇다면 로렌츠 영애를 지금처럼 대할 수 없었을 것이었다.

"대신 에곤 오라버니의 뒤를 몰래 쫓는 건 그만두었으면 좋겠어요. 할 수 있겠죠?"

엘로라가 다른 여자들과 같은 삶을 살길 바라는 물음을 한 순간부터 독기가 빠진 로렌츠 영애가 고개를 끄덕였다.

에곤과의 다툼을 목격하게 된 이유가 스토킹이라고 짐작했는데 맞았던 모양이었다. 쓴 미소를 지은 엘로라는 한 가지 더 말을 덧붙였다.

"그리고 함부로 외모를 평가하면서 동정하려 들지 마요. 추앙받거나 동정받기 위해 생김새가 다른 것이 아니잖아요. 영애의 그런 행동은 영애가 비난하는 사람과 다를 바 없는 행동이에요."

엘로라는 화장이 지워지지 않은 한쪽 뺨을 더듬었다. 화장이 지워진 나머지 한쪽 얼굴 탓에 그 흉함이 더욱 도드라져 보일 것이었다.

스스로 만들어 낸 허상이었다.

엘로라는 아름다움이란 결국 균형이라고 생각했다. 균형

이 잡혀 있으면 아름답고, 균형이 어그러지면 추하다고 여기게 된다. 황금비를 적용한 조각상을 가장 아름답다고 여기는 것과 같았다.

그래서 엘로라는 대외적으로 알려진 얼굴에 일부러 모든 균형을 망가뜨렸다. 의도했던 대로 사람들은 그 얼굴을 보며 혐오와 동정, 경멸을 보냈다.

지극히 타인의 잣대에 맞춘 얼굴이었다. 인간은 타인의 시선으로부터 자유로울 수 없고, 계속해서 타인에 의해 가치가 매겨진다. 원하든, 원치 않든.

요컨대 우리는 스스로가 재단당하지 않길 바라면서 타인을 재단하고 있었다. 로렌츠 영애뿐만이 아니라 모든 사람이 그러했다.

"……저는 그러려던 것이 아니에요."

"알아요. 습관적인 관념이었겠죠. 거울이 있지 않는 한 스스로는 볼 수 없어도 타인은 확실히 볼 수 있잖아요."

그렇게 말하며 엘로라는 다른 한쪽 뺨도 만져 보았다.

역시, 씻을 필요가 있었다.

연회 도중 엘로라의 민낯이 드러난 것에 대해서는 아히발트나 라하트가 입막음을 했는지 크게 소문이 놀지 않았다.

그러나 입막음을 한다고 해서 목격자의 기억까지 사라지는 것은 아니니 다들 은연중에 그에 대한 얘기를 속닥거릴 것이었다.

발 없는 말이 무서웠다. 엘로라의 실제 얼굴이 소문과 다르다는 얘기가 퍼지는 건 순식간일 거였다.

엘로라는 이런저런 생각을 하며 아모몬 나무에 기대어 앉아 있었다. 나무 그늘이 크게 져서 따사로운 햇살이 닿지 않았다.

잠도 잘 자지 않고, 끼니도 제대로 챙기지 않은 채 생각에 잠긴 엘로라였다. 그런 그녀를 걱정하여 히나는 가볍게 먹을 음식을 챙겨서 다가갔다.

"아가씨, 수프라도 한입 드세요."

걱정이 담긴 시선으로 자신을 쳐다보는 히나를 짧게 바라본 엘로라는 그녀가 들고 온 음식으로 시선을 옮겼다. 그러고는 손을 뻗어서 음식을 제 무릎 위에 얹어 놨다.

딱히 식욕이 들지 않았으나 내버려 두었다가는 히나가 계속 무겁게 그것을 들고 있을 거라고 생각했기 때문이었다.

스푼을 들지도 않고, 가만히 수프를 내려다보던 엘로라는 마치 오늘 날씨가 어떻냐는 듯한 가벼운 어조로 속에 담아 두었던 고민을 입 밖으로 꺼냈다.

"히나는 내가 공작이 된다면 어떨 것 같아?"

"라하트 전하에게 내정된 자리이니 아가씨께서 공작 부

인이 되는 건 이상할 것도 없는 미래죠."

"아니, 공작 부인 말고 공작."

히나가 두 눈을 크게 떴다. 그러다가 금세 원래대로 돌아왔다. 히나라면 조금 더 요란하게 놀랄 거라고 예상했는데 엘로라의 예상을 완전히 비껴간 반응이었다.

"잘 해내실 수 있을 거예요. 아가씨는 그 무엇도 될 수 있잖아요."

그렇게 말하며 히나가 활짝 웃었다.

한 치의 의심도 없는 얼굴이었다.

"너무 과분한 평가야."

히나의 완벽한 믿음에 지금까지의 고민이 쓸데없는 것처럼 느껴졌다. 작게 중얼거린 엘로라는 스푼으로 수프를 한 바퀴 저었다. 수프는 갓 만든 듯, 김이 모락모락 나고 있었다.

"아가씨를 좋아해요."

"……."

"아가씨를 보고 있자면 뭐든 할 수 있을 것 같거든요. 동경하고 있어요."

의미 없이 수프를 젓던 엘로라가 하던 것을 멈추고 그대로 고개를 들었다. 히나의 얼굴은 그늘이 져 있었지만 두 눈에 담긴 반짝임마저 숨길 수 없었다.

"어느 날 아가씨가 황제가 되어 돌아와도 저는 놀라지 않을 자신이 있어요."

"내가 황제가 된다면 반역인데?"

"그만큼 아가씨가 무엇이 되어도 이상할 것 없다는 말이죠."

라하트도 히나도 엘로라가 황제가 될 수 있다고 언급했는데 그 무게가 달랐다.

아무래도 라하트의 경우에는 승낙하자마자 계획을 짜고 실행에 옮길 것 같기에 가벼이 넘겨들을 수 없었다. 반면 히나가 같은 말을 해 주었을 뿐인데 복잡하던 머릿속이 단번에 정리되어 엘로라가 활짝 웃었다.

"날 이렇게까지 믿어 주는 사람이 있는데 선택을 해야겠지."

수프를 한입 떠먹었다. 그 맛을 음미하며 차근차근 계획을 세운 엘로라는 수프를 꿀꺽 삼키고는 히나에게 말했다.

"다 먹고 외출 준비를 해야 할 것 같아."

"밖에 나가시려고요?"

"응."

"제가 미리 가서 화장품을 정리해 둘게요."

"아니, 화장품은 필요치 않아."

외출하려면 항상 변장을 하는 엘로라였다. 그런데 화장품이 필요치 않다는 말에 히나는 의문을 표했다.

설명을 더 필요로 하는 듯한 히나를 보며 여전히 즐거운 얼굴을 한 채 엘로라가 뒷말을 덧붙였다.

"더 이상."

결정을 내렸다. 긴 고민 끝에 라하트에게 편지를 보낸 엘로라는 아히발트와 약속을 잡을 수 있었다. 평소라면 일찍이 일어나 화장부터 시작하여 머리부터 발끝까지 꾸몄겠지만 오늘, 못난이 엘로라는 없었다.

처음으로 원래 얼굴을 가리지 않은 채 바깥으로 나왔다.

이상한 기분이었다.

라하트의 말대로 화장은 엘로라에게 있어 방패였다. 화장을 하지 못한다면 모자라도 썼다. 그런데 항상 가지고 다니던 방패 없이 맨몸으로 나선다는 것이 아직 익숙하지 않았다.

의식하지 않으려고 해도 의식할 수밖에 없었다. 타인의 시선이 닿을 때마다 숨고 싶은 기분이었다. 반사적으로 고개를 숙이고, 제 얼굴을 가리려는 충동을 꿋꿋이 참아 냈다.

여기서 무릎 꿇을 수 없는 노릇이었다.

마부는 힐끗 엘로라의 얼굴을 보았다가 전혀 다른 사람이 있는 것을 보고 놀랐다. 황태자의 집무실에 가는 길에도 마찬가지였다. 엘로라가 지나간 자리마다 놀란 사람들뿐이었다.

엘로라는 쏟아지는 시선을 무시하며 집무실에 들어갔다.

그곳에는 아히발트가 엘로라를 기다리고 있었다.

"오랜만입니다, 전하."

"……목소리만 아니었다면 다른 사람이라고 해도 믿을 정도군."

아히발트는 엘로라가 오는 길에 사람들이 보였던 반응과 비슷한 반응을 보였다. 눈에 띄는 은발이 아니었다면 다들 엘로라가 엘로라인 것을 믿지 않았을 것이었다.

무심하게 고개를 끄덕인 엘로라가 남자의 맞은편에 앉았다.

"연회 중 일어난 소란이 사실이었던 모양이지."

"작은 소란이었죠. 그 일은 죄송하게 생각하고 있어요."

"지금까지 황실에서 네게 보인 무례에 비하면 별것 아니었으니 개의치 않아 해도 되네."

시선이 꽂혔다. 예전에는 눈 한 번 제대로 마주치지 못하던 아히발트가 엘로라의 얼굴을 빤히 쳐다봤다. 앞으로 익숙해져야 할 시선이었기 때문에 엘로라는 굳이 나서서 그 점을 지적하지 않았다.

"그래서 어찌하여 나를 찾아온 거지? 아무 이유 없이 왔을 리는 없을 테고."

라하트에게는 아히발트를 만나고 싶다고 전했다. 어째서 만나고자 하는지에 대한 설명은 해 주지 않았다. 그 때문에 갑자기 바뀐 모습으로 자신을 찾아온 엘로라에 대해 아히발트는 의문을 표하고 있었다.

"제안을 하러 왔습니다."

소중히 챙겨 왔던 계약서를 꺼내 아히발트에게 내밀었다.

"이게 무엇이지?"

"계약서예요."

"……."

"전하께 득이 되면 되었지 실이 되지 않을 겁니다."

터무니없는 소리라고 타박할 수 있음에도 불구하고 아히발트는 계약서를 집어 들어 꼼꼼히 훑어보았다. 계약서를 읽는 그의 얼굴이 진중했다.

제법 긴 침묵 끝에 아히발트가 입을 열었다.

"작위를 받을 건가?"

"네."

"어째서?"

"저를 위해서요."

"권력에 욕심이 있는 줄 몰랐는데."

의심쩍다는 듯이 말하는 아히발트에게 엘로라는 태연하게 대답했다.

"욕심 없는 사람은 없죠. 제가 여인이라고 하여 사내 같은 야망이 없는 건 아닙니다."

"내 자리까지 노릴 듯한 포부군."

"제의를 아예 받지 않은 건 아니죠."

당돌한 엘로라의 대답에 아히발트가 크게 소리 내어 웃었다.

"내가 견제해야 할 사람은 라하트가 아니었군."

재미있다는 듯이 웃음기를 지우지 않은 채로 아히발트가 말했다. 그는 다시 한번 계약서를 읽어 보더니 엘로라를 바라보았다.

눈이 마주쳤다. 방금 전까지만 해도 가득 했던 웃음기는 흔적조차 찾을 수 없었다.

"라하트는 별거 아니라는 듯이 말했겠지만 쉽지 않은 길이 될 거야."

"알고 있어요."

"시작부터 험난하지. 작위 양도라니. 늙은이들이 뒤집어지는 소리가 여기까지 들리는군. 그뿐만 아니라 국민들이 납득하지 않는다면 허울뿐인 지위겠지. 자네가 나에게 충성하겠다면서 이런 종이 뭉치를 들고 왔지만 허울뿐인 지위로는 아무것도 하지 못해."

"여론은 신경 쓰지 않으셔도 돼요. 그 부분은 저 혼자서도 해결할 수 있는 일이니까요. 그리고 보수적인 귀족들의 반발은 전하께서 도와주실 테니 크게 걱정하지 않고 있어요."

"어째서 확신하지?"

"제 소원이니까요. 무투 대회 때 했던 내기는 잊지 않으셨겠죠."

"그날, 라하트가 아닌 라엘에게 걸었어야 했는데 안타깝게 되었군."

애초에 지길 바라며 내기에 참여한 사람치고는 서툰 거

짓말이었다.

"혹 내기를 한 걸 라하트에게 얘기했는가?"

"아니요."

"웬만하면 영원한 비밀로 해 주었으면 하는군."

"라하트 전하에게 거신 걸 부끄러워하시는 건가요?"

"아니, 라하트라면 내가 어떤 마음으로 그에게 걸었는지 알 테니까. 굳이 밝히고 싶지 않군."

이미 다 들통났지만 저열한 감정을 직접적으로 드러내고 싶지 않아 하는 그를 이해했기 때문에 엘로라는 선뜻 고개를 끄덕였다. 그러다가 대화가 생각보다 원활하게 이어지는 것을 느끼고는 입을 열었다.

"황실의 핏줄을 잇지 않는 생판 남인 것도 모자라 여자인 제가 작위를 받겠다는데 생각보다 반응이 우호적이시네요. 반대할 각오를 무릅쓰고 찾아온 건데."

"라하트가 한 번 내게 말해 준 적이 있어서 마음의 준비는 해 놨지. 처음에는 말도 안 되는 소리라고 생각했지만 상대는 내 동생이고, 라하트니까. 상식을 뛰어넘는 아이야. 마치 모두를 놀라게 하기 위해 태어난 것처럼."

엘로라는 조용히 긍정했다. 그가 이상한 남자라고 자주 생각했지만 이번 일을 통해 완전히 실감하게 되었다.

자신에게 주어진 지위를 아내에게 주다니. 이 사실이 공표된다면 난리가 날 것이었다. 이제 밝혀진 민낯보다는 자신의 자리를 부정하는 사람들과 싸워 가야 했다. 엘로라는.

"그러고 보니 폐하를 찾아갔는가?"

"아니요."

"이런 사안은 폐하와 먼저 의논해야 하는 것이 옳을 텐데 어째서 날 먼저 찾아온 거지?"

"앞으로의 볼흐라스는 폐하가 아닌 전하와 제가 이끌어 가야 하니까요."

"굳은 결의군."

"가벼운 마음은 아니죠."

결코 가벼운 마음으로 선택한 것이 아니었다.

민낯이 들켰으니 다른 역할처럼 '엘로라 아르미트'를 죽이고 도망치는 방법이 있음에도 불구하고 엘로라는 그러지 않았다. 엘로라 아르미트가 아닌 못난이 엘로라를 죽였다. 방패를 가득 이고 다니는 그녀를.

이 선택으로 인해 라하트와의 이혼은 죽기 전까지 하지 못할 것이었다. 타인의 얼굴과 이름으로 살아가는 것 또한 힘들 것이었다.

오롯이 엘로라, 그녀로 살게 되는 삶.

더는 도망치지 못했다. 타인의 그늘에 숨는 것 또한 불가능했다. 엘로라는 그것이 가능한 삶을 자유라고 불러왔고, 라하트는 엘로라에게 자유를 앗아 가는 대신 그에 준하는 걸 쥐여 주었다. 충분히 가치 있는 것이었다.

빛으로 나아가는 것이다.

아히발트가 엘로라가 건넨 종이에 사인을 하기 위해 펜

을 들었다.

그사이 고개를 돌려 햇살이 스며드는 창밖을 바라보던 엘로라가 불쑥 물었다.

“전하께서는 어떤 나라를 통치하실 생각인가요?”

“모두가 바라는 대로 성군이 되어 평화롭게 나라를 다스리는 것이 나의 사명이 될 테지. 물론 지금보다 더 나은 나라가 돼 있을 거야.”

망설임 없는 아히발트의 대답에 엘로라가 빙긋 웃었다.

“저 또한 마찬가지예요.”

사인을 하다가 고개를 든 아히발트는 미소 짓는 엘로라의 얼굴을 멍하니 바라봤다.

단순히 외양이 아름답기 때문이 아니었다. 자신감 있는 그녀의 얼굴은 절로 시선을 앗아 갈 수밖에 없었다. 스스로 빛을 내는 것만 같았다.

“이번에는 조금 더 나은 볼흐라스를 만들어 보고 싶었어요.”

괴로워하지도, 숨지 않아도 되는 나라.

사회의 욕망에 누군가가 희생되지 않는 나라.

불의를 납득하는 것이 아니라 맞설 수 있는 나라.

이 나라의 바닥을 보았던 엘로라는 그 모든 것을 바꾸고 싶었다. 오롯이 자신 혼자만의 문제가 아니었기에.

“더 나은 나라가 된다면 저 또한 이 땅을 밟고 있는 백성이니 저를 위한 것이 되겠죠. 이유는 이 정도면 충분하지 않나요?”

"내가 정말 자네를 과소평가하고 있었군."

첫인상은 소문대로 못생긴 여자였다.

다시금 만났을 때도 마찬가지였다.

무투 대회까지만 해도 냉정하면서도 겁에 질려 있는 여자였을 뿐이었다. 그녀를 위해 라하트가 몸소 나선다고 했을 때는 그럴 만한 가치가 있는 여자인가, 하고 의문을 가지게 되었다.

그러나 이제는 알 수 있었다.

그녀의 진짜 모습을.

이제껏 알고 있던 사람과 아예 다른 것 같았다.

하루 만에 다른 사람이 되었다고 믿을 정도였다. 하지만 다른 사람이 아니었다. 아주 교묘하게 진짜 모습을 숨겨왔던 것뿐이었다.

사람 보는 안목만큼은 자신 있다고 생각했던 아히발트는 인정해야 했다. 자신의 패배를. 모든 것을 포기한 라하트에게 절대 이길 수 없음을.

따라잡을 수 없을 정도로 멀찍이 떨어져 있는 상대에겐 무의미한 열등감이었다.

"앞으로 놀랄 일이 많을 거예요."

"자네가 설계한 볼흐라스를 보고 있자니 그럴 것 같군."

아히발트가 계약서를 힐끔 보았다. 엘로라는 계약서라고 했지만 앞으로 엘로라가 해낼 일에 대한 승인이었다. 더 나은 나라를 위한.

"잘 부탁드려요."

"나야말로."

엘로라는 아히발트가 내민 손을 잡았다.

빛으로 나아가고 있었다.

20. 그들, 엘로라와 라하트

20. 그들, 엘로라와 라하트

“오늘 자 신문이에요!”

이른 아침, 빵모자를 쓴 소년이 신문 뭉치를 들고 외쳤다. 아침을 깨우는 커다란 외침에 분주히 걸음을 옮기던 사람들이 관심을 보였다.

“오늘도 충격적인 내용이 가득해요! 신문 사세요, 신문.”

이목이 집중됨을 느낀 소년이 더욱 목청을 높여 외치며 인쇄하자마자 바로 들고 온 탓에 아직 온기가 남은 신문을 흔들었다. 펄럭이는 신문의 맨 앞장에는 언뜻 ‘크리센즈’라는 단어가 보였다.

하나둘씩 작은 신문팔이에게 관심을 가질 때쯤, 모자를 푹 눌러써서 얼굴이 잘 보이지 않는 여자가 다가와 동전 한 닢을 꺼냈다. 반짝이는 동전을 보고 신이 난 신문팔이는 빠르게 동전을 낚아챈 후 신문을 건네줬다.

그 찰나, 소년의 시선이 잠깐 여자에게로 향했다.

평범한 여자였다. 모자로 얼굴을 가리고 있었지만 평범하게 느껴졌다. 이토록 평범하다 느껴지는 사람은 처음이라고 생각하며 신문팔이 소년은 여자가 등을 돌린 동시에 관심을 껐다.

여자는 소년의 반대 방향으로 걸어가며 신문을 보았다. 맨 앞장에는 커다랗게 박힌 '크리센즈'라는 단어가 유독 눈에 띄었다. 요즘 볼흐라스의 가장 큰 이슈가 결말이 난 듯했다.

[크리센즈 납치 사건의 가해자가 징역 100년을 선고받았다. 이례적인 강력한 처벌에 항의하는 세력이 있었으나 재심은 없다는 것이 공식적인 의견이다. 이번 일을 계기로 여성과 외국인을 상대로 한 범죄에 강경하게 대응할 것을 선언했다.]

여자의 입꼬리가 올라갔다. 1면의 기사를 다 읽은 여자는 여유롭게 박제된 활자를 읽으면서 신문지를 넘겼다.

[헤스티오 공작가가 볼흐라스 최초의 사립 학교를 설립했다. 헤스티오 공작은 학문보다는 약자에 대한 인식 개선을 우선적으로 여길 것이라고 발표했다.]

[오페라 〈클라우디아〉가 가수부터 시작해서 관계자까지 모두 여성으로 구성하여 충격을 주고 있다. 평론가들은 실패작이 나올 것이라고 판단했다. 이에 관계자 측은 이제껏

많은 실패가 있었지만 성별을 탓하지 않았음을 시적하며 이번 극이 오롯이 여성만이 참여하는 오페라의 첫 시작을 알리는 것이니 실패해도 괜찮다고 주장했다.]

[오페라 〈클라우디아〉가 초대 아르미트를 여성으로 표현해 충격을 선사했다. 이에 아르미트 가문은 공식적인 의견을 내놓지 않은 채 침묵하고 있다.]

[광고: 어제보다 오늘 더 사랑하는 나의 엘리]

여자의 시선이 광고에 머물고 있으니 바람이 불었다. 여자는 모자가 벗겨지지 않도록 한 손으로 모자를 고정시켰다.

그리고 모자에 정신이 팔려, 다른 한 손에는 힘을 빼고 있던 탓에 아차 하는 사이 신문이 바람을 타고 날아갔다.

멀어지는 신문을 잡기 위해 뒤돈 여자는 나비처럼 팔랑댄 신문이 웬 사람의 얼굴 위로 떨어지는 것을 볼 수 있었다.

신문에 가려 얼굴은 보이지 않았다.

옷차림은 번듯했으나 꼴이 영락없는 노숙자였다. 여자는 곤히 자고 있는 듯한 노숙자에게로 다가갔다. 그러나 예상과 다르게 그는 자고 있지 않았다.

노숙자는 제 얼굴을 덮은 신문을 보더니 굉장히 억울한 듯이 외쳤다.

"뭐야. 이 사진 왜 이래?"

굉장히 분한지 자리에서 벌떡 일어나더니 여자의 얼굴 앞에 불쑥 신문을 들이밀었다.

"실물이 더 예쁘지 않아?"

"잘 모르겠는데요."

"사진이 이렇게 못나게 나왔는데 어떻게 모를 수가 있어? 이보다 훨씬, 아주 훨씬 예쁘다고."

그는 사립 학교 관련 기사에 실린 헤스티오 공작의 사진을 가리키며 열변을 토했다. 아무리 봐도 그 얼굴이 그 얼굴이라서 딱히 못났다는 생각이 들지 않는 터라 여자는 덤덤하게 대답했다.

"저는 가만히 서 있었으니 그건 사진 기사한테 따지세요."

"아니야, 생각해 보니 나 혼자만 알고 있는 것도 괜찮은 것 같아."

단번에 제 의견을 바꾸고는 신문을 치운 노숙자, 아니 라하트가 여자를 끌어안았다. 갑작스럽게 안기게 되어도 당황하지 않은 엘로라는 침착하게 그를 밀어냈다.

"이러면 몰래 사찰하는 의미가 없잖아요!"

"난 사찰 같은 거 안 했는데?"

"그러면 바닥에는 왜 누워 있었어요?"

"네가 올 것 같아서."

빙긋 웃은 라하트가 엘로라를 있는 힘껏 끌어안았다.

안 왔으면 어쩔 뻔했냐고 항의하려던 엘로라는 그 외침이 라하트에게 있어 별 의미가 없음을 깨닫고 입을 다물었다. 그는 항상 논리적이지 않은 사고로 결론을 맺는데 그게 또 틀리지 않아서 문제였다.

"어제보다 오늘 더 사랑해."

"광고 봤어요. 신문 광고에 장난을 치는 것은 그만……."

엘로라는 말을 끝맺을 수 없었다. 라하트의 입술이 엘로라의 입술을 삼켰다. 그녀의 언어를 먹어 버린 라하트는 매우 만족스러운 얼굴을 하며 떨어졌다.

"직접 말하고 싶었어."

"……."

"사랑해, 엘리."

몇 번을 들어도 적응이 되지 않았다. 진지한 얼굴로 이름을 부르면 더더욱. 뺨에 열이 오름을 느끼며 자신과 눈을 마주치는 보랏빛 눈동자와 마주한 엘로라가 손짓했다.

"고개 숙여 보세요."

"응?"

두 눈을 크게 뜬 라하트가 순순히 고개를 숙였다. 엘로라는 그의 귓가에 대고 작게 속삭였다.

"저도요."

라하트가 뻣뻣이 굳었다. 숙인 고개가 들리지 않았다. 그런 그를 내버려 두고 언제 그런 말을 했냐는 듯이 등을 돌린 엘로라가 가던 길을 살짝 빠른 걸음으로 나아갔다.

"그러면 어서 가요. 오늘도 바빠요."

뒤늦게 정신을 차린 라하트가 그녀의 뒤를 쫓아갔다.

그의 얼굴에는 행복한 미소가 한가득이었다.

엘로라와 라하트는 오늘도 더 나은 내일을 위해 바삐 걸어갔다.

그 와중에 엘로라의 속삭임을 듣지 못했다고 라하트가 살짝 억지를 부린 것은 덤이었다.

외전 1. 일상

외전 1. 일상

"아가씨는 바보예요!"

눈물을 머금으며 소리를 친 히나가 빠르게 방을 나갔다.

감정이 실린 것인지 문을 닫을 때 '쾅!' 하는 소리가 들렸다. 히나가 나가는 동안 눈 한 번 깜빡하지 않던 엘로라는 깊은 한숨을 내쉬었다. 화장기 없는 그녀의 얼굴에는 피로감이 엿보였다.

"제가 잘못한 거예요?"

"뭐, 잘했다고는 할 수 없지."

가만히 앉아서 그들의 다툼을 지켜보고 있던 라하트가 엘로라에게 다가가서 뺨에 입을 맞추었다. 정확히는 엘로라의 뺨에 거즈가 붙여져 있었기 때문에 라하트의 입술이 닿은 것은 거즈 위였다.

"나였어도 토라졌을 테니까. 너무 무심했어."

"할 일을 한 것뿐이에요."

히나의 자취를 쫓듯이 시선은 여전히 문에 고정한 채로 엘로라가 관자놀이를 꾹꾹 눌렀다. 그런 엘로라를 내려다보던 라하트는 과장되게 어깨를 털어 주는 시늉을 하며 다정하게 속삭였다.

"어깨에 놓인 짐을 내려놓을 필요가 있다니까."

잠시 문에서 시선을 뗀 엘로라가 라하트를 올려다봤다. 눈이 마주치자 그는 언제나 그렇듯 장난꾸러기 같은 미소를 빙긋 지어 보였다.

"그래도 예전보다는 많이 좋아졌어. 예전 같았으면 혼자 끙끙 앓았을 텐데 내게 의견을 물었으니 장족의 발전이지."

라하트의 말을 들은 후에도 무표정하게 있던 엘로라는 결국 들고 있던 펜을 내려놓고, 의자를 뒤로 끌어서 자리에서 일어났다.

"어디 가게?"

"히나한테요. 잘했다고 할 수 없다는 건 결국 제가 잘못했다는 의미잖아요. 더 화내기 전에 사과해야죠."

엘로라는 잠깐 눈을 내리깔아서 자신의 손등을 바라봤다. 하얀 붕대가 칭칭 감겨 있었다. 빰뿐만이 아니라 온몸에 자잘한 생채기가 한가득이었다.

엘로라에게는 영광의 상처였지만 옆에서 지켜보는 히나에게는 아니었다.

엘로라가 상처를 입고 올 때마다 저가 다친 것처럼 마음이 갈기갈기 찢어졌다.

그 사실을 알고 있었지만 언제까지나 히나가 이해해 줄 거라고 생각하며 외면했었다. 그리고 오늘, 히나가 터뜨린 분노는 그간 참고 참아 왔던 감정을 게워 낸 것이었다.

울 것 같은 표정으로 사라진 히나의 얼굴이 엘로라의 눈앞에 아른거렸다. 그 얼굴을 떠올리다가 결심한 듯이 주먹을 꽉 쥐고서는 나가려는 엘로라를 라하트가 불렀다.

"위장 잠입은 이제 그만둘까?"

"……왜 그렇게 말하세요?"

"위험하잖아."

그렇게 말하는 라하트 또한 성하지 않았다.

"네가 하는 일은 모두 찬성이지만 그로 인해 네가 다치게 되는 건 싫어. 무능으로 인해 그 상황을 막지 못한 나도 싫고."

최근 두 사람은 직접 발로 뛰고 있었다.

시간이 지나면 지날수록 책상 앞에 앉아서 서류를 처리하는 것만으로는 뿌리부터 썩어 버린 제국을 바꾸는 데에 한계를 느끼게 되었다.

오랫동안 고여 버린 물을 밖으로 내보내는 과정이 시작된 만큼 희생이 필요했고, 새로운 시도가 절실했다.

고민 끝에 엘로라의 특기를 이용하여 위장 잠입이라는 선택을 내렸다.

완벽한 변장을 자랑하며 은밀하게 움직이는 그들은 빼도 박도 못하는 상황에서 범인을 덮쳤다. 그런데 어제는 방심하여 큰 상처를 입은 것이 히나의 분노를 부추긴 원인이 되었다.

"고민해 볼게요."

"좋아. 그러면 나머지는 내가 하고 있을 테니까 마음 편하게 갔다 와."

엘로라가 앉아 있던 자리에 잽싸게 앉은 라하트가 손을 흔들었다. 겉으로만 보면 전혀 믿음직스럽지 않은 모습이었다.

행동거지가 한없이 가벼워도 제 일을 확실하게 처리하는 사람이라는 걸 알기 때문에 엘로라가 고민 없이 고개를 끄덕였다.

집무실을 나온 그녀는 히나의 행방을 쫓아갔다. 근처에 있던 시녀에게 물어보니 히나가 방에 들어갔다는 얘기를 들을 수 있었다.

곧장 히나의 방으로 달려간 엘로라는 그 문을 똑똑 두드리고서는 살짝 머뭇거리다가 입을 열었다.

"히나, 나야."

"……."

"내가 잘못했어. 미안해."

"……."

"너무 내 생각만 한 것 같아."

건너편에서 아무런 소리도 들리지 않아서 엘로라는 목소리를 살짝 높였다. 그러나 돌아오는 대답은 여전히 없었다.

계속되는 침묵에 이상함을 느낀 엘로라는 조심스럽게 문고리를 잡아서 밀었다.

문은 잠겨 있지 않았다.

이유 없는 불안감으로 인해 심장이 빠르게 뛰는 것을 느끼며 엘로라가 살짝 고개를 내밀었다.

방 안을 둘러보아도 히나는 보이지 않았다.

기척 또한 마찬가지였다.

얼굴만 빠끔히 들어가 있던 엘로라는 용기 내어 발 하나를 안으로 내디뎠다. 조금 이따가 나머지 한 발까지 내부에 들이밀었다.

그리고 깨달았다.

히나가 없었다.

히나만이 없는 게 아니었다.

그녀의 짐까지 사라졌다.

큰 가구만이 남은 내부는 휑했다.

차례대로 주위를 살펴본 엘로라는 얼이 빠졌다.

잠깐 넋을 놓고 있다가 다급하게 밖을 나가서 보이는 대로 사람을 붙잡아서 히나의 행방을 물었다. 그러다가 가장 최근에 히나를 만난 시녀를 찾을 수 있었다.

"휴가를 받으셨다고 하던데요?"

"휴가?"

"네, 푹 쉬고 싶으니 개별적인 연락은 받지 않겠다고 하셨어요. 그러고 보니 히나 님께서 휴가를 받지 않고 일만 한 지 꽤 되었죠."

"……맞아, 그렇지."

시녀의 말이 맞았다.

히나는 오랫동안 휴가를 받지 못하고 묵묵히 일했다. 아마 엘로라가 결혼 후 황궁에 들어갔을 때부터였을 거다. 휴가의 '휴' 자도 입 밖으로 꺼내지 않고 엘로라의 곁을 지킨 것은.

그런 히나가 돌연 휴가를 가겠다고 선언했다고 한다.

원래라면 남의 입을 통해서 듣게 될 내용이 아니지만 상황이 상황인 터라 히나가 어떤 생각으로 휴가를 입에 담고 갑작스럽게 떠났는지 알 것 같았다.

엘로라는 여러모로 심경이 복잡해져서 마른세수를 했다.

"각하, 괜찮으세요?"

"으, 응. 괜찮아."

"안색이 창백하세요. 상처도 아물지 않았는데 쉬어야 하는 거 아닐까요?"

시녀가 엘로라의 눈치를 보면서 말을 꺼냈다. 얘기를 하면서도 엘로라가 쉬지 않으리라는 걸 알고 있었다.

그러나 시녀의 말을 듣고 짧게 생각에 잠겼던 엘로라는 예상과 다른 대답을 했다.

"그래, 잠시 쉴 필요가 있는 것 같아."

연거푸 고개를 끄덕인 엘로라는 멍한 얼굴로 시녀를 시나쳐 갔다. 비틀거리는 걸음으로 나아가는 엘로라의 뒷모습을 보며 시녀가 안절부절못했지만 엘로라가 이를 알 리 없었다.

목적지를 잃고 저택을 방황하던 엘로라의 발걸음이 마지막으로 닿은 곳은 결국 히나의 방이었다.

아무도 없는 그곳에 들어가서 침대에 누웠다.

잘 정리된 시트는 마치 처음부터 사람의 손을 타지 않은 것 같았다.

가만히 눈을 감고 베개에 얼굴을 묻었다. 일말의 온기조차 느껴지지 않는 시트에는 익숙한 향이 났다.

누구의 방해도 없었기 때문에 엘로라는 그대로 까무룩 잠들었다. 본인이 잤다는 사실을 인지하지 못했을 정도였다.

다시 눈을 떴을 때, 주위는 어두웠다.

멍하니 누워 있다가 옆자리를 더듬었다.

당연히 옆에는 아무도 없었다.

눈을 떴음에도 불구하고 곧바로 일어나지 않은 엘로라는 평소와는 다르게 몇 번 침대 위에서 뒤척이다가 집무실로 돌아갔다. 그리고 자연스럽게 자리에 앉아서 일하기 시작했다.

동이 틀 때도, 태양이 가장 높이 떠 있을 때도, 그 태양이 져서 노을이 지기 시작했을 때도.

엘로라는 집무실에 처박혀서 숨 쉬듯이 펜대를 움직였다.

히나가 휴가라는 이름으로 저택을 떠난 지금, 옆에서 잔소리를 할 사람은 없었다.

엘로라는 이 모든 것이 시간이 해결해 줄 일이라고 생각했다.

히나 또한 그렇게 판단하여 떠난 것이라고 계속 되뇌었다.

그렇게 엘로라가 집무실에 콕 박혀서 그 누구의 말도 듣지 않게 된 지 일주일쯤 지났을 때, 잠자코 지켜보기만 하던 라하트가 결국 입을 열었다.

"너무 열심히 하는 거 아니야?"

"딱히 그렇지도 않아요. 평소랑 같죠."

라하트가 저를 보라는 듯, 일부러 걸음 소리를 내며 다가왔지만 엘로라는 서류에 빠지기라도 할 듯이 푹 숙인 고개를 들지 않았다.

자신에게 시선 한 점 주지 않은 채 펜만 열심히 움직이고 있자 바로 옆에 선 라하트가 그런 그녀를 물끄러미 내려다보다가 물어보았다.

"나갈래?"

"어째서요?"

"머리 식힐 겸 산책하는 거지."

"그럴 시간이 어디 있어요."

"시간은 만들면 되지. 당장 급한 일이 있는 것도 아니잖아. 몸이 성한 것도 아닌데 지금처럼 일만 하다가는 과로로 쓰러져."

"……히나가 저택을 떠났어요. 휴가라고 했지만 어쩌면 영원히 돌아오지 않을지도 몰라요."

펜을 쥔 손에 힘이 들어갔다.

펜대를 부러뜨릴 듯, 엘로라의 손이 부들부들 떨렸다.

"히나도 그렇고, 다들 저한테 쉬었으면 좋겠대요. 그런데 아무것도 하지 않는 게 더 힘들어서 도대체 무엇을 해야 할지 모르겠어요."

"……."

"제가 잘못된 걸까요?"

엘로라가 낮게 혼잣말하듯이 속삭였다.

그녀의 혼란스러운 마음을 대변하듯이 관성적으로 읽고 있던 서류는 도저히 글자라고 부를 수 없는 선이 엉망진창으로 그어졌다.

잉크가 튀기고, 원래 새겨져 있던 활자는 검게 지워졌다.

가만히 그 말을 듣고 있던 라하트가 엘로라를 끌어안았다.

엘로라는 라하트의 상체에 얼굴을 파묻게 되었다. 크게 숨을 들이쉬자 더는 술 냄새도, 담배 냄새도 아닌 오로지 라하트의 체취가 맡아졌다.

"네가 잘못한 건 없어."

그렇게 말하는 라하트의 목소리가 살짝 떨렸다.

"잘못이라면 오히려 내가 했지."

라하트는 인지하고 있지 못했지만 엘로라를 끌어안은 팔에 힘이 들어갔다.

돌연 모든 잘못을 자신의 탓으로 돌리는 라하트의 행동에 엘로라는 당황했다. 엘로라가 느끼기에 라하트가 잘못한 것은 하나도 없었기 때문에 더더욱 그러했다.

"전보다 더 스스로를 채찍질하고, 상처 입길 원하여 네가 높은 자리에 오르길 바란 적 없어. 오히려 너의 짐을 나누고픈 마음으로 한 말이었지."

"……."

"믿음을 주지 못해서 미안해. 그리고 엘로라, 조금 더 날 믿어 줘."

라하트가 고개를 숙여서 엘로라의 머리에 입을 맞추었다.

가벼운 입맞춤이었다.

"내게 투정을 부려도 돼. 네가 느끼는 감정을 모두 쏟아내 줘."

머리 위로 쏟아지는 라하트의 목소리를 듣기만 하고 있던 엘로라는 고개를 들었다. 눈이 마주치자 언제나 그렇듯 라하트가 빙긋 미소 지었다.

다정함이 담긴 보랏빛 눈동자와 마주하던 엘로라는 결국 라하트의 상체에 다시 이마를 박고서는 중얼거렸다.

"피곤해요."

한 치의 거짓도 담기지 않은 진심이었다.

실제로 엘로라의 목소리에서는 피곤이 잔뜩 묻어 나왔다.

"제가 조금이라도 실수하면 기다렸다는 듯이 승냥이 떼처럼 달려드는 사람들이 싫어요."

꼭꼭 숨겨 놨던 본심을 털어놓는 건 그다지 어렵지 않았다. 상대가 라하트라면 더더욱.

이미 여러 번 본심을 털어놓은 상대였기 때문에 계기가 있다면 둑이 무너지듯이 쏟아졌다.

"다 죽었으면 좋겠어요."

"맞아, 나도 그런 생각 자주 해."

포장하지 않은 엘로라의 진심이 날것 그대로 입 밖에 나왔다. 그 말을 들은 라하트가 짧게 소리 내어 웃으면서 동조했다.

"그리고 히나가 신경 쓰여요. 시간이 계속 지났는데도 돌아오지 않으면 어쩌죠? 자꾸 나쁜 생각이 들어서 겁이 나요."

라하트는 엘로라의 머리를 느릿하게 쓰다듬어 주었다. 어쩐지 안심이 되는 손길에 엘로라는 한숨을 내쉬었다.

"나가자."

"나가요?"

"바깥바람을 쐬면 기분이 나아질 거야. 적어도 여기 앉아 있는 것보다 낫겠지."

라하트의 제안에 엘로라는 바로 긍정적인 대답을 내놓지 못하고 머뭇거렸다. 그래도 괜찮을지 확신이 서지 않았기 때문이다.

근래 들어서 쉬지 않고 앞으로 달려가기만 하던 나날이었다.

괜히 한 번 흠을 잡혔다가는 공들여 쌓아 올린 모든 것이 무너져 내렸다. 파도 앞에 놓인 모래성이라도 되는 것처럼.

그랬기 때문에 더욱 혹독하게 자신을 몰아세우는 데에 익숙했던 엘로라 앞에 라하트가 무릎을 꿇었다.

"저와 데이트를 해 주시겠습니까?"

항상 멀찍이 달려가는 저와 보폭을 맞춰서 따라오던 남자가 다정하게 속살거리면서 손을 잡았다.

그는 엘로라의 손을 제 얼굴 쪽으로 끌어당겼다. 그리고 손등에 살포시 입을 맞췄다.

라하트의 부드러운 입술이 닿는 느낌이 적나라하게 느껴졌다. 서로 입을 맞춘 것도 아니고, 손등에 입을 맞췄을 뿐인데 낯간지러웠다.

엘로라는 라하트의 입술이 닿았던 부분을 내려다보다가 이내 라하트의 얼굴로 시선을 옮겼다. 보랏빛 눈동자와 눈이 마주치자 얼굴에 열이 오르는 것 같았다.

분명 평소와 같은 눈빛이었다.

올곧게 자신만을 바라봐 주고, 조금의 의심도 하지 않는 다정한 눈빛. 그런데 어째서인지 지금은 그 눈을 마주 볼 용기가 들지 않았다.

화인을 찍은 듯이 라하트의 입술이 닿았던 곳이 뜨겁게 달아오르는 것 같다고 생각하며 엘로라는 작게 고개를 끄덕였다.

엘로라가 긍정하자 벌떡 자리에서 일어난 라하트가 그녀

를 끌어당겼다.

오랫동안 앉아 있었던 의자에서 속수무책으로 일어난 엘로라는 다시 한번 라하트의 품에 안기게 되었다.

"그 전에 일단 잠부터 자야 할 것 같지만."

문득 고개를 들었을 때, 라하트는 여전히 장난스러운 미소를 머금고 있었다.

"……그런데 저희가 굳이 이렇게 할 필요가 있을까요?"

"항상 변장하고 다니니까 다들 금세 눈치채는 것 같아."

엘로라가 얼떨떨한 표정으로 라하트에게 물었다. 그 물음에 마치 기밀 정보가 새어 나가기라도 하듯이 빠르게 주변을 살핀 라하트는 엘로라의 귀에 속닥거렸다.

"딱히 그런 기색은 없었어요. 그리고 이쪽이 평소보다 더 눈에 띄는 것 같아요."

"그래? 난 괜찮은데. 그리고 슬슬 변화를 줄 때도 됐어."

변화라고 부르기에는 지나치게 파격적이었다.

엘로라는 힐끔 라하트를 흘겨보았다. 그는 허리까지 오는 기다란 가발을 쓰고 있었다.

"신경 쓰여?"

"……신경이 안 쓰이는 상황은 아니잖아요?"

엘로라의 말대로였다.

신경이 쓰일 수밖에 없는 상황이었다.

그 라하트가 여장을 하고 있으니 계속 시선이 가게 되었다.

남장을 한 엘로라와 여장을 한 라하트.

남장은 엘로라에게 있어 익숙한 상황이었지만 여장을 한 라하트는 그가 남자라는 사실을 알고 있기 때문인지 굉장히 거슬렸다.

그렇다고 라하트의 여장이 부자연스러운 것은 아니었다. 오히려 너무 자연스러워서 아무것도 모르는 상태에서 본다면 신장이 볼흐라스의 남성보다 훨씬 큰 아름다운 금발 미녀였다.

원래 얼굴이 미남이다 보니 여장을 한 후에는 지나가다가 뒤를 돌아보게 할 만큼 아름다웠다.

신장이 살짝 문제긴 했지만 정작 라하트 본인은 신경 쓰지 않았다. 도리어 즐기고 있는 것처럼 보였다.

이제껏 라하트가 변장을 한 적은 많아도 여장을 한 적은 없었기 때문에 엘로라에게 있어서 다소 신선한 충격이었다.

"난 상관없어. 어차피 진실은 너와 나만 알면 되잖아."

제 귀에 속닥거리는 목소리는 엘로라가 익히 알고 있는 라하트의 목소리였다.

웃는 얼굴마저 라하트였다.

그러나 빙그레 웃는 라하트는 익숙하면서도 낯설었다.

"불편한 점 있으면 말하세요. 저는 언제든 돌아가도 상관없으니까."

"아, 그러면 영원히 이 상태로 바깥에서 지낼까?"

"아무리 생각해도 그건 좀 아닌 것 같아요."

라하트의 제안을 진지하게 상상한 엘로라는 저도 모르게 인상이 찌푸려졌다.

얼굴에 적나라하게 드러난 엘로라의 감정을 본 라하트는 소리 내어 웃으면서 습관처럼 그녀의 미간에 입을 맞추었다. 엘로라 또한 그 입맞춤을 아무렇지 않게 여겼다.

"아, 깜빡했다."

"뭘요?"

난감하다는 듯이 엘로라를 빤히 쳐다보던 라하트가 손가락으로 쓱쓱 그녀의 미간을 문질렀다. 방금 입을 맞춘 곳을 집중적으로 문질렀기 때문에 꼭 제 흔적을 지우려는 것 같았다.

라하트의 돌발 행동을 이해하지 못한 엘로라가 입을 열었다.

"대체 뭐 하세요?"

답지 않게 머뭇거리던 라하트가 목소리를 낮춰서 대답했다.

"입술에 뭘 발랐다는 걸 잠시 잊고 입술 자국을 찍어 버렸어. 그냥 두는 것도 나쁘지 않은데 내버려 두었다가는 네가 화낼 것 같아서."

그렇게 말하고서는 더 열심히 문질렀다. 엘로라는 열중하는 라하트의 얼굴을 시야에 담았다.

"다 됐다."

입술 자국을 다 지웠는지 라하트가 뿌듯한 표정으로 한 걸음 뒤로 물러섰다.

열중하는 얼굴이나 뿌듯하게 미소 짓고 있는 얼굴은 엘로라가 익히 잘 알고 있는 얼굴과 별반 다를 바가 없었다.

그런데 계속 흠칫흠칫하게 되었다.

화사하게 꾸민 라하트는 정말 눈이 부실 정도로 아름다운 미녀였다.

"……혹시 화났어?"

엘로라가 멍하니 제 얼굴만 바라보고 있으니 무언가 이상함을 느낀 라하트가 조심스럽게 물어봤다.

라하트를 물끄러미 바라보기만 하던 엘로라는 변함없는 보랏빛 눈동자를 확인하고서는 고개를 저었다.

"아니요, 어서 가요."

그가 어떤 모습을 하고 있더라도 라하트는 라하트였다.

엘로라가 알고 있는 라하트.

라하트의 말대로 진실은 서로가 알고 있으면 되었다.

조금 전까지만 하더라도 미묘하게 느껴졌던 어색함이 가셨다. 살포시 미소 지은 엘로라는 라하트의 손을 잡고 끌어당겼다. 맞잡은 손에 힘을 준 라하트가 엘로라와 보폭을 맞추며 걸어갔다.

사적인 이유로 외출한 건 굉장히 오랜만인 듯했다. 라하트가 받을 작위를 대신 받기로 결심한 순간부터 본인이 짊어진 현실의 무게에 깔려 죽지 않기 위해 바삐 살아왔다.

처음에는 라하트와의 결혼 소식이 발표되었을 때보다 더 엘로라의 이름이 사람들의 입에 오르내렸다.

그녀의 얼굴을 모르는 사람은 없었다.

일거수일투족이 과도하게 조명되었고, 호의적인 시선보다 적대적인 시선을 한꺼번에 받아야 했다.

지금은 어느 정도 안정기에 도달했기에 숨통이 트였지만 엘로라가 자진해서 쉬려 하지 않았다. 오랜만의 사적인 외출임과 동시에 오랜만의 휴식 시간인 것이었다.

일주일간 상처가 많이 아물어서 변장에는 큰 지장이 없었다. 게다가 바깥에 나오기 전에 푹 자서 개운했다.

그 어느 때보다 최상의 컨디션이라고 자부할 수 있었다.

라하트 덕분에 그동안 쌓아 놨던 긴장이 풀리는 것을 느끼며 엘로라는 번화가를 돌아다녔다.

라하트의 목소리는 아무리 좋게 들어 줘도 남성의 목소리였기 때문에 입을 꾹 다물고 다녀야 했다.

안 그래도 큰 신장과 아름다운 얼굴 탓에 어딜 가나 이목이 집중되는데 괜히 입 한 번 잘못 놀렸다가 여장한 변태 취급 받을 바에 신장이 비이상적으로 큰 미녀 취급 받는 것이 나았다.

강제로 인어 공주가 되어 버린 그였다.

죽으면 물 위로 입만 동동 뜰 것 같은 남자가 목소리를 잃은 상황이 퍽 웃겼다. 말을 하고 싶은데 할 수 없어서 안절부절못하는 라하트를 보는 건 주변을 구경하는 것보다 더 즐거운 일이었다.

엘로라는 제 안의 장난기가 치솟는 것을 느낄 수 있었다.

항상 제 마음대로 이끌고 가는 남자를 놀리고픈 욕구가 슬금슬금 들었다.

이런 엘로라의 속내를 엿보기라도 했는지 라하트가 갑자기 엘로라의 귀에 입을 바싹 갖다 대어 속삭였다. 라하트의 더운 숨이 귓가에 닿자 엘로라는 흠칫 몸을 떨었다.

애써 내색하지 않으려고 두 눈을 내리깔고, 입술을 꾹 깨물었다. 하지만 아무리 내색하지 않으려고 노력한다 한들 라하트가 눈치채지 못할 리 없었다.

다시 한번 더 귓가에 대고 속삭이려는데 마침 엘로라의 시야에 서점이 들어왔다. 다소 강한 힘으로 라하트를 밀어낸 엘로라는 보고 싶은 책이 떠올랐다는 핑계를 대면서 도망치듯이 피신했다.

결혼하고 서로의 감정을 인정한 지 꽤 되었지만 라하트의 스킨십에는 아직 면역이 생기지 않았다. 심지어 작위를 받은 후에는 한 침대에서 자고 있는데도 마찬가지였다.

문득 뒤를 돌아본 엘로라는 소리 없이 웃고 있는 라하트를 발견할 수 있었다. 장난을 치려다가 오히려 당한 기분이라서 영 찝찝했다.

저를 보며 눈꼬리가 휘어지는 예쁜 미소를 짓는 얼굴을 보다가 다시 고개를 돌려서 서점에 들어갔다. 어차피 서점은 한 번쯤 들를 생각이었다.

엘로라는 의도적으로 라하트를 의식하지 않으려고 했다.

괜히 또 그의 페이스에 말려들고 싶지 않았다.

제 뒤를 졸졸 쫓아다니는 그를 모른 체하다가 이내 책에 빠져들어서 잊게 되었다.

한동안 일하느라 독서도 제대로 하지 못했다. 신간을 찾아볼 짬조차 없었는데 이렇게 서점에 오게 되니 물 만난 물고기가 되었다.

엘로라는 신나게 구매하고자 하는 책을 하나씩 옆에 쌓아 두기 시작했다.

"탑을 쌓을 수 있겠는걸."

"신경 쓰지 못한 사이에 재미있는 서적이 많이 출간됐더라고요."

주위에 사람이 없다는 걸 확인한 라하트가 말을 걸었다.

엘로라는 목소리에 묻어 나오는 옅은 흥분을 감추지 못한 채 대답했다. 어느새 엘로라의 머릿속에 서점에 오기 전에 있었던 일은 까맣게 잊혀 있었다.

장난감 가게에 들어선 어린아이처럼 서점을 쏘다니던 엘로라는 평소에 읽고 싶었던 책을 발견했다. 엘로라의 키보다 훨씬 더 높은 곳에 있었다.

까치발을 들었다. 그러나 닿지 않았다.

도저히 제힘으로는 뽑을 수 없을 것 같아서 서점에서 구비해 놓은 발판을 찾으려고 하는데 라하트가 불쑥 끼어들었다.

"뽑아 줄까?"

"네, 부탁드려요."

멀찍이 떨어져 있는 발판을 가져오는 것보다 바로 옆에 있는 라하트의 도움을 받는 것이 더 빨랐기 때문에 순순히 긍정했다.

엘로라의 뒤에 선 라하트가 팔을 뻗었다.

앞에는 책장이 뒤에는 라하트가 딱 버티고 있었다. 엘로라는 얼떨결에 앞뒤로 갇혀 버리게 되었다. 책을 꺼내느라 엘로라와 밀착돼 있었기 때문에 라하트의 존재감은 절대 무시할 수 없었다.

"이렇게 있으니까 예전 생각나지 않아?"

책을 꺼내다 말고 라하트가 갑자기 얘기를 꺼냈다. 라하트의 키라면 손쉽게 책을 꺼낼 수 있었기 때문에 갑작스러운 과거 얘기에 엘로라가 당황했다.

"그때는 유령 본 것처럼 화들짝 놀랐었잖아. 네게 부탁한다는 말을 들을 수 있으리라고는 상상조차 하지 못했지."

"……그땐 서로에 대해 잘 알지 못했으니까요."

"많이 발전했어. 그치?"

"그만큼 많은 것이 변했죠."

라하트는 아몬을 위하여 클라우디아 왕녀에 대한 서직을 찾기 위해 고군분투할 때를 얘기하고 있었다.

그때만 하더라도 라하트를 향한 본인의 마음이 이렇게까지 커질 줄 몰랐다. 아니, 이미 커져 있는 마음을 자각할 거라 예상조차 못했다는 것이 더 옳은 표현이리라.

새삼 그때를 반추하고 있는데 라하트가 책을 뽑아서 건네주었다.

"감사해요."

엘로라는 잠깐 머릿속에 떠올랐던 과거의 기억을 지우고서는 책을 펼쳤다. 대충 무슨 내용인지 훑어보고서는 본인이 쌓아 올린 책 탑의 맨 위에 올려놨다.

"다른 건 필요 없어?"

"네, 괜찮아요."

라하트가 멀어졌다. 그의 남성스러운 목소리와 변장한 모습이 전혀 매치가 되지 않는다고 생각하며 엘로라는 빠르게 다른 책으로 관심을 옮겼다.

두 번째 탑을 쌓아 가고 있을 때 낯익은 책 한 권을 발견할 수 있었다.

〈순수와의 결별〉

엘로라가 집필한 책이었다.

오페라의 영향으로 증쇄를 했다는 소식을 들었는데 크게 신경 쓰지 않고 있었다. 오페라가 끝나고 시간이 제법 흘러서 이제는 서점에서 잘 볼 수 없었기 때문에 이 책을 보는 건 오랜만이었다. 괜히 반가웠다.

책 커버에는 저자가 벤더티라고 새겨져 있었다.

사람들은 〈순수와의 결별〉의 작가와 헤스티오 공작이 관련 있을 거라고 생각하지 않았다. 엘로라가 자신의 민낯을 공개했지만 다른 이름이 있다는 진실은 세간에 밝히지 않았기 때문이었다.

굳이 그 사실을 알릴 필요도 없거니와 그들의 삶을 자신과 상관없는 채로 남겨 두고 싶어 진실은 고이 묻어 두었다.

마치 눈인사를 하듯이 책을 바라보다가 다른 책을 구경하려 했다. 그런데 엘로라의 옆으로 다가온 다른 손님이 투덜거렸다.

"아, 오늘 운수 망쳤네. 어떻게 이 책을 여기서 보냐."

"왜? 무슨 일인데?"

동행인의 물음에 투덜거리던 남자가 정확히 〈순수와의 결별〉을 향해 삿대질했다.

"이거 말이야. 이거."

"이 책?"

"실수로라도 건드리지 마! 괜히 이런 책 잘못 건드렸다가는 재수가 옴 붙어."

"왜? 무슨 일 있어?"

"너 그 얘기 못 들었어? 작가가 의문사 했잖아. 그것도 모자라서 그 소설을 기반으로 만들어진 오페라 주연은 갑자기 화재가 발생해서 타 죽었대. 이게 다 책이 저주를 받았기 때문에 그런 거야."

가만히 그들의 얘기를 듣고만 있던 엘로라는 자리를 옮기려고 했다. 볼흐라스에서 유일한 여성 공작인 엘로라에 대한 시선이 따가운 만큼 〈순수와의 결별〉이나 '프라시아'를 아직 받아들이지 못하는 사람은 많았다.

그리고 벤더티의 의문사나 로즈의 죽음이 한때 재조명되면서 저런 식으로 얘기하는 사람이 왕왕 있었기 때문에 엘로라로서는 새삼스러울 것 없었다.

"미친 여자를 옹호하는 책을 버젓이 팔고 있다니. 이 서점도 곧 망하겠어. 쯧."

남자의 중얼거림을 대충 흘려들으며 등을 돌리려는데 라하트가 성큼성큼 다가왔다. 보란 듯이 발걸음 소리를 크게 내며 다가온 라하트는 엘로라와 남자 사이에 억지로 끼어들었다.

필시 라하트 또한 남자의 험담을 들었을 텐데 기세가 심상치 않았다. 큰일이 벌어질 것만 같았다.

불길한 기분에 휩싸인 엘로라가 라하트를 쳐다봤다.

라하트는 서점에 있는 〈순수와의 결별〉 재고를 전부 털어 갈 듯이 전투적으로 집어 들었다. 그리고 더 이상 집어 들 책이 없어졌을 때, 불평하던 남자 쪽으로 몸을 돌렸다.

남자는 자신이 책에 대한 험담을 늘어놓던 중 생긴 일이라서 갑작스럽게 끼어든 라하트를 쳐다보고 있던 중이었다. 그랬기 때문에 라하트가 몸을 돌리자마자 두 사람의 눈이 마주쳤다.

보랏빛 눈동자와 마주하자마자 남자는 움찔했다.

책으로 남자의 머리통을 깨부술 것 같은 살벌한 눈빛이었다.

"뭐, 뭐!"

도둑이 제 발 저리다고 남자가 괜히 언성을 높였다. 엘로라를 볼 때와는 달리 서늘하게 남자를 내려다본 라하트는 그대로 책을 품에 안고 계산대로 걸어갔다.

라하트가 등을 돌린 채로 서 있으니 상황 파악을 정확히 할 수 없어서 말려야 하나 조마조마했던 엘로라는 그 뒷모습을 보고 남몰래 한숨을 내쉬어야 했다.

짧게 시선만 주고받았을 뿐인데 위압감에 억눌려서 남자는 석상처럼 굳어 있었다.

라하트가 시야에서 벗어났음에도 불구하고 제정신을 차리지 못하고 있다가 뒤늦게 욕설을 소심하게 중얼거렸다. 그마저도 라하트가 들은 것은 아닌지 슬쩍 눈치를 보았다.

그 모습을 빤히 보고 있던 엘로라와 눈이 마주치자 불에 덴 듯 화들짝 놀라면서 일행을 데리고 꽁무니를 빼며 서점을 나갔다.

이 모습마저도 엘로라에게는 그리 낯선 광경은 아니었다.

남자들이 서점을 빠져나가고, 계산을 마친 라하트가 돌아왔다. 그는 분이 풀리지 않았는지 사나운 얼굴을 하다가 엘로라와 눈이 딱 마주치자마자 언제 그랬냐는 듯이 빙긋 미소 지었다. 빠른 표정 변화였다.

마치 남을 보듯이 눈 한 번 깜빡이지 않은 엘로라는 도저히 두 사람이 들고 갈 수 없는 양의 책의 대금을 치른 후, 공작저로 보내 달라고 부탁하고서는 서점을 나섰다. 그런 그녀의 뒤를 라하트가 따랐다.

"잘못했다고 생각하지 않아요. 하지만 그렇다고 해서 칭찬하지 않을 거예요. 기뻐하지도 않을 거고요."

"……."

"아시잖아요. 일일이 먹잇감을 줄 필요 없다는걸."

듣고만 있던 라하트가 엘로라의 허리에 제 팔을 두르고선 그녀를 끌어당겼다. 바짝 밀착하게 되어 당황한 엘로라의 귓가에 라하트가 낮게 속삭였다.

"네가 화내지 못한다는 걸 알기 때문인지 몸이 먼저 움직여."

이제까지 엘로라에 대한 무수히 많은 소문이 있었고, 그녀는 항상 그 사실을 알면서 침묵했다.

화가 나지 않는 것이 아니었다.

정확히는 감정적으로만 굴 수 없는 자리에 앉아 있기 때문에 화내지 못하는 것이었다. 자신의 감정을 삭이는 것에 익숙했다.

그 사실을 익히 알고 있는 라하트는 항상 엘로라를 대신하여 나섰다.

"따지고 보면 제대로 화낸 것도 아니지. 유치하기 짝이 없는 행동인데 그런 것밖에 할 수가 없어. 진짜 화내면 네가 싫어할 테니까."

라하트의 목소리에 힘이 없어졌다. 그는 "유치하게 굴면 네가 날 귀엽게라도 봐 주잖아."라고 덧붙여서 중얼거렸다.

"귀엽게 안 봐요."

풀이 죽은 미녀를 빤히 보던 엘로라가 라하트의 이마에 제 이마를 콩 하고 박았다. 아프지 않게 박았건만 라하트는 엄살을 부렸다.

순식간에 분위기가 변했다. 하지만 그렇다고 하여 엘로라가 라하트의 마음을 이해하지 못한 건 아니었다.

"유치한 짓인 걸 알고 있으니 아까 그 사람을 일부러 찾아서 해코지하지 않을 거죠?"

"글쎄."

혹여나 남몰래 뒷조사를 하여 아까 험담한 그 사람에게 불이익을 줄까 싶어서 물어봤건만 되돌아오는 대답이 시원찮았다.

그가 원한다면 사람 한 명쯤이야 언제든 찾을 수 있고, 보복조차 쉽게 할 수 있다는 걸 알고 있는 엘로라는 짐짓 엄하게 말했다.

"똑바로 대답해요."

"알겠어. 아무 짓도 안 할게."

"약속한 거예요."

라하트가 말 잘 듣는 착한 아이처럼 고개를 끄덕였다. 이런 약속은 잘 지키는 터라 엘로라는 안심했다.

"대신 네가 기뻐하지 않더라도 너한테 나쁜 말을 하는 사람이 있으면 보복할 거야."

"귀엽게요?"

"응, 귀엽게."

농담 삼아 한 말인데 라하트가 순순히 인정하자 엘로라는 작게 웃음을 터트렸다. 본인을 위해서 발 벗고 나서 준다는데 싫어할 리 없었다.

"구매한 책은 어쩌실 거예요?"

"한 권은 내가 가지고, 나머지는 금은보화처럼 모셔 줄 사람한테 선물해야지."

"레베카 씨요?"

"아니, 그녀 말고도 네 팬은 많아."

레베카는 라하트의 여자라고 알려졌었던 사람들 중 한 명이었다.

물론 모리카나 다른 사람이 그러했듯 진짜 라하트의 연인은 아니었다.

필요 관계에 의해 라하트와 협력하고 있는 단체의 사람인데 언제 한 번 엘로라와 만난 적이 있었다.

라하트가 자신의 결백을 주장함과 동시에 그녀들이 엘로라를 보고 싶다고 성화였기 때문이었다.

그들은 엘로라가 벤더티이자 로즈라는 사실을 알자마자 흥분했고, 사인 요청이 쇄도했다. 그중에 레베카가 있었다.

죽기 전까지 무명작가였던 벤더티였기 때문에 자신의 작품에 대해 열성적인 사람을 만난 건 처음이었다. 난처했던 그때를 떠올리며 엘로라는 설핏 미소를 지었다.

"전하께서는……."

엘로라가 말을 하다 말고 입술을 다물었다.

자신이 실수했기 때문이었다.

'전하'라는 호칭이 입에 익은 탓에 그대로 불러 버렸다.

이제는 그를 전하라고 부르면 안 됐다. 황족의 피를 이었지만 엘로라에게 작위를 양도하면서 모든 지위가 박탈된 그였다. 정말 말 그대로 공작 남편인 것이다.

엘로라가 공적인 자리에서 라하트를 이름으로 부르든 애칭으로 부르든 예의를 운운하며 따질 사람은 이제 없었다.

"그냥 편하게 말해. 어차피 변장 중이니 뭐라고 부르든 상관없겠지. 그러고 보니 예전에도 이런 대화를 나눴지 않아? 그땐 네가 굳이 존대할 필요가 없다는 의미에서 한 말이었던 것 같은데."

실제로 라하트는 엘로라가 작위를 받을 때쯤에 자신에게 편하게 말하라고 한 적이 있었다. 라하트의 제의에 엘로라는 반말을 도전해 봤지만 머뭇거렸다.

"얘기 나온 김에 연습할까?"

"뭘요?"

"서로 반말하는 연습."

그리고 지금도 머뭇거렸다.

평소에 쓰던 말투를 계속 쓰고 있는데 갑자기 반말을 하라고 하니 자연스럽게 나올 리 없었다. 침묵을 선택했던 엘로라는 부담스러운 눈빛에 못 이겨서 결국 입을 열어야만 했다.

"……그, 있잖아요. 아니. 있잖……. 아니에요. 아니, 아니에요."

"아니야?"

"그러니까……, 그게 말이죠. 무슨 말을 해야 되죠? 아니, 돼?"

본인이 무슨 말을 하고 있는지 자각되지 않았다. 그냥 되는 대로 아무 말이나 내뱉고 있는데 이게 무슨 말인지, 볼흐라스어는 맞는지 의심이 들었다.

예전에 라하트가 제의했을 때도 이렇게 고장 난 것처럼 굴다가 결국 평소에 하던 대로 말하고 있었다. 그건 시간이 흘러도 여전했다.

라하트가 낮게 웃었다. 웃음소리를 듣자 정신이 퍼뜩 차려진 엘로라는 고개를 저었다.

"아, 안 돼요. 못하겠어요."

"음, 정 안 되면 내가 바꿀게."

엘로라와 딱 달라붙어 있던 라하트가 한 발자국 멀어졌다. 갑자기 거리를 벌리는 그를 당황스럽게 쳐다보자 싱긋 미소 지은 그가 손을 내밀었다.

"손잡아도 될까요?"

엘로라와 손을 잡기 위해 팔을 뻗은 라하트는 아무리 봐도 여자였다. 그러나 부드럽게 미소 짓는 얼굴에 라하트의 원래 얼굴이 겹쳐 보였다.

"가능하면 키스도 하고 싶은데. 아, 이건 존댓말이 아니지."

얼굴에 열이 오르는 것을 느끼며 엘로라가 황급히 주변을 둘러봤다. 다행히 라하트의 중얼거림을 들은 사람은 없는 듯했다.

거리는 한산했다. 몇몇 있는 사람마저도 엘로라와 라하트를 애정이 넘치는 커플로 생각한 건지 그들 근처로는 지나가지 않았다.

"그냥 평소대로 해요."

사람은 살던 대로 살아야 했다.

엘로라는 지금이 가장 편했다.

"모습이 다른 김에 연습을 더 하는 건 어때? 원래 얼굴을 보면서 연습하는 것보다는 심적 부담이 덜할 거 아니야."

엘로라의 머릿속에 또다시 말을 형편없이 더듬을 자신이 자연스럽게 그려졌다. 그걸 알면서 지금 라하트는 끈질기게 제의를 하는 것이 분명했다.

엘로라는 다시 거리를 좁히려는 라하트를 밀어냈다.

"배고프죠? 먹을 것을 사 올 테니 여기서 기다리고 계세요."

평소보다 목소리가 높아진 엘로라가 빠르게 달려갔다.

서점에 들어가기 전과 마찬가지로 라하트에게서 도망치기 위한 변명일 뿐이었다. 배고프다는 얘기는 한 번도 나온 적 없는데 되는 대로 지껄였으니.

엘로라는 라하트의 얼굴을 제대로 보지 않고, 튕겨 나가듯이 뛰쳐나갔다. 그리고 근처에 파는 아무 음식이나 사서 두 손에 꼭 쥐었다.

괜히 따라가 봤자 자신이 도망만 친다는 걸 아는지 라하트는 따라오지 않았다. 덕분에 한결 편안한 상태가 되어 있었던 자리로 돌아간 엘로라는 이상한 광경을 목격할 수 있었다.

덩치 큰 남자들이 라하트를 둘러싸고 있었다. 썩 인상 좋은 얼굴은 아니었다. 흉흉한 분위기가 그들 사이를 지배하고 있었다.

샌드위치를 사 왔을 뿐이었다. 도대체 그 짧은 시간 동안 무슨 일이 일어났는지 알 수 없었다.

남자들이 라하트에게 무언가를 따지는 듯한 모양새인 듯하여 엘로라는 조심스럽게 그들과 거리를 좁혔다.

"이놈, 분명 사내 새끼가 맞다니까요!"

"아무리 봐도 얼굴은 계집애인데."

점점 더 언성을 높이는 그들의 대화는 쉽게 엿들을 수 있었다.

그토록 걱정했는데 역시 한 남자가 라하트의 목소리를 들은 것 같았다.

체격을 최대한 숨기도록 노력했고, 얼굴만 보면 흠잡을 데 없이 아름다운 미녀였지만 입만 열면 제 귀를 의심하게 되었다.

아름다운 얼굴에 걸걸한 목소리라니. 그 모습을 본다면 한 번쯤 뒤를 돌아볼 만했다.

여자가 남장하는 것에 대한 시선은 썩 곱지 않지만, 남자가 여장하는 것만큼은 아니었다.

라하트는 소년이 아닌 성인 남성이었다. 아무리 라하트에게 불순한 동기가 없더라도 정체를 눈치채면 이상하게 볼 법했다.

“야, 소리 내 봐.”

“형님, 드레스를 한 번 들춰 보죠. 거시기가 달려 있을지도 모르잖습니까.”

그러나 저런 식으로 저급하게 희롱해서는 안 됐다.

남자들은 저들끼리 낄낄거렸고, 라하트는 말을 할 수 없으니 입을 꾹 다문 채 그들을 바라볼 뿐이었다. 도저히 눈뜨고 볼 수 없는 광경에 엘로라가 끼어들었다.

“가만히 있는 사람한테 왜 시비입니까.”

남자들이 중간에 끼어든 엘로라를 내려다봤다. 라하트가 그들과 엇비슷하거나 훌쩍 더 크다면 엘로라는 작은 축에 속했다. 신발에 깔창을 두툼하게 깔아 놨지만 크다고 할 수 없었다.

기생오라비처럼 생기기만 했지 영 위압감은 없는 엘로라를 보고서는 남자들이 코웃음 쳤다.

“비실비실하게 생긴 놈이 어딜 끼어들어.”

"너도 거시기는 제대로 달려 있냐?"
남자들의 웃음소리가 퍼졌다.
엘로라는 그들의 모습에서 자신을 비웃던 귀족들이 투영되었다.
비웃고, 짓밟으려고 애쓰는 그들이.
매일 치이고 다녀서 스트레스가 잔뜩 쌓여 있는 상태였다. 일순 뭐에 홀린 것처럼 엘로라가 앞에 있는 남자의 정강이를 세게 걷어찼다.
강한 힘에 남자가 쓰러졌다.
"그렇게 궁금하면 너부터 까고 말하든가. 네가 뭔데 남의 애인한테 지랄이야."
엘로라의 분노는 한계치를 넘어선 지 오래였다.
어쩔 수 없이 삭이고 있었던 것이지 절대 화를 낼 줄 몰라서 화를 내지 않았던 것이 아니었다.
자신에 대한 험담은 옳은 말이니 그렇다 쳐도, 괜히 얌전히 있는 라하트에게 깐죽대는 남자들은 평소 엘로라가 분노하는 대상과 비슷하다 못해 똑 닮았다.
"여자면 어쩌고, 남자면 또 어쩌려고?"
성별이 뭐 그렇게 중요하다고 난리를 피우는지. 지긋지긋했다.
엘로라의 돌발 행동에 삿대질을 하던 남자들은 주먹을 들었다. 제 친구가 한 대 맞고 나가떨어졌는데 가만히 있을 리 없었다.

엘로라 또한 덤벼드는 남자들에게 주먹을 들었다. 예전 같으면 일 대 다수의 몸싸움은 되도록 피했겠지만 위장 잠입을 하면서 꼭 무기가 없어도 홀로 다수와 싸우는 법을 터득했다.

전문적으로 싸움을 배운 사람도 아니고, 길거리에서 흔히 볼 수 있는 양아치였다. 근력은 그들에 비해 뒤져도 그동안 쌓아 온 것이 있으니 압도적으로 불리한 상황은 아니었다.

엘로라가 가볍게 장정 한 명을 쓰러뜨렸을 때, 멀리서 치안대가 달려오는 소리가 들렸다. 마냥 놀고먹기만 하는 것은 아닌지 엘로라와 남자들을 말리기 위해 달려왔다.

그들 중 엘로라가 아는 얼굴이 제법 있었다. 이곳은 엘로라가 관리하는 영지였기 때문에 당연한 일이었다.

그제야 냉수를 뒤집어쓴 것처럼 정신을 차렸다.

저가 무슨 짓을 하고 있었는지 깨달은 엘로라는 흠칫하다가 라하트의 손을 잡고 달렸다.

원피스를 입고 있었던 탓에 아무것도 하지 못하고 있었던 라하트가 속수무책으로 엘로라에게 끌려가야 했다.

치안대는 도망치는 남자들과 엘로라를 쫓으려고 했지만

그녀는 근처 지리를 꿰고 있었다. 금세 따돌릴 수 있었다.

쫓아오는 사람이 없다는 걸 확인하고 나서 숨을 돌린 엘로라는 문득 자괴감이 들었다.

한순간 다른 사람이 된 느낌이었다.

감정을 조절하지 못하고 욱하다니. 라하트 같았다. 아니, 라하트만 못했다. 라하트는 적어도 눈빛만 쏴 보냈지 몸싸움은 하지 않았다.

"……이래서는 제가 면목이 없네요."

일일이 먹잇감을 줄 필요가 없다고 말했던 것이 불과 몇십 분 전이었다. 그 말을 했던 장본인이 먹잇감을 아주 거하게 주었다.

제정신을 차리고 나니 부끄러워져서 엘로라가 한숨을 길게 내쉬며 중얼거렸다.

그런 엘로라를 빤히 바라보던 라하트가 불쑥 말했다.

"새삼 또 반했어."

"대체 뭘 보고요?"

"날 지켜 주는 듬직한 뒷모습?"

뜬금없는 그의 말에 엘로라가 당황해하자 장난스러운 대답이 돌아왔다. 웃음기 어린 라하트의 대답은 너무나 라하트스러웠다. 어쩐지 착잡했던 기분이 가셔서 엘로라의 굳었던 표정이 풀어졌다.

"다치지 않아서 다행이야."

"여기서 더 다칠 수는 없잖아요."

잠깐 서늘한 눈빛으로 엘로라를 살피던 라하트는 눈 한 번 깜빡하니 언제 그랬냐는 듯이 원래대로 돌아왔다.

때문에 엘로라는 라하트가 그들을 어떻게 응징해야 좋을지 셈하고 있다는 사실을 알지 못했다.

"나한테도 반말 해 주면 안 돼?"

"안 돼요."

잊고 있었던 주제가 다시 떠올랐다. 남자들이 라하트에게 시비를 걸기 전에 그 사달이 났건만 라하트는 고집을 부렸다.

"아까처럼 한 번만 말해 줘."

"못해요."

"그러면 키스는?"

"그냥 입 다물어 주세요."

"그걸 반말로 해 줘."

"이상한 페티쉬 있어요?"

"방금 생긴 것 같아."

반은 진담이고, 반은 농담이었다.

절레절레 고개를 저은 엘로라는 화제를 전환했다.

"이러다가 또 시비 걸릴지도 모르니까 돌아가요. 입 한 번 뻥긋하지 못하는 거 불편하잖아요."

계속 주위 눈치를 보며 말하는 것이 편할 리 없었다. 죽으면 입술만 동동 뜰 것처럼 말하는 남자가 입을 꾹 다물고 다녀야 했으니 어지간히 힘들었을 거다.

기분 나쁜 일도 있었지만 그만큼 즐거운 추억 또한 쌓았기 때문에 엘로라가 미련 없이 손을 내밀었다.

라하트는 자신에게 내밀어진 손을 빤히 바라보다가 울컥했다.

“엘로라.”

“네?”

“미안해.”

“또 그 말이에요? 잘못한 것 없으니 저한테 사죄하지 마세요.”

그늘진 라하트의 얼굴을 제대로 살피지 않은 엘로라가 미동조차 하지 않는 그 손을 억지로 잡아서 제 쪽으로 당겼다. 하지만 당겨도 우뚝 서 있던 라하트가 조심스럽게 입을 열었다.

“네가 빨리 달려가도 따라갈 자신이 있었기 때문에 그동안 아무 말 하지 않았어. 하지만 내가 잘못 생각했던 것 같아.”

“…….”

“그런 방식으로 네 곁에 있으면 짐을 나누기는커녕 방관하는 것밖에 되지 않는데 말이야. 내가 널 더 힘들게 한 것 같다는 생각이 떠나질 않아.”

“아니에요. 그렇지 않아요.”

방관이 아니었다.

라하트가 굳건하게 자신을 지켜 주고 있었기 때문에 새로운 선택을 하고, 지금 이 자리에 설 수 있었던 거였다.

엘로라는 고개를 가로저었다. 그가 자책하는 모습을 보고 싶지 않았다.

"그렇다면 우리 약속 하나 할래?"

"약속이요?"

"이제부터 오늘같이 마음껏 화내고, 깽판 치자."

"……치안대에 잡혀가라는 의미죠?"

조금 전에 치안대에 쫓기던 모습이 떠올라서 엘로라가 진지하게 묻자 라하트는 웃음을 터트렸다.

"아니, 그렇게 되는 건 조금 곤란하고, 지금보다 더 감정적으로 굴어도 된다는 말이야. 네가 완벽할 필요 없어. 완벽하지 않더라도 부족한 부분은 내가 채워 줄 테니까."

"하고 싶은 말은 알겠지만 마음대로 되지 않는걸요."

"그래서 마음대로 될 때까지 조금씩 맞춰 나가자는 거야."

엘로라가 대답하기 전에 라하트가 고개를 숙여서 그녀의 입술에 입을 맞추었다. 그대로 입을 닫아야 했던 엘로라는 느릿하게 두 눈을 깜빡였다.

"약속을 지키자는 의미에서 찍는 도장."

"……."

"제일 티가 나지 않는 곳에 찍었어."

"마법의 입맞춤이에요?"

"그렇게 생각하는 것도 나쁘지 않지. 지금 이 순간을 잊지 않는다면."

입술에 입을 맞춘 것만으로는 성에 차지 않았는지 라하

트가 엘로라의 머리칼에 연거푸 입을 맞추었다. 새가 쪼는 듯한 가벼운 입맞춤이었다.

“서두를 필요 없어. 느려도 괜찮아. 이 세상이 널 기다리지 않더라도 나만은 끝까지 기다릴 거니까.”

“…….”

“그 사실만을 기억하고 있으면 돼.”

생각에 잠긴 엘로라가 잠시 멍하니 서 있었다.

그런 엘로라의 얼굴을 살핀 라하트가 언제 낮은 목소리로 속삭였냐는 듯이 무게감 없이 말했다.

“그러면 이제 히나한테 가자.”

“예? 지금요?”

“응.”

대화 주제가 뜬금없이 튀었다.

돌아가자고 할 줄 알았더니 히나에게 가자니.

히나가 올 때까지 기다리려고 했던 엘로라는 그래도 괜찮은지 확신이 서지 않았다. 울고 있던 히나의 얼굴이 아직도 앞을 가렸다.

“외출이 끝나면 히나가 언제 돌아오나 싶어서 시름시름 앓을 거잖아. 나온 김에 다 처리하고 가자.”

“히나가 어디 있는 줄 알고요?”

“얘기 들어 보니까 집에 갔대.”

“대체 언제 찾아본 거예요?”

“이런 건 내 특기잖아. 말하지 않아도 알아서 했지.”

엘로라가 깊게 고민할 시간도 주지 않고 라하트가 엘로라의 등을 떠밀었다.

기껏 찾아가서 얼굴 보기 싫다는 말을 듣고 싶지 않으면서도 히나에게 돌아와 달라고 말하고 싶은 마음이 상충되었다.

모질게 라하트를 쳐 내지 못한 사이, 그들은 마차를 타고 이동했다. 정신을 차리고 보니 히나의 집 근처였다.

히나의 집에 들어가기 전, 왠지 긴장이 된 엘로라는 근처 가게에 들렀다. 가게라면 무작정 들어가고 보았다. 그리고 구경만 하는 것이 아니라 히나네 어머니나 동생들한테 줄 선물을 잔뜩 골랐다.

다 사 놓고 보니 정작 히나에게 줄 선물을 고르지 못한 것이 문제였다. 생각해 보면 히나가 무언가를 원한 적이 없어서 쩔쩔매던 엘로라는 고심 끝에 꽃 한 다발을 샀다.

개성 없는 선물이긴 해도 빈손으로는 찾아가고 싶지 않았다.

변장을 풀지 않은 상태였기 때문에 여장한 라하트를 짐꾼으로 쓰게 된 엘로라는 꽃다발을 들고 문을 두드렸다.

히나의 동생이 나왔다. 소년은 눈앞에 있는 남자가 그 헤스티오 공작이라는 사실을 알고 크게 가족을 불렀고, 우르르 현관으로 달려온 온 가족이 엘로라를 환영했다.

엘로라의 옆에 서 있는, 예쁘게 생긴 라하트의 정체를 궁금해했지만 웃음으로 얼버무렸다.

소란을 듣고 뒤늦게 내려온 히나는 엘로라를 반기는 가족과는 다르게 엘로라와 눈이 마주치자마자 울 것 같은 얼굴로 또 도망치려고 했다.

그런 히나에게 꽃다발을 건넨 엘로라는 그녀를 하루 종일 달래 주었다.

그날 밤, 두 사람은 서로 한 침대에 누워서 최근 못다 한 얘기를 나누었다.

엘로라가 바쁜 탓에 대화가 급격하게 줄어서 그동안 숨겨 놓았던 속내를 털어놓을 수 있는 시간이 되었다. 마치 어린 시절로 돌아간 듯한 기분이었다.

히나와의 앙금을 풀어낸 엘로라는 아침이 되자마자 그녀를 데리고 공작저로 돌아갔다. 잠시 모든 짐을 내려놓고 좋아하는 사람과 함께 있는 시간이었다.

아마 영원히 계속될 시간일 것이다.

히나의 짧은 휴가가 그렇게 끝나는 동안 하룻밤이 지났을 뿐인데 예쁘게 생긴 누나가 잘생긴 형이 되어 나오자 히나의 동생들이 비명을 질렀다거나, 라하트와 엘로라가 아무 말 하지 않고 나갔기 때문에 그들이 실종된 줄 알고 공작저가 발칵 뒤집힌 것은 아주 소소한 일이었다.

외전 2. 그 동화의 끝은

외전 2. 그 동화의 끝은

[아버지, 잘 지내고 계시나요?

저는 퀴니온에 무사히 도착했어요. 해외여행은 처음이라서 설렘이 가시질 않아요. 특히 퀴니온의 바다는 뷔로스만큼이나 아름다워서 시선을 뗄 수 없었어요. 아버지께서도 이곳 풍경을 보게 되었으면 아마 저처럼 좋아했을 거예요.

언젠가 아버지와 함께 이곳을 방문할 수 있길 바라는 마음으로 직접 그린 바다를 함께 동봉해요.

제가 본 것과 똑같이 표현하려고 애썼어요. 제가 처음 바다를 봤을 때 느꼈던 감동이 아버지께 그대로 전해졌으면 좋을 것 같아요.

사실 신혼여행을 갔을 때 뷔로스의 바다를 아버지께 꼭 보여 주고 싶었어요. 저 혼자 보기에는 아깝다는 생각이

들 정도로 너무 아름다웠거든요. 하지만 그땐 바빠서 홀로 생각만 했는데 이렇게 기회가 찾아와서 뒤늦게나마 바다를 보내 드려요.

오랜만에 받은 휴가이니만큼 긴 여행이 될 거예요.

볼흐라스로 돌아가면 계절이 바뀌어 있겠죠.

그럼 다음 목적지에 도착하면 또 엽서를 보내도록 할게요.

그때까지 건강하세요.

아버지의 하나뿐인 딸, 엘로라가.]

"다 했어?"

"네."

"나도 그려 봤는데 같이 보낼래?"

"어디 봐요."

라하트가 혼자서 열심히 무언가를 그리고 있던 걸 눈치채고 있던 엘로라는 종이를 넘겨받았다. 그리고 정체불명의 그림을 볼 수 있었다.

"어때?"

라하트는 그림을 못 그렸다.

그냥 못 그리는 것이 아니었다. 엄청나게 못 그렸다.

이제껏 엘로라가 그려 온 완벽함과는 완전히 달랐다.

"좋아요."

그러나 엘로라는 그런 그가 좋았다.

이제까지 견고하게 구축해 놨던 자신의 기준에 부합하기

는커녕 대척점에 서 있더라도.

"그거 말고도 하나 더 그리지 않았어요?"

"음, 그랬던가?"

"그랬어요."

"잘 모르겠는데."

그렇게 말하며 라하트가 종이 한 장을 슬쩍 뒤로 숨겼다. 아무리 봐도 수상한 행동이었다. 실력과는 별개로 본인의 그림에 당당한 남자였다.

보여 주려면 보여 줬지 이렇게 숨긴 적은 처음이었다.

그림을 그리기 시작한 이유도 그림 그리는 데에 열중하는 엘로라의 모습이 떠올라서 기분 좋았기 때문이었다. 다른 이면 몰라도 엘로라에게는 무엇을 그렸는지 꼭 보여 주고는 했다.

마치 라하트의 능청스러움에 넘어간 척, 얌전히 있던 엘로라가 슬쩍 손을 뻗었다. 라하트가 숨긴 그림을 살짝이라도 보기 위함이었다.

그걸 눈치 빠른 라하트가 모를 리 없었다. 자리에서 벌떡 일어나더니 어딜 좀 갔다 오겠다면서 갑자기 달리기 시작했다.

그림을 숨기려고 달리는 것이었다.

따라서 일어난 엘로라는 라하트의 뒤를 따라 달렸다. 얼떨결에 시작된 추격전에 라하트는 속도를 높였고, 엘로라는 그에 뒤지지 않고 점점 라하트와 거리를 좁혔다.

잡힐 듯 아슬아슬하게 잡히지 않았다.

이러다가 팔이 빠지는 것은 아닐까 걱정될 정도로 엘로라가 힘껏 팔을 뻗었다.

그리고 그 순간, 모래사장에서 뛰는 것이 익숙지 않아서 앞으로 고꾸라졌다.

엘로라의 얼굴이 형편없이 모래에 파묻혔다. 모래라서 아프지 않았지만 이렇게 될 줄 몰랐기 때문에 당황스러웠다.

엘로라는 고개를 들 생각을 하지 못했다. 힐끔 뒤를 봤다가 모래에 파묻힌 은빛 머리통을 보고서는 라하트가 황급히 엘로라에게 다가와서 일으켜 주었을 때야 일어설 수 있었다.

"괜찮아?"

"잡았어요."

콜록거리면서 모래를 뱉어 낸 엘로라가 라하트의 팔을 단단히 잡았다. 그리고 그의 손에 있던 종이를 힐끔 보았다.

그곳에는 라하트의 그림이 있었다.

이런 식으로 들키게 되자 더 이상 숨길 생각이 없어진 라하트는 그냥 엘로라에게 그림을 넘겨 주었다.

그림을 유심히 살펴보던 엘로라는 조심스럽게 물어봤다.

"뭐예요?"

"너."

예상치 못한 대답에 기억을 되짚어 본 엘로라는 그가 다른 사람은 많이 그렸어도 자신을 그린 적이 없다는 걸 깨달았다.

“……이 그림보다 네가 더 예뻐서 보여 줄 수 없었어.”

라하트의 뺨이 붉게 달아오른 것처럼 보였다.

쑥스러워하는 것 같았다.

항상 마주하던 보랏빛 눈동자가 다른 곳을 보는 걸 확인한 엘로라가 물었다.

“제가 가져도 될까요?”

머뭇거리던 라하트가 고개를 끄덕였다.

그의 긍정에 엘로라는 활짝 웃었다.

“감사해요. 소중히 간직할게요.”

종이가 접히지 않도록 조심해서 주머니에 넣은 엘로라는 홍조가 가시질 않은 라하트를 빤히 쳐다봤다. 얼핏 어느 동화에 나오는 근사한 왕자님처럼 보였다.

하지만 엘로라는 동화를 믿지 않았다.

탑에 갇힌 채 얌전히 기다리기만 해서 삶이 변하리라고 생각하지 않았기 때문이다.

그리고 라하트 또한 동화 속 왕자님이 아니었다. 탑에 갇힌 공주님을 구하기 위해 바쁘기는커녕 우연히 지나가던 주정뱅이[1]에 가까운 모습이었다.

그렇게 동화를 믿지 않는 두 사람이 만났다.

현실을 살아가는 두 사람은 서로가 갖지 못한 걸 나눠 가졌다. 완벽하게 다른 환경에서 다른 방식으로 살아왔지만 다르기 때문에 서로에게 부족한 점을 채울 수 있었다.

이렇듯, 엘로라에게 필요한 건 백마를 탄 왕자님이 아니었고, 라하트에게 필요한 건 아름다운 공주님이 아니었다.

"모래가 묻었어."

라하트가 엘로라의 머리칼에 묻은 모래를 털고선 귀 뒤로 넘겨 주었다.

가발을 쓰지 않아서 은발을 그대로 드러내고 있었다. 뿐만 아니었다. 얼굴은 화장이라고는 전혀 하지 않아서 민낯이었지만 더 이상 얼굴을 가리거나 타인의 눈치를 보지 않았다.

그녀에게 스스로를 숨기는 가면은 필요 없었다.

까치발을 든 엘로라는 라하트의 뺨에 입을 맞추었다.

영원히 잊히지 않고 전해지는 동화의 마지막 장면처럼.

그러나 그들의 이야기는 끝이 아니었다. 또 다른 시작을 알리는 입맞춤이었다.

—完

그 신부를 믿지 마세요 4

초판 인쇄 2019년 3월 4일
초판 발행 2019년 3월 14일

지은이 윤온
펴낸이 신현호
편집부장 예숙영
편집 최은지
편집디자인 한방울
영업 · 관리 김민원 조인희
물류 이순우 최준혁 박찬수

펴낸곳 ㈜디앤씨미디어
출판등록 2002년 5월 1일 제117-90-51792호
주소 서울시 구로구 디지털로 26길 111 JnK디지털타워 503호
대표전화 (02)333-2513 팩스 (02)333-2514
전자우편 dncbooks@dncmedia.co.kr
디앤씨북스 블로그 http://blog.naver.com/dncbooks

ISBN 979-11-264-4648-3 (04810)
ISBN 979-11-264-4650-6 (SET)